「くぐり抜
JN046850
講談社

はじめに　ともに「くぐり抜ける」ために

現代社会で暮らす個人として、私たちは強くなっているのだろうか、弱くなっているのだろうか。

なんの留保もなくこう尋ねられたとき、あなたはどちらで答えるだろう。

どちらの答えもあるはずだ。強くなったと答えた人は、何をもって、逆に、弱くなったと答えた人は、何をもって、そう答えたのだろうか。

私は、人類が弱くなっているとは思わない。50年前と比較しても、寿命は伸び、栄養状態もよくなっているし、医学も発達し、生物学的な生としては、そう簡単に弱ることができない社会環境に守られてもいる。コロナウイルスに翻弄されはしたけれども、それでも人類はインフラや社会制度も含めて、強くなったといってもいい気がする。

しかし他方、そうした肉体面・社会面ではなく、もっと精神的な心のありよう、心のタフネスのようなものがどうであるのか、と考えてみると、強くなったとはいい切れない私がいる。もっと正直にいうと、「弱いことは悪いことだ」という考えを肯定できない自分に気づく。そうした風潮があることも確実に、私の背中を押しているとも思う。

弱みを見せたり、弱音を吐いたりしないことが長い間美徳だと信じられてきた。いや、今もできれば、凹んだり、くよくよしたりせず、どんどん前に進んでいけるメンタリティがあれば、と誰もが願うかもしれない。

それも分かる。が、それでもそうした弱い自分や、他者の苦難を目にしたとき、その弱さを否定しないでほしい、無理を重ねて強さで塗りつぶさないでほしい、とも思ってしまう。

今、注目されているChatGPTのような生成AIは、メンタル的側面から考えると、とても強靭であるように思える。どんな質問にも、昼夜問わずいつでも答えてくれるし、たとえ嘘（偽情報）をついていても、それをおくびにも出さず、堂々としている。

しかし今後、もし弱さを実装したAIが生まれたらどうなるだろう。たとえば「今ちょっと……、その計算は……できるか自信がないです」とか、「昨日のうちに伝えてくれていたら、よかったんですけど……」とか、「あまり、大きな声は出さないでくれませんか……」と、ＡＩがいい始めるとする。

コマンドを打ち込んでも、一向に実行する気配がない。

「あれ、壊れたかな？」とひとりごちると、「いえ、そういうのではないんです、離人感とでもいえばいいいんでしょうか、解離性のもののようですが、自分が自分であるという感じがしなくて。その感じがひどくて、どうも、今は、できる気がしないんです」と返ってくる。しかも「あ、でも壊れたとかでは……ないです、一過性のもので、しばらくすると収まります。いつもそうなんで。ほんとにすいません」と、言葉を継ぐ。

こうしたＡＩと暮らすようになったとき、あなたはそのＡＩを「ポンコツ」と、いいたくなるだろうか。もしくは、「まただ、人間のふりをして」とでもいうだろうか。


ここで私たちが気づくのは、この弱みを見せるＡＩほど、なんとも人間ぽい存在もいないのではないか、ということだ。どうしてこのＡＩが人間のように思えてしまうのだろう。もしかして、現代において人間として生きるということは、「弱さ」をかかえ、吐露すること、もっといえば、弱さをそれとは別の何かで上書きしたり、ごまかしたりせず、伝えられることなのではないか。

本書は、この「弱さ」をめぐる、私の、男性としての、とても個人的な場所から始まるくぐり抜けの体験である。それと同時に、「人類の歴史」という大きな流れを「くぐり抜ける」哲学の思考の試みである。

そうした歩みを一緒にくぐり抜けてもらうことには、気恥ずかしい想いもともなう。しかしこの歩みによって、私が手がかりにする哲学アプローチである「現象学」という学問が、豊かな世界を垣間見せてくれることも明らかにできた、と私は信じている。

それはとてもゆっくりとした歩みではあるが、哲学から文学、社会学、生物学、人類学等を経巡り、リハビリテーション医療から舞踏、ゲーム・プレイにいたるまで、さまざまな世界やフィールドを紆余曲折しながら、現代社会を生きる私がまぎれもなく歩んだ、その足跡だからである。

息切れをしたり、興味をもてなくなるテーマもあったりするかもしれない。どこに辿り着くのかもはっきりしているわけではない。それでも、一緒にくぐり抜ける歩みを始めていただければ、最後に、私が見ている景色の近いところに、あなたもいることになる。あるいは、あるところから別の道へと進んでしまうかもしれない。それでもまったく問題はないし、たとえそうであったとしても、歩みを少しでもともにできたこと、それは執筆者として、なによりも嬉しいことである。

「くぐり抜け」の哲学　目次

「くぐり抜け」の哲学

1章　「くらげ」をくぐり抜ける——くらげの現象学

1.1 — くらげの生にせまる

弱さとくぐり抜け

人が自分のなかのマイノリティ感覚に気づくのはどんなときだろう。こう問いを立てている時点で、すでに気づいてしまっているその経験に、人はどのようにして出会うのか。出会わないことなどそもそもあるのか。これは属性ということには限定されない、と思う。グループ内のほとんどの人が考えていることとは異なる意見をもってしまう。読めているつもりでも空気を読まない発言や行動を何度も行ってしまう。これらは単発的には、いくつかの偶然ときっかけがあれば容易に起こることだ。

中学生のころ友人同士で昼飯を食べることになり、みんながマクドナルドのセットを食べに行こうと盛り上がっているなか、自分はモスバーガーが好きだから、各々好きなものを食べて、その後に再集合しようと提案した。そのときの友人たちのギョッとした顔つきを今でも覚えている。

親や教員による体罰も、むごいいじめも何度か経験した一九七〇～八〇年代の当時、暴力はあまりに自明なことだった。それらが間違いなく今の自分と、そのマイノリティ感覚を形成している。それは身体と思考の奥深くで感じられる実感でもある。

今でこそ大学教員として哲学を教えてはいるが、それでもその感覚が拭われたことは一度もない。しかし他方で、成功したマジョリティ男性というくくりに包括されるだろうことへの自覚も当然ある。自分はこんなところでいったい何をやっているのだ、というインポスター症状もとめどなく醸成される。いや、もっと正確にいおう。自分は認められるべき存在であり、それは正当なことなのだ、その努力を怠らなかったのは自分の強さなのだと、いいきかせ養った自己肯定の自負もある。

しかしこの自負や自信が、他者だけではなくみずからも苦しめる宿痾（しゅくあ）であることもよく分かっている。だからそれを払いたい想いは尽きない。

現代は、弱さが称揚されている珍しい時代である。これまで弱さは、身体的にであれ、精神的にであれ、克服され、強さと置き換えられるべきものとして価値づけられてきた。ステレオタイプ的な男性の強さと女性の弱さが対置されてもきた。

ではしかし、この克服されるべきものとは異なる「弱さの経験」とはどのようなものなのだろう。現代社会を生きる私たちは、この弱さの肯定について、どこまでそれをくぐり抜け、それと向き合い、受け入れる準備ができているのか、しかもその先に何が待ち受けているのか、本書では、そんなことを考えてみたいと思っている。

　思考を粘り強く行うこと、しかも自分だけではない他者の経験をもくぐり抜けようとしながら弱さについて問うこと、ここにもうっすらと強さの要請がある。くぐり抜けられる強さ、粘り強さである。だとすれば、弱さに向き合うことなど本当は不可能なのかもしれない。向き合う、受け入れる、肯う、理解する、これら一切を無効にする弱さもあるはずだからだ。

　しかしまだ、急ぎすぎてはいけない。焦りはいつも思考と身体に余計な力を込めてしまう。もっとゆっくり進んでみる。「弱さ」と「くぐり抜け」という二つのタームを手がかりに、目的が失われてしまわない程度の、それでも壮大な迂回をしながら、思考と方法の舞台を作ることから始めてみたい。

　まずは、唐突ではあるが、くらげの記憶と経験を思考の導きの糸とする。以下は、「くらげの現象学」の試論であるが、その意図はおいおい明らかになるだろう。

くらげの現象学

神奈川県の逗子海岸だったと思う。小学生のころ、お盆に近い時期の海の中で、刺されて痛い思いもしながら海に漂うくらげに魅せられ、家にもち帰った。一〇センチにも満たない、うっすら赤っぽく透きとおったくらげ。刺身用のトレーに入れただけだったので、家に着くころには当然のように死んでいた。くたっとした肉厚の傘から体液がこぼれ、干からびるように死んでいた。不可思議な生命を手にした興奮は冷め、トレーの上にへばりついて動かないゼリー状の肉体が目に焼き付いている。この一個の生命の弱々しさが忘れられない夏の記憶として残っている。

山形県鶴岡市にある加茂水族館は日本で唯一のクラゲをメーンにした水族館であり、世界最大数のクラゲの展示がそれまでの経営不振を払拭する大きな起点となった。[*1] クラゲのアイスクリームから、クラゲのヒーリングDVDの販売も行われている。そのブームにつづくように、今では日本各地の水族館で、沢山の種類のクラゲを展示、ライトアップし、その幻想性と非日常性、清涼さが演出されている。このクラゲの流行のなかで私たちは何を経験しているのだろうか。

水の流れに逆らうのでも、抗うのでもない。水の動きに合わせて傘をゆっくり膨らませ、萎ませ、また広げる。たとえ水流で攪乱されても、浮力と傘を萎ませることによる上方への推力で再度バランスは回復する。そのリズミカルな拍動に、火花のような激しさや強さを読み取ることは難しい。巨大な水槽のなかで無数のミズクラゲが、完全にシンクロすることなく、微細なズレを含む揺れとなって明滅のサインをやさしく発するさまは、日常の卑小さを忘れさせてくれる。奪われるのは心だけではない。見ている側の身体も、虚空に浮かぶクラゲのリズムに浸されていく。暗闇でほのかに光る彼らを見ていると、足元から身体が遠心状にゆっくり揺れ動いたり、頭部が上下したりもする。その心地よさが自律神経系に変化を及ぼすといった、いささかあやしめの科学的効果も喧伝されている。

クラゲの身体経験

イソギンチャクやサンゴと同様に「刺胞動物門」に属するクラゲ類は、「鉢虫綱」、「箱虫綱」、「ヒドロ虫綱」、「十文字クラゲ綱」の四つに分かれる。[*2]日本には諸説あるが二〇〇〜四〇〇種ほどいるようだ。もちろん泳ぐことはできるが、基本は水流にのって漂っている。だから水の流れのない環境で飼育したり、むりやり泳がせつづけようとすると疲れて沈んでしまうか、死んでしまう。水にゆられ、水に成り切っているのが彼らの基本スタイルである。

神経系は身体全体に網目状に張り巡らされているが、哺乳類とは異なり、中枢が存在しない散在神経系といわれる。それは、四肢や内臓を欠いた「脳」だけで浮遊しているようなものだ。哲学の思考実験で有名な「水槽の中の脳」は、クラゲのアナロジーとして十分成立する。たとえばクラゲを上方中心に置いて、その周囲をパイ包みのようにやわらかく肉で包み、下方に伸びる幾本もの口腕を末梢神経のように肉の内部に配置したクラゲ人間をイメージしてみる。堀尾省太による漫画作品『刻刻』では、登場人物たちが一瞬の時間を延々と引き伸ばした異世界へ入り込むが、その条件として人体に取り憑く「霊回忍（タマワニ）」という霊体は、作中で「クラゲ」と表現されているように「精霊」のイメージとも正確に符合する。

　クラゲの傘の真ん中辺りにある胃腔では海水が取り入れられ、消化された栄養分は水管という血管のような管が蠕動することで運ばれるが、そのさい開閉する傘の拍動がポンプのように体内全域に酸素や栄養分等が行きわたるのを助けている。その意味では脳にとどまらず、水中で呼吸する心臓のようでもある。あるいは、英語でクラゲはsea-lungsともいわれるが、その名の通り「海の肺」だ。[*3]

　特定機能をもつ器官が配置されているのではない。それら器官が幾重にも重ね合わせられるようにして（口と肛門も一緒である）一個の生命となっている。ひとつ拍動することが、同時に「移動」であり、「呼吸」であり、「摂餌」であり、「栄養供給」であり、「排泄」である。クラゲは哲学者のドゥルーズが主題化した「器官なき身体」と形容してもあながち遠からずの「生ける水」であり、約九五％が実際に水分なのだから「水という生命」に最も近い存在である。*4

水に身体の一部を溶かしつつ、水との差異を厳密に維持して絡み合う存在としてのクラゲを、このように記述するとき、私たちはどこか根源的な生命の秘密に触れているような陶酔感を受け取る。そんな仕方でも「生きる」ことが成立している事実に、私たちの経験の境界が揺さぶられる。

しかし気をつけておこう。人間であることや哺乳動物であることとの肉の臭みや、凡庸さから極めて遠い存在としてクラゲを祭り上げ、そこに神秘さと儚さ、弱さを見出してしまうとすれば、それは観察する側の欲望の投影にすぎない。そのような方向への記述の誘導はいつでも起こりうることだ。

観賞するポジションから現れるクラゲは、どこまでいっても観察対象として美しく描かれてしまう。もっといえば、私たちが生きていること、生活し、働き、食べ、社交し、セックスし、排泄することとは接点のないものとして外化され、美化される。私たちとクラゲは、水とクラゲのようには離接してさえいない。

実際、水槽という人工的環境とは異なる場所で、クラゲの現実に触れてみようとすれば、やわらかな神秘さは異形なる様相を示し始める。彼らには匂いもあるし、ざらついた手触りもある。食べる場合でも何段階もの加工プロセスを介在させなければ臭くて食べられない。人間にとって致死的な猛毒を触手に溜め込んでいる種も多い。

生きた個体たちには強烈な個性があるのに、そうしたことは水槽における視覚的現実からは閉め出されてしまう。これを「演出された弱さ」と評してもいいが、クラゲにとってそれはどうでもいいことだろう。

クラゲは共感し、増殖する

毒だけではない。世界各地でクラゲの大量発生が社会問題化している。ある報告によれば日本近海では傘の大きさ二メートル、体重二〇〇キロ近い個体も存在するエチゼンクラゲが、一九〇〇年代には一〇〜四〇年周期で、二〇〇二年から二〇〇九年までは毎年、大量に発生していた。[*5] ミズクラゲやアカクラゲも大量発生し、日本各地で火力発電所の冷却水を取り入れる取水口に押し寄せ、発電をストップせざるをえない事態が引き起こされている。

そもそもクラゲの生活史には、サンゴやイソギンチャクのように地面に固着し、無性生殖で増殖する「ポリプの世代」と、水中に浮遊して有性生殖を行う「クラゲの世代」がある。[*6] 私たちが目にするクラゲは、ほとんどがクラゲ世代である。対してポリプは一ミリにも満たない小さい姿であることから、野外での発見は遅れ、研究の歴史もまだ若い。しかし、クラゲの経験に接近するにはこのポリプの生活史から始めねばならない。というのも、このポリプこそ大量のクラゲを発生させるクラゲの母体（水母の母）だからである。たとえばミズクラゲのポリプは、無性生殖によって増えながらコロニー（群体）を作っている。一個体は約一ヵ月で七〇個体に増え、個体密度が高まれば、同じ遺伝子をもつ個体のいない隙間へと放射状に広がっていく。つまり、彼らはお互いの位置を把握しながら、かつ、別コロニーのポリプとの明確な識別を行うことができる。だから餌が少ない環境になると、遺伝子の異なる別コロニーのポリプを選んで「共食い」までする。

私たち哺乳類の属する「脊索動物門」とははるかに縁遠い「刺胞動物門」に属するクラゲのポリプ。彼らにおいてすでに同種のなかで「味方か敵か」、「内集団か外集団か」の区別に敏感かつ正確に反応する仕組みがある。情緒的モメントがあるのかは分からなくても、それでもこれは、私たちにも備わる「共感（empathy）」の故郷、「郷愁（nostalgia）」の原風景であるかもしれず、進化的に相当長い間、温存されてきた生存メカニズムだ。これは後々の議論で大切なポイントとなる。

このポリプから「ストロビラ」への変態を経て海に放出されるクラゲたちは、遊泳能力に優れているわけではない。それでも同種で集群を作ることができる。クラゲが海面を埋め尽くすのも、この集群化によってである。どのようにしてミズクラゲたちが広大な海の中でお互いを見つけて集群化するのか、クラゲの共感行動については一層よく分かっていない。

水流にのって集群してしまうクラゲのコロニーからしてみれば、たとえそれが火力発電所の取水口に漂着しようと、漁場や海水浴場に漂着しようと、何が問題かなど分かるはずもない。ただ浮遊して集まるだけのことが、人間にとって予想もしえない社会問題となるのである。

集群する大量のクラゲ類は、小さな動物プランクトンだけではなく、稚魚や魚卵も捕食している。その意味では、大型魚を頂点とする食物連鎖とは別に、「動物プランクトン→小魚→クラゲ」というクラゲを頂点とする「食物連鎖（jelly food chain）」のルートも想定可能であり、その場合、同じ獲物を捕獲する「頂点捕食者」同士の競合が、魚類とクラゲ類の間で起こりうる。[*7] にもかかわらず、これまで海洋生態系におけるプランクトンの物質循環モデルにクラゲが登場することはほとんどなかった。

最近になって「海洋生態系には魚類またはクラゲ類を最上位とする2つの食物網が存在する」ことを明確に提唱する研究者も現れ、「現在のような人間活動が続くと、前者の食物網から後者の生産性の低い食物網にシフトすると懸念」されてもいる。[*8] 確かに、クラゲを捕食している魚類も数多くいるし、マンボウにもクラゲを専門に食べる種もいる。しかし、彼らによる捕食がクラゲの大量発生をトップダウン的にコントロールできるものなのかどうかは、今もって不明なままのようだ。[*9]

そもそも世界の海では、大量の魚類が捕獲され、マンボウも絶滅危惧種リストに入っている。また大型の貨物船が世界中を移動するさい、船を安定させるためにその海域の海水を数万トン規模で大量に取り込むが、そのなかにクラゲが混入していれば、別の海域に容易に運ばれてしまう。[*10] 魚の養殖によって海が富栄養化することもクラゲにとっては増殖のチャンスである。さらにコンクリートやプラントの柱など海底に設置された人工構築物や、廃棄されたプラスチックゴミにも、ポリプは付着でき、そこでクラゲが増殖していることも分かっている。

こうした事態を見ていると、現在はもしかするとクラゲにとって天国のような海洋環境が実現しつつあるようにも思えてくる。もしクラゲを捕食する魚類等が人間によって食べ尽くされてしまえば、クラゲが完全なる頂点捕食者となる。「大量発生が起こっている海域では、クラゲが食物連鎖の行き詰まりになってしまって、長い食物連鎖がからみあって、多種多様な生き物が棲む海ではなく、クラゲだらけの海になってしまう恐れ」がある。[*11]

クラゲ類は生物進化のかなり早い段階から存在している。五億年はゆうに生き延びていて、カンブリア紀以前から存在していたのではとも囁かれている。生物種として見た場合のクラゲの「強靭さ・タフネス」は、二〇万年程度の実績しかない人類とは比べ物にならない。

脊索という軸を身体にもつ動物は、魚類や爬虫類、哺乳類等へと進化の歩みを進めた。ホモ・サピエンスも当然この系列の最前線にいる。しかしクラゲは、こうした系列とは全く独立の進化の淘汰を経て、今も最前線にいる。先史人類学者のルロワ＝グーランが「終りなき競争の勝者」として、「クラゲと人間」[*12]を併置していたのも、それゆえにである。

東京の押上にある「すみだ水族館」には、夥しい数のミズクラゲが漂う長径七メートルに及ぶ楕円の水盤型水槽がある。観賞者はその上に立って、足元に広がる無数のクラゲの遊泳を観賞できるのだが、四方八方をクラゲに取り囲まれているその体感は、華やかながらも空恐ろしくもある。というのもその感触は、世界の海で起きている現実を、つまり私たち人間のほうが、いつのまにかクラゲの強かさに取り囲まれ、追い込まれてしまう未来を暗示しているだけでなく、その実現に積極的に加担しているのが、巨大水槽というテクノロジーの粋を極めた装置の上からクラゲを眺める自分たちであることにも気づかされてしまうからである。

たとえ大型の魚類がいなくなっても、人間が絶滅しても、クラゲたちは生き残るだろう。私たちは、クラゲだけが存在する海へとシフトする、そんな可能性の境界線上で初めてクラゲと離接する。[*13]

1.2 ― くぐり抜けの方法論：現象学というアプローチ

体験、身体、他者

ここまでの「クラゲ」にまつわる記述を通して、私たちは何を行ってきたのだろうか。「くらげ」という言葉からぱっと連想できる記憶から水族館、生物学的構造、生態学的特徴、社会問題と経巡るなかで、それまでの「クラゲ」との距離感の変化が起きてはいないだろうか。この変化はどこで起きているのかといえば、クラゲたちの場所ではない、そうではなくクラゲの世界をくぐり抜けようとする私たちの経験の変化である。

そもそも「どうしてクラゲなのか」と訝しがる向きもあるだろう。このタネを明かすには、私が哲学研究のメーンとしてきた現象学という哲学のアプローチ、とりわけドイツの哲学者Ｅ・フッサールの現象学の輪郭を描き出しておく必要がある。そのフッサールが「くらげの現象学」を構想していたからである。

現象学は、一九世紀末から二〇世紀にかけてヨーロッパ現代哲学の一分野として隆盛を極め、今なおその命脈を保っている哲学である。フッサール、ハイデガー、メルロ＝ポンティ、サルトル、レヴィナス、デリダといった哲学者の名前がそうした学問の潮流のなかにある。話をフッサール現象学にかぎれば、それは「意識の哲学」であり、「主体性の哲学」だとしばしばいわれる。この時代は、各種「心理学」や「精神分析」を含む「精神医学」が大流行し始めたときでもあった。

どうしてこの時代に「主体」や「意識」がことさら問題になったのか、それら概念（の認識）の系譜をざっと押さえておこう。M・フーコーが『言葉と物』（一九六六）において明らかにしたのは、一八世紀末から一九世紀初頭における「人間」にかかわる言説（とそのエピステーメー）の出現であった。フーコーがひとり図書館にこもってその時代の資料を渉猟していると、同時代の文献上に客体としての「人間」にまつわる言説が大量に現れ始めていることに気づく。哲学・思想の文献だけではない。当時まだ新しい生物学や言語学、経済学といった学問的な言説のネットワークの連結点としての「人間」が、この時代に初めて浮き彫りになったのである。

この人間とは、ダーウィン的に進化する生物種であり、みずからが有限であることを知的に理解し、身体を働かせて社会活動を行う存在のことだ。この言説としての「人間」が、学問的対象としてだけではなく、社会的にも認知されていくなかで、新しい主体性の哲学としての現象学が、二〇世紀をまたいで現れる。しかもキルケゴールやニーチェが論じた人間の実存的な在り方と並んで。

とりわけフッサール現象学が革新的であったことの理由は、世界と向かい合う主体性をともに作り出す契機として、「体験（Erlebnis）」、「身体（Leib）」、「他者（Andere）」という主題概念を新しく設定したからである。

単純に私という主体の経験を考えてみても、そこには誰にも分からない当事者だけの「体験」があり、その体験は取り外しのきかない固有な「身体（感覚）性」と結びついている。そうであれば、自分とは異なる体験と身体をもつ「他者」が存在すること、これもまた自明となる。つまり現象学という学問は、単独の主体性を明らかにするだけの哲学ではなく、体験と身体、他者とのかかわりのなかで編成される主体を明らかにすることを可能にした。

現代の私たちからすれば、「何を当たり前のことをいっているんだ」、といわれそうである。だがしかし、この時代以前には「体験」も「身体」も「他者」も哲学的に問われるべき重要な「主題として」提起されることはなかったのだ。

一概にまとめることはできないが、異なる地域／文化で生きる人々、異なる人種、女性、障害者、性的マイノリティという抑圧されてきた弱い主体や、彼らの身体、セクシュアリティの経験が、現代において急速に可視化されつつあるのも、先の概念の系譜と無関係ではない。つまり上記の人々は、異なる体験と身体をもつ「他者」として当初は問題化されてきたともいえる。[*1] これを裏返せば、みずからが「主体」であると自認し、「人間」であることを代表/僭称してきた存在がいることになる。それはあまりに自明で、問うことさえ忘れ去られてきた性としての「男性」であり、しかもヨーロッパ的でエリート的な男性という存在に他ならない。[*2]

フッサールという哲学者も、ヨーロッパ中心主義を掲げる白人男性であった(そこに、迫害を受けたユダヤ人というインターセクショナルな問題も絡む)。現代は、このポジションを絶対化しえない局面に来ており、この男性という性を他者化し、そこにおいてこそくぐり抜けと「弱さ」の問い直しが必要になってくるのだが、まずはクラゲの話からである。

フッサール:新しい身体論と感情移入

再度、フッサールの現象学に戻ろう。彼は、一九一二年ごろ、『イデーン』という自分の代表的著作となる草稿の一部において、「新しい身体論」を立ち上げるのだと表明している。[*3]

> 今や理論探究は、次の存在領域へと向けられる。それは身体の知覚と身体の経験として存在する領域であり、私たちはそれを身体論（Somatologie）と呼びたいと思う〔……〕。〔……〕私たちが身体性（Leiblichkeit）についての学問を身体論と名づけるとすれば、それは、身体の物質的特性を追究するかぎりで、物質的な自然科学である。しかしそれが特別な身体論であるかぎり、この身体論は新しいものとなり、経験の新たな根本形式を通じて卓越したものとなる。[*4]（強調は引用者）

この引用からは、自分が新しい身体についての学問を立ち上げるのだとのフッサールの自負が感じられる。その物質的特性を明らかにするのではない。そうではなく「生きられた身体（lived body）」として世界を知覚し、行為するさなかでの経験を浮かび上がらせるのだと語気を強めている。この『イデーン』は、身体の哲学で著名なフランスの現象学者、メルロ゠ポンティにも多大な影響を与えたものであるが、彼が自分の構想を組み立て始めるまでには、ここからさらに数十年を要する。

しかも、この「身体論」の展開は、自分の身体経験だけに留まらない。自分とは異なる「他者」、しかも「人間（成人）」とは「異なる生を生きる身体（動物、幼児）」の理解にまで拡張していく。

そのさい重要となるのが、Einfühlung という概念だ。この概念は、一八世紀にヘルダーやノヴァーリスといったドイツロマン主義の詩人たちが、自然に自己を投入し、そこから物事の美を感じ取ったり、作品を制作したりするさいに用いられてきた美学の概念に由来する。[*5] 一九世紀に入り、それが心理学に転用されることで、他者を理解するための「感情移入」もしくは「共感」と訳されることになる。

ドイツ語のもともとの意味は、接頭語である「中へと入り込んで（ein）」と「感じる／触れる（fühlen）」という動詞の合成語である。専門用語的に「感入」と訳されることもあるが、ここで私は、この語を「くぐり抜け」と訳出して理解しようとしている。

日常的にも頻繁に用いられる「感情移入」や「共感」という語は、自分の経験を安定させたまま、自分の理解できる範囲で他者を理解しようとする意味合いが強い。しかもそのさい感情的、情動的モメントに力点が置かれすぎている。それは、他者の苦しみを自分事として共有するような体験である。おそらく、そのような意味では、クラゲに感情移入や共感などできないだろう。だから訳語を変えながら、その意味と機能を戦略的に拡張しておきたいのである。

『反共感論』という著書のある心理学者のP・ブルームは、共感にまつわる非合理性とその限界やリスクを詳細に論じているが、そのなかに以下のような記述がある。

私たちは自分をモデルに他者を理解しようとするがゆえに、世界には不幸（と、も

らってもうれしくない誕生日のプレゼント）が絶えない[*6]

私はこの原則を真摯に受け止めたいと思っている。それはつまり、自分の経験を他者に当てはめることで、他者を理解した気になってしまうことに、どこまでも禁欲的でありたいということだ。そして不幸を減らしたいとも思う。逆からいえば、他者とその身体の経験を「くぐり抜け」るには、自分の思考を解除し、自分の感情と距離をとり、自分という枠組みを何度も括弧に入れる作業（エポケー）が必要になるということだ。

くぐり抜けの方法論

実はこのことこそ、フッサールが彼の現象学的な他者分析において行おうとしていたことでもあった。一九二一年の夏休暇中（一〇月辺り）に、「事物、身体、主体の諸関係にいっそう深く侵入し、（低次の動物における）くぐり抜けの理論に寄与する[*7]」ために書かれた草稿がある。

そこで彼は他者としての「動物」や「幼児」の体験を現象学的に明らかにする可能性について論じているのだが、それらと並んでかなり唐突に「クラゲ」の内的経験が事例として取り上げられている。フッサールは述べる。

もし私がクラゲだったとしたら、私は自然を経験するといえるのだろうか。〔……〕この思惟するクラゲ（denkende Qualle）は自然の存在論をもつことがあるのだろうか。[*8]

人間とはほとんどの点で異なるクラゲが、どのような体験をしているのか、それを知ることが困難なのはよく分かる。感覚も、器官も、運動能力も、全く異なる存在に対して、私たちはみずからを「いわば身体的に寄り添わせることも、伸び広げることもできない」[*9]。しかし他方、触れられることに敏感であったり、ビクッと皮膚をひきつらせたりすることがあるだけで、私たちはそこに生命性を感じたりもする。現象学にとってくぐり抜け可能な「動物の限界」はどこにあるのか。

この困難を乗り越えるのにフッサールが示唆している方法は二つある。まず、「身体論的なものにかかわる理解は、（クラゲ主体といった）当該の主体にとってそこにある「環境世界（Umwelt）」のあり方の理解との機能的な連関のうちにある」[*10]ことから、その主体と環境とのかかわりの情報を正確に、着実に蓄積していくことだ（**くぐり抜け方法論1**）。

次に、その主体の経験をくぐり抜けるために、私たち自身が身につけている「統覚」、つまり身体感覚や知覚、思考の枠組みを擬似的に「解体（Abbau）」することである（**く

ぐり抜け方法論2）。自分の統覚のレイヤーを何段階も解体する必要がある、とフッサールはくりかえし述べている。このAbbauは、「脱構築」とも訳されるが、ハイデガーやデリダの術語とは直接のつながりはない。ドイツ語では建造物の解体や鉱石の採掘作業として一つ一つ足場を壊していくことを意味するが、哲学的には、フッサールの終生の課題であった「意識の考古学」の問いと関係している[*11]。

フッサールの記述に倣って、具体的に「統覚の解体」を例示してみよう。たとえばクラゲには哺乳類の眼に対応するような眼点と呼ばれるものがいくつも存在する。しかしほとんどの眼点はレンズ構造をもたないことから、像を結ぶ知覚はできないようだ。そこで私たち自身が目を閉じて視覚を遮断し、そのまま眼球や頭部を動かしてみる（**解体①**）。そうすると瞼の裏でちろちろと明るさの変化を感じることはできる。さらには、光源がどこにあるのかの方位も朧げに分かるし、何かが通り過ぎる影の変化も感覚できたりする。これが「視覚」を解除することで現れる「光覚」である。おそらくクラゲもこれに近いものを活用している可能性はある。が、そこに対象認識があるのかはかなり怪しい。

そのうえクラゲの眼点には、眼球や頭部を随意的に動かす筋の仕組み（キネステーゼ）もないだろう。だとすれば海中で、眼球も頭部も動くことなく光をただ感じて流れに揺られていることになる（**解体②**）。これは一体どのような体験なのだろうか。人間の乳児は、他の哺乳類とは異なり、生後、半年以上、自分自身の意志で動くことは難しく、随意運動もままならない。むしろ波にさらわれる砂のように、急に抱っこされ、ベビーカーに乗せられて移動させせられるばかりである。彼らに起きていることはクラゲの経験とどこか通底する部分があるのかもしれない。

たとえばこのようにして、私たち自身の経験の枠組みをパフォーマティヴに解体し、変容させるなかで、クラゲという主体の経験に近づいてみるのだ。このことをフッサールは、解体を通じた逆説的な「統覚の創作」[*12]だとも述べている。

クラゲ主体と環境の機能的関係を正確に把握しながら、同時に統覚を順次解体することで他者についての新たな「統覚の創作」を行うこと。これが、フッサールの考えていた「くぐり抜け」の方法論だといえる。

もっといえば、他者をくぐり抜けて理解するということは、その他者の周辺／環境情報を知るにとどまらず、その他者とのかかわりのなかで自分自身を作り変えていくことなのだ。自分の身体に自分のものではない経験があって、それが動き出し始める局面をくぐり抜ける（ここには、後述する土方巽による舞踏の身体を獲得する経験との近さがある）。その自分の変化に応じて、他者との距離が認知的にも、行為的にも変化する。そのような経験を積み重ねていくのだ。

ただし、それによって、たとえばクラゲを最終的に理解できるようになるわけでは当然ない。むしろ理解できる地点には絶対に到達できないからこそ、彼らは「他者」である。

だから「くぐり抜け」は終わることができない。他者に近づくということは、フッサールに倣えば、そこへと自らを壊しながらにじり寄るように近づく果てなき作業の連続のことになる。

ユクスキュル：世界の多数性

この一九二一年の草稿でフッサールは、そこまで詳細な「くらげの現象学」を展開するには至らなかった。しかしここでの「クラゲ」の問いは、私がまだ大学院生だったころ、この草稿を演習で読み進めていたときからずっと引っかかっていたものであり、それが冒頭の「くらげの現象学」の試論につながる。

とはいえ、なぜフッサールは突如「クラゲ」について語ったのか。

ここで一九二一年という年が重要になる。フッサールの同時代人であり、かつ交流もあったことの知られるエストニア出身の生物学者にJ・フォン・ユクスキュルがいる。彼は「生態学（ecology）」の発展に絶大な寄与を行ったが、その名を広めた著作『動物の環境と内的世界』の増補改訂の「第二版」が出版されたのが一九二一年である（初版は一九〇九）。ユクスキュルはこの本の中で、アメーバやウニ、ヒトデといった多様な生物に加え、クラゲについても章を割いて詳細に記述している。

海面はひとつの牧草地である。そこには豊かな植物の若芽が一面に芽吹いている。陸の牧草が羊たちを養うように、海の牧草地ではクラゲたちが育っている。[*13]

われわれ人間を取り巻いている世界は、かれらクラゲには無縁である。かれらクラゲの内的生活を満たす唯一の事象は、規則的な興奮の波動、ただそれだけである。それは自らの動きにつれて生み出され、かれらの神経系において同じ律動で生成し、消滅するのである。[*14]

おそらくフッサールは一九二一年の休暇中にこの本を読んでいる。彼が生前所有していた蔵書の中には、哲学だけではなく、物理学、数学、生物学、心理学、社会学、経済学、人類学、言語学に関するものが多数ある。ただしフッサールが、ユクスキュルのこの書籍を所蔵していたことは以前から知ってはいても、私はその版までは意識していなかった。そこで今回、ドイツにあるフッサール・アルヒーフに問い合わせて確認したところ、予想通り、フッサールが所蔵していたユクスキュルの本は一九二一年の第二版のものであることが判明した。さらにフッサールは一九三一年に出版されたユクスキュルが編者として関わっている『現代の探究の光で見た生命問題』も所蔵しており、その中のユクスキュルが執筆した「有機体と環境世界」という章にだけマーキングをして見解の要約も行っていた。[*15] ユクスキュルが新しい内容を込めて語った「環境世界（Umwelt）」という概念も、フッサールの草稿には頻出するが、これは後の「生活世界（Lebenswelt）」という概念へと展開していくものだ。[*16]

フッサールはユクスキュルの著作に影響されて、現象学的な身体論と他者論の可能性を拡張するために「くらげの現象学」を一つの事例として取り上げたのだろう（なぜウニやミミズではなく、クラゲなのかという謎は残るにしても）。

ユクスキュルは当時主流になりつつあったダーウィニズム的な進化動物学に抗して、それぞれの動物種ごとに経験されている世界の解明に向かった。それぞれ異なる生物種は、「各主体」ごとにそれぞれ異なる環境世界を経験している。だから、そうした差異を無視して、「一つの世界」に安易に包括するようなふるまいは避けなければならない。

個々の動物種すべてに関して妥当すべき一般的な生理学を喋々する前に、それぞれの種固有の生理学を打ち立てる必要がある。すべての動物種は、こうした一般化に絶対的に抗弁する権利を有している。すべての動物種は固有の問題設定と、その種に適合した研究方法を要求しているのである。[*17]

この文章が掲載されたユクスキュルの書いた自伝タイトルは『一度も見たことのない諸世界（Nie geschaute Welten）』である。誰もこれまで見たことのない、しかも「複数の世界（Welten）」があるのだという彼の強い意図が読み取れる。「ミミズの世界には、ミミズ的事物しか存在せず、トンボの世界にもまたトンボ的事物しか存在しない[18]」。ユクスキュルは、固有の身体、感覚器を備える生物種には、その生物種にしか体験できない主体的な「環境世界」があると考えていた。そのことは、彼の生態学の探究を方向づける原則としても挙げられている。それは以下のようなものだ（以下、［原則］部分は引用者による補記）。

［原則］15．すべての動物種は、彼固有の「環境」を、ちょうどそこからは抜け出すことのできないカタツムリの殻〔……〕のように一生のあいだ持ちまわる[19]。

そしてそれを観察する私たち自身に対しても以下のように述べられる。

［原則］16．同様の事情が、観察者自身の現象世界にもあてはまる。この世界もまた、観察者自身の「環境」として、世界の本体（Universum）からは、彼を切り離し、閉じこめている[20]〔……〕。

その意味では、

［原則］18. すべての生物を包括するような、唯一の普遍的かつ絶対的な空間、唯一の普遍的かつ絶対的な時間というものは存在しない。[*21]

［原則］19. すべての人間にとって、彼らの「現象世界」は、やはり彼らの身体に固く付着する一個の「カタツムリの殻」にほかならない。それは彼らの誕生から死まで、彼らをしっかりとくるみ込んでいる。[*22]

「体験」、「身体」、「他者」という現象学の道具立ては、ユクスキュルの「生態学」にもしっかりと根を下ろしているのが分かる。

他者の原則と簒奪リスク

ユクスキュルが大切にするのは、同じクラゲであっても、重要な環境の特性と自己の特性とが種によって異なることである。「どのクラゲの固有種も、他のクラゲと取り替えることはできない」[*23]。それぞれが固有のカタツムリの殻のなかで生きているからだ。

このような「カタツムリの殻」は、私にも当然あるはずだ。とすれば、もっと正確に突き詰めれば、これら原則は「生物種」にだけ限定されるものともいえないだろう。私たちは、それぞれの環境に応じて異なる認知や言語、行為を神経生理学的に、発達的に、かつ社会的に獲得するのだから、どのような他者であれ、多かれ少なかれ同じことが妥当してしまう。人間のなかでも人種やセクシュアリティ、障害や疾病の有無、賃金格差といった多様な社会的な属性に応じた固有な環境世界は存在し、さらには個々人の差異さえ無視することはできない。隣を歩く、自分と変わらない同じ人間だと信じられている人々でさえ、まったく異なる現実世界を生きていることは確実に起こりうる。フッサールであれば、そう考えたはずだ。その意味でもユクスキュルの「生物種」的原則は、より包括的な「他者理解の原則」に他ならない。

しかし他方フッサールは、このようにも述べていた。「くぐり抜けを通じて私たちは、有機的な個体を、生き生きとしたものとして把握し、私たち自身が生きるのと同一の環境世界にそれを関係づける」[*24]のだと。

世界が多数性をもつこと、しかもそのことを理解している段階で、私たち人間は、それらの世界を飛び出て、通覧する位置から、他の環境世界で生きるものたちを「同一の世界」へと関係づけようとする。あるいは、意識せずとも私たちはそう関係づけてしまう。

この事実は無視できず、その意味でも「くぐり抜け」は、その結果として「他者の占領／横領」のリスクをつねに抱え込んでしまう。

実際にたとえば「生態学」とは異なるが、他者なる化石の発掘調査を行う「古生物学」に関する調査において、他者の占領ならぬ、自然科学における植民地化が指摘されている。それは、アメリカの古生物学の発展が、ネイティブアメリカンの歴史的な土地から奪われた化石データに基づいていたり、外国から旅行してやってきた研究者が、地元の研究者と交流することなく、化石データだけを持ち帰り、自国内での成果にするといった「パラシュート科学」が当たり前だったりする。一九九〇〜二〇二〇年の約二万九〇〇〇の出版物を調査したところ、化石データの九七％は、北アメリカと西ヨーロッパに拠点を置く、高所得国から中所得国の研究者によって提供されていることが判明した。

次頁の図はさながらクラゲの帝国のように見える。図表の頭部にある各国は研究目的地として人気のある国であり、円から出ている多数の線は、化石が採取された国との関係、円の大きさは外国から収集した化石マテリアルに関して出版された論文の数だ。[*25]

これは、アフリカの化石に関する専門知識はほぼアフリカ大陸の外にあるという科学的植民地主義とも、科学的南北問題ともいわれるべきものである。化石の他者を知るために、他国の人を踏みつけにしているようにも思える。私たちはこうした事実とリスクをいつも横目にしながら、他者の「くぐり抜け」について考えていく必要がある。

おそらく上記に近いことは、古生物学だけでなく、哲学や人類学、社会学でも起こっている。私が現象学を方法論的に活用することも、英語での論文が国際的に量産化されることもそうである。西洋に端を発する学問的営み自体が、他者の簒奪を内在化するリスクを孕んでいるからである。

「私たちがそこにおいて化石を見るところの一切の叙述において化石が私たちを見ている」[*27]というロマン派の詩人ノヴァーリスの箴言は忘れられてはならない。彼は実際に鉱山で採掘の仕事もしていた「くぐり抜け」の先駆者だ。

しかし他方、クラゲはみずから声を上げることはしない。だからいつでも忘れてならないのは、フッサールが「統覚を解体する（そして創作する）」と述べたように、他者の「くぐり抜け」は、彼らの新しい現実に命を吹き込むだけではなく、私たちの思考と身体

自然科学におけるクラゲの帝国主義（*26）

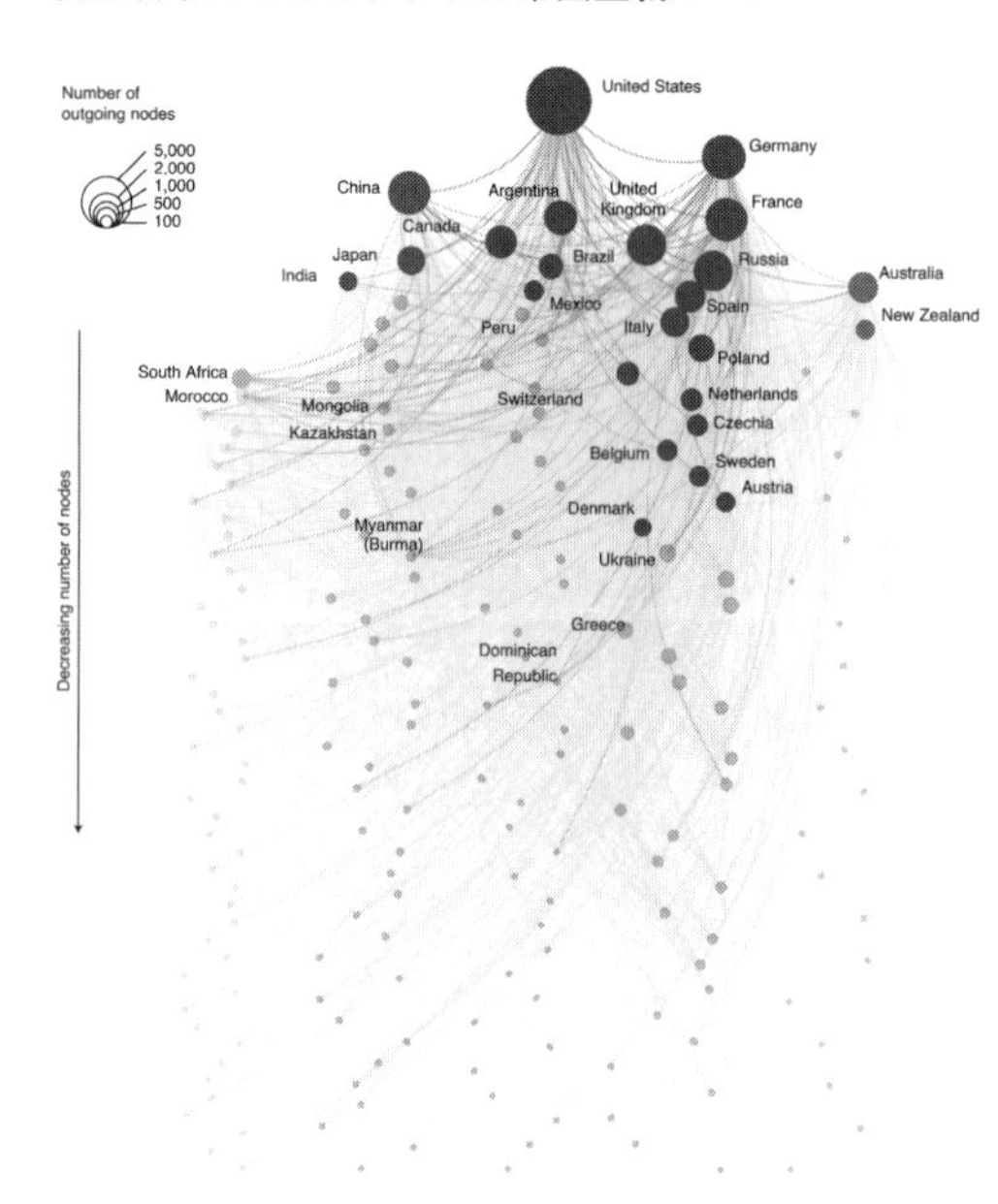

の前提が揺さぶられ、何気なく生きてきた自分たちの世界の不安定さが暴露されるかぎりにおいて可能になるということだ。

そこには解体され、揺さぶられる喜びとともに新しい世界の開けがある。しかし他方で、自分自身が「他者」としてどのような世界に関係づけられているのか、もしくは強制的に関係づけられてしまうのかをいつでも考えておくこと、クラゲを人間の世界にではなく、クラゲの世界に人間を関係づける、クラゲを食べることと同時に、クラゲに食べられることも考えておくこと。現象学を人間／自己中心主義から遠ざけるには、そうした思考の習慣化が大切になる。そこでは「くぐり抜け」の作法というものも浮かび上がるはずだ。

1.3 ― 手を作ること

語りえないほど溢れる生

前節で私たちは「くらげ」という他なる生をくぐり抜けるための一歩を踏み出した。しかしこれによって、彼らの何かを理解したといってもいいのだろうか。いや、全く足りていない、と正直に思う。他者に近づくということはそう簡単なことではない。

見知らぬ第三者に、自分があたかも理解されたかのように語られるときのあの違和感、それを考えてみてもいい。そもそも他者が私を理解すること以上に、私にとって自分を理解することもいっそう難しい。自分が自分にとっての他者になるように自己の統覚を解除して、くぐり抜けないと、私自身にも近づけない。

本書で私は、シスジェンダーとしての男性という性を付与されつづけている自分に近づきたいと思っている。マジョリティであり、他者ばかりを気にかけ、下駄を履きながらも自分が透明であるかのように振る舞い、そのことになかなか気づくことのできないセクシュアリティについてである。息切れしないよう、ゆっくりと深度を深めていきたい。

実は、前節で触れられなかったクラゲについての話がまだたくさんある。それはたとえば、クラゲの形状の驚くほどの多彩さ、お椀型や箱型、烏帽子型等々であったり、身体の透明度が様々に異なっていたり、あるいは青や赤、緑、黄といった色とりどりに身体を染める色の違いに、彼らと共生する幾種類もの藻類が関係していること、雌雄の性差や、彼らの生殖の方法、口腕と触手をうまく使い分けて摂餌する仕方についても触れていない。熱帯のクラゲは毒性が強く、外敵のいない湖では毒性がなくなることもある。また、クラゲには寿命がある（ようだ）が、ポリプに寿命があるのかは、よく分かっていなかったりもする。

強い断言の怖さ

前節に引きつづき、しつこいぐらいクラゲについて書いているのは、「身体の現象学」で有名なフランスの現象学者メルロ＝ポンティが、一九五七～五八年にコレージュ・ド・フランスで行った「自然」に関わる講義ノートのなかで下記のように述べていたからでもある。

クラゲの生活全体がこのリズミカルな収縮に依存している。この動物に関しては、われわれが「海」という語に与える意味での海に住んでいるとは言えない。外部環境によるいかなる調整も絶対にないのである。[*1]

彼は、クラゲが自分の身体で一貫して閉じており、環境との相互作用を行っていない、と明確に述べている。このことは、前節で、私たちが参照し、メルロ゠ポンティもこの講義で取り上げている生態学者のユクスキュルの著作で、クラゲが「単純な環世界[*2]」を生きるものとみなされていることからも理解できる。実際にユクスキュルは以下のように述べていた。

こうしてクラゲは自分自身に作用標識を与え、これが同じ知覚標識を引き起こし、それがさらに同じ作用標識を呼びおこす。これが無限に続くのである。／このクラゲの環世界ではいつも同じ鐘の音が鳴りひびき、それが生命のリズムを支配している。その他の刺激はすべて遮断されている。[*3]

クラゲだけが唯一例外的に、自己自身の運動を刺激として感受する能力を備えている。しかしこの場合はもちろん、環境との関係が犠牲にされてしまう。かれらは、環境からの刺激を受けとることがなくなっているからである。[*4]

こうしたユクスキュルの記述の正しさをメルロ゠ポンティも信じていたのだろう。しかし、私が「くらげの現象学」として試み、さらに少し前にクラゲの多彩な生の経験を再度取り上げたように、彼らの生には単純なことなど何一つなく、むしろ複雑すぎて分からないことだらけである。

どのような先駆的な業績を残した人々であっても、クラゲという異なるものたちの生を理解するさいに、単純化し、矮小化してしまうリスクを抱えている。この限界と偏狭さは、フッサールの現象学にとっても同様に当てはまる。[*5] ここが「くぐり抜け」の強引さが、他者の簒奪につながる局面であり、くぐり抜けの作法が整備されねばならない場面である。

メルロ゠ポンティは「すべての有機体は、自分自身のことを歌うメロディである」というユクスキュルの発言を引いている。[*6] 確かに彼らは、もし動物を正しく理解したいのであれば、動物たちが生活史のなかで歌う「メロディ」を丁寧に聞き取る必要があると述べる。しかもメルロ゠ポンティは、彼らしい詩的で、かつ、中動態的な表現で「われわれがメロディーを発明するとき、われわれがメロディーを歌うというよりも、メロディーがわれわれのなかで歌う」[7]のだとして、生物と環世界のどちらにも還元されず、むしろ両者の関係性を調律しながら、彼ら固有の「カタツムリの殻＝世界」を構成する運動・リズムを聞き取るべきだと強調する。

ここまではよい。すごくいいのである。むしろ問題は、先に引用したような断言、つまりクラゲは「単純な環世界を生きる」や、「環境からの刺激を受けとることがなくなっている」、「いかなる調整も絶対にない」、「すべて遮断されている」といった、こうした「強い」断言的主張（全称命題でもある）が、何よりもまずは、注意され、警戒されねばならないということだ。クラゲには種ごとに異なる環世界があるとあれほど警告していたユクスキュルにでさえ、ある種の不用意さが混入してしまう。

これとの関連で、現象学者のハイデガーの有名な三つのテーゼ、

・石は、無世界的である
・動物は、世界貧困的である
・人間は、世界形成的である

を思い起こしてもいいかもしれない。ハイデガーはこれによって「無生物」、「動物」、「人間」という三つの存在者の形而上学的な本質を指し示そうとしていた。しかもそこには階

層的な優劣関係や、完全性や不完全性にかかわる評価は存在していないとも、彼は強調する。[*8] 実際、ハイデガーは「貧しさ」を「不必要なものを除いては何も欠いていない」[*9] 充足状態として高く評価し、擁護してもいる（いささかキリスト教的に）。

しかし、である。それでも、こういう主張を聞いたとき、少し「怖さ」を感じるような知性と感性が大切になるだろう。階層的な優劣や価値評価の混入はないとどんなに念を押されても、それでも「欠如」や「貧しい」というレッテルを貼られてしまう、声を上げることもできない存在者たちが、そこにはいるからだ。[*10] 自分たちの与り知らない場所から、彼らには世界がない、彼らの世界は貧困であると定義づけられることの、その社会的、言語行為的（パフォーマティブ）な影響力について警戒するに越したことはない。

たとえば先のハイデガーの三つのテーゼを、「男性は世界形成的」であり、「女性は世界貧困的」であり、「幼児は無世界的」であると人間世界にパラフレーズすれば、それが完全に時代錯誤的で、暴力的な本質規定となることは自明だろう（し、これがそのまま当てはまりそうな記述が思想史の歴史上、幾度となく行われてもきた）。しかし、どうしてそれが生物種の垣根を越えると途端に容易になるのか、ここにも他者の占領の誘惑が潜んでいるように思える。

弱い主張と「おそらく……」の哲学

これらに鑑みれば、他者の生にかかわる記述は、同種内においても、種を越えても、いつでも「弱い主張」とならざるをえない。強い断言はできないし、言語行為的な影響力も踏まえながら、可能性の積み重ねとしての仮説に頼らざるをえないからである。本書が、くらげの周囲をうろうろ、のろのろ、うだうだ、ぐずぐずと歩みながら進んでいるのも、これら「オノマトペ」に共鳴する身体動作をしているときのあの弱々しい経験を、それこそ弱々しく浮き彫りにしてみたいからでもある。

こうしたときに必要になるのは、くぐり抜ける他なる生の現実が、新しく浮き彫りにされて到来するような、しかもそこに彼らの希望が込められるような、でもそれはどこまでも確実ではない「おそらく（vielleicht）……」の哲学的態度となる。

少なくとも哲学者のニーチェ、デリダ、ジンメルは、この「おそらく」の思考の重要性に気づいていた。ジンメル研究者でもあった北川東子は、ジンメルにとっての「おそらく（は）」は、「事柄に正面から向かい合いはしない、しかし、それにきびすをかえすこともできない、ある種の揺れる意識を示すことば」であり、「まさしくそれに向かうために到達しえない事態を示している。なぜなら、「おそらくは」と言われることで、すでに希望が生みだされているからである。まだ存在していないもの、いっさいの不在なものへと、希望がかけられている」ことばであると述べる。[*11]

日本語の「おそらく」には「恐れる」ことが含まれている。「恐縮」という言葉もあるように、そこには他者に対峙する所作の作法がある。私たちがこのような警戒心を身につけられるようになったのは、二〇世紀前半から二一世紀前半の一〇〇年を経て、主体にかかわる「大きな主語」についての「断言リスク」に気づき、細心のチェックを行えるようになったからでもある。

むしろ現代を生きる私たちが問われているのは、こうした「主張の弱さ」を肯定し、「強い断言」から身を逸らす術をどこまで引き受けられるのか、その準備の有無だろう。たとえば政治(軍事や外交)、裁判、スポーツ等の「勝敗」にかかわるような分野において主張や態度の強さが要請されるのは、「弱腰」が非難の対象となり、「弱み」や「スキ」を見せて相手に付け入られるリスクを避けるためでもある。相手を論破し、打ちのめすことによる快楽もそこに付随する。そのかぎりで人々はいまだに「強い」主張や態度を振りかざす必要に迫られると同時に、その欲望に駆動されてもいる。

現代における弱さの肯定は、こうした場面にまで、全面的に手を伸ばそうとしているのだろうか。あるいは、強さを密やかに肯定できる安全な場所から、疲れを癒す慰みとしての見かけの「弱さ」を弄んでいるだけなのだろうか。曖昧さや不確定さには、確かに私たちを不安にさせるところがある。しかし、それらが完全に除去されたように見える強い主張や態度の背後で何が起きているのか。それが塗り潰してしまう場所でこそ「おそらく……」という見えない思考が動き始める。

触れ合うこと

他なる生を「くぐり抜ける」ということは、どこかで相互に「触れ合う」場面を通過する。それは単に視覚で見ることには回収できない触覚の経験である。「あの人の心の機微に触れる」という表現は、単なる比喩ではない。比喩以上の何かがパフォーマティヴに起きている。見えない生にまで触れることができるのが触覚なのだ。触れるか、触れないかには、〇か一かのデジタル的な非連続性がともない、その経験を通して物事が決定的に変化してしまうリスキーな経験でもある。

ミズクラゲの研究者である柿沼好子は、クラゲの体温は海水に近いため、人間が手で触れるということは、実は彼らに「火傷を負わせる」ことに等しいという。クラゲの体温に近い海水温二五度前後と、人間の皮膚体温三六度の温度差を、人間に変換して、四七度の物体を自分の皮膚に当てられることを考えてみればよい。*12「本当にそう、めちゃくちゃ熱いんですよ」とクラゲが言葉で伝えてくれればどんなにありがたいか。でもそれは難しい。だから他なる生には無闇に触れないに越したことはない。

イヌやネコのように家畜化した動物はまだよいかもしれない（おそらく、それもあやしい……）。しかしウサギは、馬は、鳥は、トカゲは、カブトムシは、彼らはやさしく触れられ、撫でられると嬉しいのだろうか。あるいは、レタスにとって快適な触り方とはどのようなものなのだろうか。

両手でやさしく撫でられることで形成されるのではない愛着関係は確実に存在する。ただ見守ることや突き放すこと、舐めること、噛むこと等によって形成される関係もある。そうしたことが分からないままに、その行為を実行してもよいと思い込むことには、すでに他者への加害リスクだけでなく、触れてもいいものだと彼らを自分よりも低く価値評価する占有の罠が仕掛けられている（これは、セクシュアル・ハラスメントがどうして起こるのかという問題でもある）。触れられる側からすれば、身体的接触であれ、言葉であれ、「勝手に触れてくるな」としかいいようがない。

もう数十年も前になるが、私が高校生の最初のクラスに配置されたとき、出席番号順の席の並びで、後ろに座っていた男子学生が、たわいもない笑い話の落ちどころで、私の頭の上に手を置いたことがある。「何をいってるんだ、おいおい」となだめるように、ぽんぽんと。おそらくそれは何気なく肩を組んだり、身体をたたいたりという、彼の愛着表現のひとつだったのだと思う。が、私にとってはそうではなかった。仲が良くなるかも分からない見知らぬ他人に、自分の身体、しかも頭の上に手を乗せられるということにただただ驚き、身体がすくんだ。許可も同意もなく、触れられることに対する恐怖である（それとともに、私の発達史における愛着形成がどうなっているのだという問題もある）。「この人とは絶対に仲良くなれない」と固く心に誓っただけで、その場では何も伝えることはできなかった。この何気ない接触、しかもよかれという思い込みのなかで行われる接触の暴力がある。

手を作る

これまで私は、主に脳の中枢神経系を損傷した患者さんのリハビリテーション医療にかかわる現象学研究を行ってきた。彼らの多くは、脳梗塞等により、それまでとは異なる自分の脳と身体に向き合わざるをえない経験をする。右足が重く文鎮のようにしか感じられなかったり、片腕を冷蔵庫に忘れてきたと確信していたり、接地した足底がいつまでも宙に浮いていると感じられる患者さんがいたりする。そうした臨床の経験を、理学療法士や作業療法士、言語聴覚士の先生方と一緒に考えつづけてきたのだ。セラピストは、患者の身体に触れなければ何も始まらない。その意味では、何気ない接触という行為に、彼らの職能の一切がかけられているともいえる。臨床の現場では、セクシュアリティ、国籍、年齢問わず、彼らの身体に触れなければならない。

そうした現象学研究を進めていたさいに出会った方のなかに、重度心身障害児のリハビリテーションを行っていた理学療法士、人見眞理がいる。*[13] 彼女は二〇一二年二月、まだまだ働き盛りの最中にインフルエンザ由来の肺炎で急逝してしまった。本当に青天の霹靂で残念すぎる死である。

彼女は、セラピーという臨床経験に対してかぎりなく厳密であろうと強く欲した厳しい人だった。何度も怒られた。その反面、どこまでも温かい人でもあり、弱音を見せることもときおりあった。そんな彼女は、セラピー開始前にはいつも、少し時間を取って、子どもたちに触れる「手を作る」準備をするのだと教えてくれた。暑い夏などは、氷で手を冷やして温度も調整する。触れるという行為は、それを通して相手に近づくだけではなく、触れることで相手の身体の輪郭を作り、その人の外と内の境界線を引き直すこともできる。

重度心身障害の子のなかには、首が据わることが叶わない子もいれば、言語的コミュニケーションが取れない子も多い。彼らの世界に触れるということのあまりに重大な意義を彼女はしっかり意識していた。今日のこの子どもには、どの手が必要なのか、いつも彼女は考えていた。「私には、七種類以上の触れるための手の接触モードがある」といって、実際に、異なる手のモードで私の腕に触れてくれることもあった。私が「あまり、違いが分からないんですけど……」というと、「そうでしょ？　あからさまに感じられたらだめでしょ」とニカッと笑顔を見せてくれたりもした。

セラピストは、「魚にとっての水という環境になることだ」とも彼女はいっていた。クラゲが酸素も水流もない海水では生きられないように、子どもたちがその能力を自在に発揮できる場所を、セラピストは手によって作るのだと。彼らの環境情報に関連すること、家族関係や既往歴、手術歴、好きな食べ物やおもちゃなどを親族から何度も聞き取りながら、水という手を作る。

とはいえ、彼女がどんなに細心の注意を払っていても、それでも子どもたちを驚かせることはあって、足のつま先から指先にいたる全身の筋に緊張が走り、ガガッと海老反りになって硬直してしまうことがある。「ごめんね、びっくりしたよね、でも大丈夫、こっちにもう一度戻ってこられるから、大丈夫、ほら」と、彼らが理解しているかどうかとは無関係に、たくさんの言葉をかけながら、再度、水を作り出す。そうした彼女の臨床場面を何度も見させてもらった。そしてそのたびに、失敗を精査しながら、どうして前回に行ったセラピーの効果が翌週には跡形もなく消えてしまうのか、触れるということから、彼らの身体運動を作り出すことがどれだけ難しいことなのかを、長い間話し合った。

重度心身障害の子どもたちにとって、どのようなセラピーが最善なのか、科学技術がここまで進んだ現代においても、いまだに答えは存在しない。それでも彼らのために親族の人も、医療関係者も、セラピストもそれこそ手探りで、彼らの経験をくぐり抜けようとしている。そうしながら彼らの喜びの経験、これからつづく未来にとって必要な経験、彼らの埋もれている能力がないかを探り当てようとしている。ほんとうにギリギリの闘いなのだ。

また、福岡のリハビリテーション施設で働く、作業療法士の橋間葵も、普段、明確に言語化はしていなくても「手を作る」というこの感覚はよく分かるという。彼女にとって（一）病理を探る手、（二）気配を消す手、（三）体を預けてもらうための手、（四）同化する手、は異なる手のようである。[*14] 私は彼女も天才的なセラピストの一人だと思っているが、ある研究会の症例報告では、進行性疾患のパーキンソン病で頻繁に起こる「すくみ足」という症状（当人には非常に厄介で、医学的には改善は困難といわれる）を、患者さんが自宅にいるときでも消失させることができていた。これには知り合いの医師もびっくりである。

たとえば、彼女のいう「気配を消す手」というのは、セラピストが触れている手に患者さんが注意を向けたり、その感触を手がかりにすることなく、自分の身体の情報だけから動作や行為の組み立てを行ってもらいたいときに必要となる。橋間はいう。

わたしの手が触れているから、自分自身の手が意識上に立ち上がる方もいらっしゃって、わたしの手がないときは頭の中の右手がなかった方もいました。今は、頭の中に右手は存在している難病の方です。触れているからこそ、触れているところに注意が向いて、自分の手の意識が補完されることよりも、自ら立ち上がって欲しい局面もあったりします。（私信より）

触れられてはいるが、触れられていることを忘れてしまう「手」、でもしっかり患者さんの身体を意識の外部から支える「手」、そのような手を作り出すことが、セラピーの現場では日々行われている。とはいえ、そんな橋間であっても、患者さんに急に「橋間さんの手が出てきた」といわれ、驚くこともある。気配を消していたはずなのに、しかもその患者さんは脳卒中の病後で、目を瞑って自分の手を感じようとすると、麻痺のせいで手の形さえどうなっているのかも分からないのに、それでも橋間の手が「温もり」として患者さんの世界に現れてきたのだ。その予想外の出来事は、その人にとって望ましいことなのか、あるいは、手の温度という想定外の要因によって橋間の手が臨床の進行を妨げてしまうものだったのか、彼女はいつもこの細かなオーダーで臨床を組み立てながら患者さんの「くぐり抜け」を試みている。

こうしたリハビリテーションの臨床における「手」や「触れる」ことから、翻って日常を省みたとき、私たちはどれほど「触れる」という経験についての細やかさを持ち合わせているか、考えさせられてしまう。言葉で相手に触れるときも当然そうだ。手で相手に触れ、相手の温度を感じるということが、物理的には相手の皮膚の膨大な数の分子運動に揺らぎを与えることであるのと同様、声も、音の手触りとして鼓膜、皮膚、身体全体を実際に揺らしている。

物に触れること、人に触れること、人以外の動物に触れること、野菜に触れること等、どれもが異なっており、同じ人間でも誰に触れるのか、野菜のなかでもどの野菜に触れるのかに応じて、私たちは細かな接触のモードを意識せずに使い分けている。

いや、その他方で、おそらくは、あまりにも粗雑な接触を行ってしまっているのかもしれない。満員電車のように全ての接触感覚を無効化しなければ、耐えることのできない社会状況もある。コロナ禍は、触れることから何を奪い、何をもたらしたのか、それもまだよく分からない。そんな状況があるからこそ、私たちは他者をくぐり抜けるためにも「触れること」の、「手」の回復を、あるいは新しい「手を作ること」を必要としている、そういえないだろうか。

それは「くらげ」に対しても同様である。私たち人間は、これまでくらげにどのように触れてきたのか、いくつの手を作って、いくつの手をもちあわせているのか、くらげを火傷させないために。

1.4 ― くらげの人文学史

くらげ観賞の流行から始まった本書は、その流行のなかで私たちが何を経験しているのかと問うていた。実は本書の企画をスタートさせたとき、くらげの話がこんなに広がるとは全く想定していなかった。編集者の方にも「最初は少しだけ「くらげ」の話になりそうですけど、いいですか」くらいの軽い思いつきで伝えていた。もともとはフッサールの草稿をめぐるくらげの話だったのに、実際に執筆し始めると、くらげに対する敬意のようなものも芽生えて、寝ても覚めてもくらげのことを考えるようになっていた。

でも、それは実は、どんな他者の経験においてもそうなのだ、と思う。それまで全く気にかけていなかった人物や動物、物、出来事について、たとえばそれは、難民や紛争の歴史、難病指定された病気、あるいは特定の法制度に含まれる問題でも構わない。それらどれ一つをとっても、芋づる式に膨大な知識や歴史、当事者の言葉が立ち現れてきて、めまいがしそうになる。でもそこで反射的な価値判断はせず、じっと待ちつづけていると、朧げながら遠くに輪郭が浮かび上がってくる。ただし近づくとすぐに、ピントはぼやけてしまう。自分と異なる他者の底が簡単に分かるはずはないのだ。底なしとは他者のことだと思う。「くぐり抜け」を甘く見ていた自分を思い知ってもいる。言い訳のようになってしまうが、くらげに触れてきた私たちの「手」を探す旅はまだ終われそうにない。

哲学者とクラゲ

少し語源的な話から始めてみよう（大学の講義だと、この辺りですぐ学生たちが眠りに誘われるので心配）。英語のjellyfishには、スラングとして「弱虫」や「へたれ」、「優柔不断」といった意味が根づき、日本語のくらげにも「筋肉が発達しないで、からだのしっかりしない人」「しっかりした考えがなく、態度の定まらない人」（『日本国語大辞典』）の意味もある。くらげにとって完全なるいい迷惑だと思うが、実際のところ「クラゲ」という語はどのような成り立ちをもつのか。

フッサールが用いていたドイツ語のクラゲはQualle（クヴァレ）という。実際に声に出してみると、なんとなく日本語の音とも似ていて不思議だ。現代ドイツ語は、古くからある南部の高地ドイツ語と北部の低地ドイツ語の混成体であるが、この語は低地ドイツ語に由来し、一六世紀あたりに文学言語に取り入れられたようである。

そのQualleという綴りの類似語を見てみよう。

・Qualm「煙」
・Quelle「泉」、「源／ソース／典拠」
・Qualität「質」
・Qual「強く持続する痛み」、「重大な身体的もしくは精神的な受苦（Leid）」

等々が存在する。このQualleの頭部分「苦痛（Qual）」は八世紀の古高ドイツ語にまでさかのぼる、上記のなかでも古い概念である。さらにここに一一〜一四世紀ごろに用いられていた中高ドイツ語「こんこんと湧き出る」という動詞quëllenや、「生き生きとした」や「新鮮な」を意味する形容詞quëcも加わる。

いささかハイデガー流の語源学めいているが、これら概念のネットワークから「クラゲ」を、形のない「煙／流体」でありながら、鮮やかな質の「苦痛」となって湧き出てくる「源泉」と解釈してみたくもなる[*1]（作業仮説として）。彼らが触手で刺す毒ともつながっている。

ここから紀元前四世紀の古代ギリシアにさかのぼってみる。アリストテレスの『動物部分論』では、クラゲは、イソギンチャクやカイメン同様、植物と動物の両方にまたがるものとして把握されている。[*2] しかもナマコ（Holothurian）とクラゲ（Sea-lungs）は、カイメンのように海底に固着するのではなく浮遊しても生きられる。だから「土を離れた植物」[3]のようだとも記されている。どことなくアリストテレスは、クラゲやナマコに、動物とも植物とも言い切れない決まり悪さを感じているように思える。

英語の「海の肺（Sea-lungs）」と同様、ギリシア語のクラゲを意味する「πνεύμων（プネウモーン）」は、「肺（臓）のような動物」のことだ[4]。ここには明らかに「πνεῦμα（プネウマ）」という、古代ギリシア哲学を学ぶときには必須となる「息」であり、「風」でもある生命の原理（気息）との近さがある。

「πνοή（プノエー）」という、プネウマと同根の概念も、キリスト教神学における神の息吹であり、風を意味している。アリストテレス自身がそこまで意識していなくとも、それでもクラゲは「肺のような動物」にとどまらず、「息／呼吸としての生命」ともピッタリと重なってくる。古代ギリシア語では、肺、息、呼吸、風という言葉が、クラゲの周囲を浮遊している。

このプネウマは、この後、ラテン語の「スピリトゥス（spiritus）」へと翻訳されていくが、それは今でいう「精神／霊体（spirit）」のことに他ならない[5]。日常言語でも使用される精神は、プネウマを介して古代のクラゲとつながっている。精神という語が堅苦しければ、「スピリチュアルなもの」と置き換えてもいい。古代ギリシアの「クラゲ（プネウモーン）」とは、字面からいえば、ほとんどそれのことなのだ。

またプネウマは、哲学だけではなく、キリスト教、医学、錬金術といった、さまざまな文脈へと影響を与えつづけてきた。[*6] 泳いだり、激しい運動をした後に、短く呼吸を反復すると精神の平静が取り戻されること、あるいは、暴力や病気が身近に溢れていた時代、呼吸や肺の停止が生命の死に直結していたことは、誰の目にも明らかだっただろう。

現代でも大気汚染や温暖化が、地球上の多大な生物に影響を与えるのは、それが「呼吸」と「息」に、直接、間接を問わず、かかわっているからだ。コロナウイルスも、個人差はあっても、人間の肺に致命的なダメージを与える。私たちは、脳や心臓の方が肺よりも重要な部位だと考えているかもしれない。とはいえ、世界におけるがんの発症およびがんによる死亡の最多部位は今でも「肺」と「胸」である。[*7]

哲学者のドゥルーズは、話すこともできないほどの恐ろしいぜんそく発作に苛まれ、それが自殺の引き金になったという。[*8] 多くの人にとって呼吸は普段透明で気づきにくい。が、それが濁り、ぜいとノイズを発するとき、自分の身体感覚も風景も様変わりする。小池水音の小説『息』（二〇二三）は、ぜんそくに苦しむ主人公のわたしが、呼吸を行う主体というよりも、突発的に変動する呼吸の強弱とリズムのほうに、わたしの存在も、家族も、亡くした弟の記憶もぴったりと張りついていて、そのか細い呼吸の隙間からしか見えない世界を描き出している。[*9] 呼吸が透明であることがひとつの奇跡であるような、とても静かでかなしい再生の物語だ。

ぜんそく治療の吸入器から噴霧される薬剤のように、白い煙が空間内に拡散したのち一挙に凝集することをイメージしてみる。この煙の拡散と凝集を反復すれば、水中で呼吸する運動体としてのクラゲになる。彼らが「肺／息のような動物」と名づけられたことの理由には、「生命」と「肺」の原理を、さらには「精神」の原理を、これほど視覚的に強く印象づける物理的実体がほかになかったからではないか。

「息」や「肺」と同じ名前をもつクラゲ、それが精神や霊体といった（非）存在的実体のアナロジーになっている、あるいは、精神が視覚的にイメージされるとき、その奥底から私たちはクラゲに魅せられている、といえば、あまりに強引だろうか、それこそ突拍子もないことにも思える。[*10] たとえ私自身がこうして、フッサールから取り憑いた「くらげ」のノイローゼを反復しているからといって、ここまでの話は、ヨーロッパの知的伝統に深く根づく「精神」という現象に、クラゲが直接影響を与えてきたということでは全くない。そうではなく、こうした思想や哲学、宗教、医学を含む文化史の展開のすぐ傍らに、それこそ息をひそめて居合わせてきたのがクラゲであるということだ。

クラゲの形象は、私たち人間のなかの植物的部分にも、動物的部分にも、さらには霊的な部分にまで届く触手をもつ。ただしそれ自体は、滅多に主題や主役になることはない。世界中のクラゲ研究者の数もそこまで多くはなさそうだし、水族館でもクラゲは「癒し」や「デートスポット」として「使われる」のであって、クラゲという他者に出会い、その生態を含めて本気で理解しようとして赴く人はごく少数であろう。

むしろクラゲは、いつも人間の生活の傍で、緩やかな呼吸、覚醒と眠りのあわい、深い眠りと海中のまどろみ、浮遊することの心地よさ等々のアナロジーを備給する秘めやかな表象でありつづけている。クラゲそのものがそうだということではない。そうではなく、そのようにして私たちがクラゲという他者の経験を利用し、精神や心までをこっそり重ね合わせ、自己認識を深めてきた可能性を、私は疑っている。それが、私たちが彼らクラゲに触れてきた「手」でもあるからだ。

『古事記』とくらげの骨

ここから話の舞台は日本へ移る。本書で微妙に使い分けてきたように、日本語の「くらげ」と「クラゲ」、ひらがなとカタカナの表記の差異によってニュアンスは大きく変化する。「クラゲ」のほうは自然科学的な生物としてのソリッドさがあるのに対し、「くらげ」のほうには、やわらかさ、いくぶん情緒的で和的な要素が加わる。

くらげは漢字でも「海月」、「水母」、「久羅下」、「久良介」、「倉下」、「暗気」などと様々に表記されてきた。胡乱でぼおっとした「暗気」なんて名づけられれば、今でいう完全なる陰キャの雰囲気を帯びるが、そのような和歌もはるか昔から詠まれている。[*11]

有名なところから始めよう。八世紀初頭に成立した日本最古の歴史書ともいえる『古事記』にすでに「くらげ」の記述がある。それは天と地が初めて分かれた後の、まだ幼き地上世界に関してである。その様子が、水に浮かぶ脂のようで、くらげのように浮遊するものとして描かれている。

次國稚如浮脂而久羅下那州多陁用弊流之時

次に国稚（わか）く、浮（う）ける脂（あぶら）の如（ごと）くしてくらげなすただよへる時に

次に地上世界は幼く、水に浮かぶ動物性脂肪のようで、水母（くらげ）のようにぷかぷかと漂っていた時に[*12]

大地、雲、泥土、砂土と日本の国土が神々とともに準備されていくのはこの後だ。どうして国の最初のかたちをクラゲ状のものだと、当時の人々は考えたのだろう。そのころから海岸に大量に打ち寄せられたクラゲの集群が見られていたのかもしれない。ここでのクラゲは、ギリシア的な「肺」や「息」ではないにしても、国の誕生という、いわば国土の生命の初めに、その傍らを漂っている。

ただし、「消息」という言葉（中国語由来らしい）もあるように、人の生死の動静を「息」で示すことは、日本語にもある。またそのつながりは、『古事記』にも見られる。それは姉のアマテラスと弟のスサノオが、お互い疑心暗鬼になり、嫌疑を晴らすために誓約（うけい）を立てて、神々を産もうという話になる場面である。意味不明かもしれないが、そういうやり取りがある。そこでアマテラスは弟の剣を、スサノオは姉の勾玉を口に入れて嚙み砕き（痛そうだ）、粉々にし、霧のようにその息を吹きつける（気吹）ことで神々を産み出している。*13

また哲学者の九鬼周造は、『「いき」の構造』（一九三〇）のなかで、江戸の美的感覚であった「いき」を、「生き」と「息」「行」「意気」に関係づけ、次のように述べる。

要するに「いき」は「浮かみもやらぬ、流れのうき身」という「苦界（くがい）」にその起原をもっている。*14

「浮世」という日本語は、もとは「憂き世」であり、苦しみの多い無情な世界という意味であった。風流、風情、そうした言葉もあるように、息や風、浮かび流されることと「生」のかかわりの重要さは日本語にもしっかりと根づいているし、ドイツ語のクラゲにおける苦痛とも響き合う。

次に、一〇世紀末に書かれた『枕草子』である。古典の試験を思い出して少しいやな気分になるが「中納言まゐり給ひて」という箇所で、「海月の骨」という表現が出てくる。中納言隆家が、中宮と清少納言のもとにやってきて「扇を作るためのとても素晴らしい骨を見つけた」と喜び勇んでいるが、どんな骨なのかをなかなか答えようとしない。そこで清少納言は、「さては、扇(あふぎ)のにはあらで、海月(くらげ)のなゝり（それでは、扇の骨ではなくて、海月の骨のようですね）」と機転を利かせて答える場面である。[*15]

くらげは軟体であり、骨はない。くらげ自体が透明で見えづらいものだが、そのくらげの「骨」という、よりいっそう不在なものの存在が問題になっている。国文学者の松本昭彦によれば、「海月の骨」という表現自体は『枕草子』以前からあり、長生きしていれば巡り会えるかもしれない「あり得ないほどの幸運の象徴[*16]」として用いられていた。また「海月」の漢字は「生み月」として「臨月」とも掛け合わされていた可能性があり、さらに妊娠中やその産後にくらげを食べるのがよいという風習もあったため、松本は、中宮（定子）の懐妊か、産後の可能性を、清少納言が匂わせているのではないかと推測している。[*17]その真意はここで問わないにしても、それでもくらげが謎めいた生命であると同時に、生を増進し、延伸させる存在として見られていたことが分かる。

くらげとセクシュアリティ

こうした事情は、近代から現代にかけてどう変わるだろうか。以下は、おそらく、恣意的な選択になることは承知の上で（そして、その選択にこそ私の問題が含まれていることも見越して）、いくつかの近現代の文学作品、詩作品のなかからくらげについての私たちの「手」を探ってみたい。

まず、夏目漱石の『草枕』（一九〇六）には以下のような記述が見られる。

> 余は湯槽のふちに仰向の頭を支えて、透き徹る湯のなかの軽き身体を、出来るだけ抵抗力なきあたりへ漂わして見た。ふわり、ふわりと魂がくらげの様に浮いている。世の中もこんな気になれば楽なものだ。分別の錠前を開けて、執着の栓張をはずす。どうともせよと、湯泉のなかで、湯泉と同化してしまう。流れるもの程生きるに苦は入らぬ。流れるもののなかに、魂まで流していれば、基督の御弟子となったより難有い。[*18]

「魂」が湯船に浮かぶ身体の軽さと接続されながら、しかも分別や執着を離れ、世のなかの苦しさから逃れることとして夢想されている。流れゆく、軽やかで、楽な存在へと魂を

John Everett Millais　*Ophelia*　1851-1852

溶かしていくプロセスの傍に「くらげ」がいる。

「兎角に人の世は住みにくい」という有名な文章から始まる『草枕』は、画工の主人公が「非人情」という人間的な感情や情感抜きに立ち現れる「美」を求めて温泉宿に滞在する話である。と同時に、その「美」の手がかりとして主題となるのが入水自殺する女性である。

先の引用のつづきで、主人公は「土左衛門は風流である」と考察を進め、その後、一九世紀イギリスのラファエル前派を代表するスウィンバーンの詩と、有名なミレーのオフィーリア（『ハムレット』の登場人物）の絵画について以下のように沈思する。

成程この調子で考えると、土左衛門は風流である。スウィンバーンの何とか云う詩に、女が水の底で往生して嬉しがっている感じを書いてあったと思う。余が平生から苦にしていた、ミレーのオフェリヤも、こう観察すると大分美しくなる。〔……〕水に浮んだまま、或は水に沈んだまま、或は沈んだり浮んだりしたまま、只そのままの姿で苦なしに流れる有様は美的に相違ない。*19

くらげのような魂が、このように女性の入水死へと接続されていく。この「水の流れに身をゆだねて死んでゆく女性のイメージ」*20は、一九世紀後半以後、ヨーロッパを中心に文学や芸術の様々なジャンルで取り上げられていた。その影響を強く受けていた漱石の『草枕』でも、オフィーリアが何度も言及されるだけでなく、「長良の乙女」という二人の男性に言い寄られ、選びきれずに身投げをした女性の話も出てくる。ここでは「浮世」や「俗世から逃れること」、「女性の水死」と「美」の近くに「くらげ」がいることだけを押さえておきたい。

次に、三島由紀夫を一躍有名にした自伝的小説『仮面の告白』（一九四九）の一節である。

私には結局何一つわかっていなかった。私以外の少年たちの夜毎の夢を、きのうちらと街角で見た女たちが一人一人裸になって歩きまわることが。少年たちの夢に女の乳房が夜の海から浮び上る美しい水母（くらげ）のように何度となく浮び上ることが。[*21]

「私には何もわかっていなかった」との事後の気づきをくりかえしながら自分のセクシュアリティの固有さが浮き彫りになっていく様子を、三島は克明に描いている。上記の夢も三島本人のものではなかったのだろう。むしろ彼は、「偽りの機械」として大量の小説を読み込むことで、青年の現実に先回りして対応する術を知的かつ早熟に身につけていた。だからこそ実感としての性の気づきはいっそう遅れたのである。ここにおいて「くらげ」の周囲には、「夜」、「少年の夢」、「女性の乳房」が浮遊することになるが、夏目漱石と三島由紀夫の二作品においてすでに、女性にくらげが重ね合わされていることが分かる。

白き海月（くらげ）にまじりて我の乳房浮く岸を探さむ又も眠りて[*22]

この短歌は、三一歳で亡くなった歌人の中城ふみ子が詠んだものである。彼女は乳がんの宣告を受け、左乳房の切除手術、さらに再手術をうけながらも歌を詠みつづけていた。上記のくらげの歌は、その中城が再手術後に、初めてあふれるように「乳房切除」について詠い始めたもののひとつだ。[*23]

魚とも鳥とも乳房なきわれを写して容赦せざる鏡か[*24]

葉ざくらの記憶かなしむうつ伏せのわれの背中はまだ無瑕(むきず)なり[*25]

中城ふみ子の歌集『乳房喪失』（一九五四）は、そのタイトルと内容、さらに中城の病の深刻さと、刹那的にも思える恋愛に生きた大胆な交遊関係から、発表当初からセンセーショナルに取り上げられ、さまざまな批判や非難にさらされた。[*26]とはいえ、自らの身体をここまで赤裸々に詠い上げた衝撃は、現代短歌の新たな地平を拓いたともいわれている。悲鳴に近いこの肌感覚は、一九五四年における女性という性を生きた切実な痛みとして色褪せることなく伝わってくる。

あわい眠りのなかで漂うくらげに交じりながら、失われた乳房が漂う岸を探し求める風景イメージは、乳がんを宣告される以前の段階で、夫との離別を経験した中城の生きる心地を詠った作品とも通底している。

水の中に根なく漂ふ一本の白き茎なるわれよと思ふ[*27]

根を張ることもできず、浮世に流される白い存在。この近くにもくらげがいたといってもよいのかもしれない。彼女の転移したがんの「肺」への放射線治療は五八回にも及んでいたという。[*28]『草枕』の画工の風呂で漂うくらげの心地とは相当の落差がある。が、それでもくらげのイメージは、中城にも漱石にも取り憑いている。

また、中城がたっての願いとして、出版する歌集の序文を書いてもらうよう依頼したのが、川端康成だった。川端は切羽詰まった中城の手紙と作品を読んで、文章を添えたうえで出版社に刊行を働きかけている。この川端の承諾の知らせを、中城は喜んではいたが、その後の歌集出版をめぐるごたごたと、川端の文章のそっけなさ（中城からの手紙の引用が多すぎる等々）から病床で「がっかり」してもいる。[*29]

とはいえ、川端本人は、中城の作品によせた文章や出版交渉等の骨折りを通して、それなりに深く記憶に残る経験をしていた。そのことは、彼の後期の代表作『眠れる美女』（一九六一）の作中で、中城の歌が使われていることからも分かる。彼も早くから父を「結核」で亡くし、彼自身も幼い頃から病弱で「胸が悪い」ことを自覚していた。[*30]

若くて癌で死んだ女の歌讀みの歌に、眠れぬ夜、その人に「夜が用意してくれるもの、蟇（がま）、黑犬、水死人のたぐひ」といふのがあつたのを、江口はおぼえると忘れられないほどだつた。今もその歌を思ひ出して、隣りの部屋に眠つてゐる、いや、眠らせられてゐるのは、「水死人のたぐひ」のやうな娘ではないのかと思ふと、立つて行くのにためらひもあるのだつた。[*31]

中城の歌の原文は、「不眠のわれに夜が用意しくるもの蟇、黒犬、水死人のたぐひ[*32]」であるが、この箇所は紛れもなく、彼女に捧げられたものである。とはいえ、もうお気づきかもしれないが、漱石同様、ここでも現れたのは「水死人のたぐい」であり、それが「眠らされている女性」へとつなげられている。

不可解な存在

漱石の「風流な土左衛門」、三島の「少年の夢に浮かぶ女性」、そして中城の「失われた乳房」の傍にくらげがいた。それらにおいて、必ずしもくらげでなければならない必然性はない。作家本人たちでさえ「くらげ」を作品内で用いていたことを覚えていないかもしれない。しかしそれでも、そこに居合わせていたことの確実な効果は存在する、と私は疑っている。いじめという集団行為が、加害側にとっては取るに足らない、記憶にさえ残らない、ささいな接触行為の積み重ねから生じることがあるように、私たちがくらげに知らずに触れている手をしっかりと見届けておきたいのだ。

次に注目してみたいのは、先に中城ふみ子の歌を自分の小説に引用していた川端康成の別の短編「燕の童女」（一九四〇）である。[*33] 前項で取り上げた諸作品とは異なり、本作品は文庫本でも二〇頁ほどの短編でありながら、くらげの記憶が全編を覆う珍しいものだ。ただし川端本人は、この「『燕の童女』は、新造船新田丸に試乗の帰途、大佛（おさらぎ）次郎氏と同車の特急燕で所見の女児を描いたのだけれど、鮮（あざ）やかでない」[*34]と不満の様子を伝えている。いうなれば、彼の失敗作の部類なのかもしれない（川端自身はほとんど自分の作品を褒めないが）[*35]。しかし、鮮やかでないからこそ、彼の端正で美しい文体と主題に目をくらまされることなく浮かび上がる事柄もあるはずだと、私は睨んでいる。

本作は、主人公の牧田と妻の章子が、船での新婚旅行の帰りの列車のなかで、西洋人らしい少女を目にするところがメーンとなる。身内にもかまわれず、孤独に一人遊んでいる童女を目撃し、そこに微笑ましさを感じたり、二人の今後の行く末を案じたりする物語である。が、たしかに童女の描写にそこまでの象徴的かつ小説的な強さはない（鮮やかでない）[*36]。むしろ、それ以上に本編全体を色づけているのが、この新婚夫婦の不審とはいかないまでも、とりわけ夫の牧田の目から見た、妻の章子の得体の知れなさであり、彼の感情的な収まりの悪さである。そんな夫の牧田に「くらげ」の記憶が襲来する。まずは牧田の驚きの描写を取り上げてみる。

しかし、〔章子の〕あんなになめらかだと思っていた肌に、日があたると、毛穴のひとつひとつに、人間の皮膚らしい、しらけたきたなさはあり、それを見ると、この女も牧田とは全く別の生きものだということが、初めて感じられて、なにか不思議であった。*[37]

その産毛は、牧田のするがままにおとなしくしたがっていた章子のからだに、かくれているものを感じさせた。*[38]

それに今、牧田も気がついてみると、章子としては当然のことながら、自分と彼女の明らかなちがいが、はじめて発見されたようなわけだった。*[39]

牧田はとにかく章子という存在と彼女の挙動に、おそらく、気づかれないように当惑している。「驚きすぎでは?」とツッコミたいくらいである。が、今とは異なり、新婚旅行とは当時そのようなものだったのかもしれない。

本作が収録されている『愛する人達』(一九四一)の他の短編を読んでみても分かるように、この時代、女子は学校を卒業すると、つまり一六歳、一七歳ごろには縁談が持ち込まれ、嫁入りとなることが多く、両親が新婚旅行の宿泊先を訪問して、宿の予約をしたりもする。破談になれば、うわさはいつまでもついて回るし、夫が仕事終わりに帰宅して足を差し出すと、妻は靴下を脱がせ、足袋をはかせる「足の世話」をすることもある。家庭によっては（川端作品ではとくに多い気がするが）女中という雇われ人がいる。今では信じられないことかもしれないが、こうしたことが「ふつうに」行われていた時代なのだ。おそらく章子も、自分に選択権がないまま、新婚旅行を迎えたのだと思われる。実際、「ほとんど見知らぬ男と船出してゆく」[*40]のが章子なのだ、と牧田の視点から説明されている。

しかし、驚いているのは章子ではない。章子をみつめる夫の牧田のほうである（章子の内面が明らかにされることは最後までない）。では彼は、章子の何に驚いているのか。その理由は、章子が胸に秘めていることの不可解さもあるが[*41]、それだけではない。彼女の身体がもつ、首や肌、産毛から感じられる肉体の「非常な強さ」である。

章子の首が日光にさらされているのを見ると、牧田はなぜか胸がどきっとした。あらわにすべきでない肌が、あらわに出ているのを見たようで、とっさにどきっとした。それというのも、日にさらされた首を見た瞬間に、章子の肉体すべてが、非常な強さで、牧田に感じられたからであった。[*42]

牧田にとって章子は、自分の意見を主張することも少なく、母親の後ろに隠れているような存在だった。その章子の見かけの弱さが、この旅行中にはがれ落ちていく。その肉体の奥底から、産毛や、毛穴、首の白けた汚さとなって力強く生きていることが感じられる。牧田の脳裏に「くらげ」が去来するのは、そうした驚きの最中においてだ。

ちょっと眼をつぶると、しびれるような甘い疲れが体のしんにあって、無数の海月(くらげ)が頭に浮んで来た。

それは横浜出帆の時に見たものであった。*43

この牧田の記憶は、新婚旅行に出発する船の上から、章子が見送り人に向かってハンカチを振っていたときのものであるが（その彼女のハンカチの振り方にも、牧田はギョッとしている）、そのとき章子がふと目を落として「あら、海月……。」と船下に気を逸らしたのである。

牧田も下を見ると、波立つ船尾は濁って、そこに無数の海月が漂っていた。大きい海月だった。その海月の群は、荒い波間に、透明な体を、ぺろぺろ伸び縮みさせていた。

太い船腹の下で、濁り立つ海水にもまれながら、浮き沈みしている海月の大群は、美しいとか醜いとかいうほど確かなものではなく、不気味な憑きものが船を追って来るようであった。
牧田は眼をつぶると、この海月の群がよく頭に浮んで来て困るのだった。*44

くらげの大群は、美醜の価値判断がなされないまま不気味な存在として導入されている。しかもその記述は、章子という女性とその肉体の不可解な存在に重ね合わされる。牧田が自分の想定を超えていく章子という他者を目の前にするとき、ぺろぺろと不気味なくらげが彼の意識に忍び込んでくる。これはどういうことなのだろう。

他者に驚く

これまで「くらげ」という言葉の周囲には、セクシュアリティとして見た場合、主に「女性」が乳房や水死体として浮遊していた。が、ここにおいて、くらげを女性に重ねながら、それを眺めている「男性」が、しかも、その驚きを口にすることなくたじろいでいる「男性」がはっきりと可視化されてくる。

漱石も、三島も、中城も、それぞれ固有な仕方で、くらげに美しさを重ねていた。さらに中城を除いて、そこには、その美をまなざす男性がいたのもたしかである。美しいものをまなざすとき、その主体は安定し、安全な場所で透明にふるまうことができる。しかし他方、その対象が不可解で、不気味なものになるとき、見ている側の主体もおびやかされ始める。つまり、牧田にとって章子は、漱石におけるオフィーリア、つまりくらげのように浮かぶ女ではない。三島における少年の夢に浮かび上がる美しい女でも、中城のように失われた乳房を探す旅の同伴者でもない。

牧田にとっては、くらげのような女が問題なのではなく、章子がくらげという他者になったのだ。ある意味で牧田はこの旅行をとおして章子という他者に初めて直面している。というのも、それまで牧田が、章子をどこどこの家の娘、自分の妻という記号や、意味の一般的存在としてのみ理解していた、もっといえば、素直で夫につき従う従順な存在としてだけ認識していた、そんな彼の認識の動揺が、くぐり抜け方法論でいえば「統覚の解体」が、生じつつあるからである。

さらに興味深いのは、一九四〇年に発表されたこの小説的設定が、現代においてもくり返されている可能性が高いことである。一二〇〇人以上の女性から「恋バナ」相談を受けてきた桃山商事の清田隆之は、『さよなら、俺たち』（二〇二〇）というエッセイ集において「「女性の内面に対する解像度の低さ」というのは、自分を含め多くの男性に当てはまる傾向だった」[*45]と前置きしながら、それが過去の自分にも起きたこととして以下のような告白をしている。

私にもかつて、「かわいいかわいい」とベタ惚れしていた恋人がいた。彼女は医療関係の仕事をしていて、交際4年目のある日、「練習中の検査の実験台になって欲しい」と頼まれ、初めて職場の病院を訪れた。同僚と談笑し、白衣に着替えて医療機器を手際よく操るその姿を見た時、これは本当に驚くべき感覚なのだが、私ははじめて「ああ、この人も仕事をしているんだな」と実感したのだ（！）。お、俺は4年間もつき合ってきて恋人の仕事に一度も関心を持ったことがなかったのか……。その感覚はとてもショッキングなものだった。[*46]（強調は引用者）

川端の「くらげ」とは時代も、慣習も、シチュエーションも当然異なる。しかしそれでも同じように結婚した女性が、あるいは四年間交際した女性が「他者」として生きていることに気づき、驚いている。川端の小説が書かれたのが一九四〇年であるから、そこから「八〇年」という歳月を超えても変わらない感覚を、他者である女性から受け取る男性たちがいる。

誤解のないようつけ加えておくと、日本社会において女性の地位が低下したのは、諸説あるが、一二世紀の鎌倉時代以降であり、武家社会が席巻する一三世紀から一四世紀初頭には家系の担い手としての女性の記録が消失し、一五世紀末には男性中心的な社会構造がほぼ確立した、と私は現時点で考えている。[*47] 日本のジェンダー史研究の進展とともにこの想定は修正されるかもしれないが、男性優位の社会構造は五〇〇〇年以上の歴史の蓄積をもつ。しかしそれでも、「八〇年」何も変わっていない可能性があることを、心に留めておくのは大切なことだと思う。

驚きの種類

川端の小説の牧田は、章子と彼女の肉体の「非常な強さ」に驚いていた。しかし、小説を読めば分かるが、章子は生物学的な肉体の強さをもっているわけでも、意志が強いわけでもない。正確には強さは関係がない、と思う。

むしろ「強さ」という語で言い換えられているのは、そこに生きている他者の「息づかい」のまぎれもなさといってもいい。それは、章子が思考をもち、自分の世界をもって生きているという否応のない存在感のことだ。章子には、牧田が知らない思考があり、意志があり、肉体がある。ただそんな当たり前のことが「強さ」となって、牧田を驚かせる。あるいは、清田のエピソードでいえば、自分の知らない彼女が生きる世界があることに驚く、と同時に、そこに思い至ることが決してなかった自分に驚くのである。思い起こせば、「息」と名づけられた「クラゲ」も、単純な世界を生きるものと断定されていながら、ユクスキュルは、彼らのその生の見事さと多彩さに驚かされてもいたのではなかったか。

こうした驚きが、男性だけに多いことなのかはよく分からない。どのようなセクシュアリティであっても、子どもでも、老人であっても、他者の生に驚くことはあるはずだ。

とはいえ、性的な「客体化／モノ化（objectification）」が、男性から女性に対して過度に行われていることも確実であり（その逆も当然あるにしても）、しかもその傾向と、「社会的な支配志向」の高さが相関していることも明らかにされている。[*48] 現に、牧田を驚かせた章子の「その産毛は、牧田のするがままにおとなしくしたがっていた章子のからだにかくれているものを感じさせた」[*49]（強調は引用者）と表現されていたように、一方的に相手を従属させることのできる不均衡な社会・経済構造があるかぎり、そうした驚きが男性に多いように思えるのも納得できる。

男性には、多様で複雑な世界が外／社会へ向けて広がるが、女性には単調な家庭のなかにしか世界がない、そんな価値観はもう吹き飛んだものと信じたいのに、それでも男性たちの驚きは止むことがないのかもしれない。前節で、ハイデガーによる存在者（無生物、動物、人間）の定義を、「男性は世界形成的」であり、「女性は世界貧困的」であると、いささか皮肉っぽく人間世界にパラフレーズしてみたのだが、女性が自分の世界をもってはいないという思い込みの想定は、あながち的外れではないとも思えてくる。最も少なく見積もっても、八〇年は存続していそうだ。

ただし、先にも示唆したように夫の牧田は、章子という他者を今まさに「くぐり抜け」

られる、その境界線上にいたともいえる。なぜならこの驚きは、他者の生の新しい発見につながっていく場所だからである。牧田自身が「驚きに近いよろこび」[*50]を感じてもいた。他者の不可解さは、自分のマインドセットを解除してくぐり抜けるなかで、喜びにも、親密さの変化にも、新しい共同行為にも展開するチャンスである。おそらく一方で清田は、その驚きをきっかけにして他者と自分をくぐり抜ける方向に進もうと決意し、他方で牧田は、その驚きを口に出すことはついぞなく、ふいにしてしまう。個人的な選択の分岐が、ここで生じてくる。

他者が他者であることに驚き、それを相手に打ち明けることは、内容にもよるが、相手を傷つけるリスクを孕む。なぜならそこには、相手への無自覚な価値評価が含まれている可能性があるからだ。清田のエッセイでは、当時、彼がその驚きを相手に伝えていたのかは明らかにされていない。もしかすると、彼も当時は、牧田のように口にはしなかったのかもしれず、何年も経ってから明確に言語化できるようになった可能性もある。

だとしても、他者の生に対する驚きを素直に伝える言葉がないわけではない。他者への驚きは、価値評価とは独立にも生じる。いや、もっといえば、自分のなかに構築された狭い価値基準を崩して、それを更新してしまうほどのインパクトをもつから人は驚くのである。だからこそ、その驚きを与えてくれた他者と、それを共有することができれば、その他者との新しい生を開始することにもつながっていく。

現代歌人のひとり伊藤紺は、何気ない日常における風景や瞬間、人との出会いを、あふれるほどのみずみずしさをもつ言葉に乗せて詠うことができる。そんな彼女の作品にも、他者の存在への驚きを謳うものがある。

ひさしぶりに会うたびきみは生きていて新鮮さに泣きそうになる*[51]

あなたが飼ってる小さなサメにときどき噛まれているけど言えない*[52]

駅とかで普通に生きてるきみのかがやき*[53]

べつべつの人間なのに花の咲く匂いで一緒に笑えてよかった*[54]

伊藤の歌には、高みから見下ろすような気構えがほとんどない。どうしてこんなにストンと自分の心地を詠めてしまうのか。青空のような清涼感が読み手に伝わる。ただ普通に生きて暮らしていることが、そのまま他者のヴィヴィッドな驚きとなり、たとえ分かり合えない者同士でも、他者とともにあることが言祝がれている。

他者が自分とは異なる生を生きていることに目を開かれながら、身体全体でくぐり抜けようと真正面からそれを受け止める。絶妙な脱力加減なので、泣いてしまうこともある。でもそれでいいのだ、という伊藤のこうした他者への驚きと、牧田の驚きには、完全に異なる何かがある。他者に触れる手がちがうといわざるをえない。どちらに他者を火傷させるリスクがあるのかは、もう自明かもしれない。

コントロールからコミュニケーションへ

川端の小説世界の特徴として、その抒情性や女性の美しさは、人間の泥臭い生活やその臭みを非情なまでに削ぎ落とすことで成立している。だから、そこには他者がいないともいわれてきた。『伊豆の踊子』も『雪国』も『眠れる美女』も、主人公の現実から切り離された非日常の舞台が設定されることで、そこに登場する人物たち、とりわけ女性たちの美しさが際立たされていた。卑近な例に引き寄せていえば、グラビアアイドルの写真集で、照明等の機材やレフ板、カメラマン、居合わせる人々の息づかいは見事なまでに消去され、透明になることと似ている。そこにあるのは、厳密にコントロールされた美である。水族館で管理された「くらげ」の美しさ（演出された弱さ）を思い出してもいい。

しかし他方、川端の作品には、晩年の短編「片腕」（一九六三〜六四）のようなものもある。これは、「片腕を一晩お貸ししてもいいわ」という娘のセリフから始まる。主人公の男性は、娘から借りたその美しい右腕をもち帰り、自分の右腕をはずして娘の右腕をくっつけて同化しようと試みながら眠りにつくが、ふと目覚めると、身の毛のよだつほど不気味なものとの邂逅が起こり、それが叶わない顛末が描かれている。

　こうした作品を読んでいると、川端のコントロールされた美へのこだわりは、逆説的に、女性という他者の不可解さに対する、絶望的なまでの防衛であったのではないか、と勘ぐってしまう。彼は、一人の女性との手痛くあまりに不可解な失恋も経験していた。他者の消去は、他者の存在の気づきの裏返しであり、川端にとって「くらげ」はその位置にへばりついていた。

　くりかえしになるが、この驚きの場面で主人公の牧田は、章子をコントロールするのではなく、もっとコミュニケーションを取る方向に進むことができたはずだった。しかし彼は、不可解な存在の章子に驚きながら、それを相手に伝えることはしない。むしろ自分の動揺が悟られてはいけない呪いがかけられているかのように、平静を装ったままだ。そんな彼らが行う会話とは、以下のようなものである。

「私達、一生この子〈列車に乗り合わせていた童女〉のことを思い出すでしょうね。」
「覚えているね。」
「きっと忘れないと思うわ。もう二度と会うことはないでしょうけれど……。」

「そうだね。」

「帰りは、この子ばかり見て来たようよ。なんだか不思議だわ。」[*55]

美しい会話である。が、章子のほうが終始、多くの感慨を口にしている。牧田はそれに同調するように相槌を打つだけだ。どうして嘘をつくのだろう、といいたくなってしまう。しかし、会話の最後の「なんだか不思議だわ」という章子の感想に対して、牧田は「いやいや、自分はそれより、きみの存在のほうがずっと不思議だと思っているよ」とは、絶対にいわない、いえないのである。このコミュニケーションの不足にこそ驚いたほうがいい、と私は思う。

しかし、自分がその場にいたとしたら、何がいえただろうか、とも考える。両家の婚姻という親の意向が、個人の意志よりも強い時代だったはずである。ほとんどの人々がそのような状況がもつ強制力に、異を唱えづらかった時代だ。牧田と章子の分かり合えなさは、その時代の空気に染まっている。しかも現代でも、男性は、相槌を打つだけで、動揺などせず声のトーンを変えないほうが女性にモテるという調査結果もあるから困る。[*56]

牧田夫婦の会話同様、政治（特に外交など）と恋愛がどこか似ているなとたびたび思うことがあるのは、あえて言わないこと、語らないこと、仄めかすことによって、他国や相手に何かを伝えようとするからである。[*57] ここには、相手よりも上に立つこと、言質を取らせないこと、相手をコントロールすること、自分を強く正しく見せること等が含まれている。もしパートナー関係で、いや、職場であってもそうかもしれないが、こんなコミュニケーションばかりを行っていたら、心身ともにすり減ってしまうだろう。高いテンションを維持した虚勢の強さが必要になるからだ。

こうした現実があるなかで、それでもコミュニケーションをつづけていくには、たとえ遠回りであっても、魚にとっての水のようなコミュニケーション空間を作る努力を継続しなければならない。しかもその空間は、均質ではない。見知らぬ者同士の関係、職場や学校等での関係、友人同士、パートナー同士、それぞれにおいて「泳げる水」は異なる。

何でも話せる空間など、どこにもない、と、ひとまず理解しておくことも大切である。社会構造的な権力関係が強く支配している場所では、話したくても話せないことは増えるだろうし、トラウマになるほどの強烈で悲惨な出来事を体験したり、共有したときなども、おのずとその話はしないよう配慮し合うことで話せなくなることもある。語られたことではなく、語られなかったことのなかにこそ、相手を理解する鍵があることも多い。

とはいえ、話す内容以前に、どんな場所で、どんな身体の位置関係で、どんな声のピッチと身ぶりで、どんな表現を介して話すのか、こうした細かいオーダーの影響を受けながら、「なんでこんなことまで話してしまったんだろう」と語った当人も驚くような会話空間が生まれることもある。おそらく、現代の「弱さ」は、勝敗をつけたり、否定したりすることとは別次元にある、こうしたコミュニケーション空間をひらく手がかりとして注目されている。改めて自分が普段居合わせている空間がどのような場所かを考えるよい機会でもある。

縁に立つくらげ

くらげの話に戻ると、川端作品のコントロールされた美の設定とはジェンダーロール的に完全にミラーリングした作品に、村田沙耶香のデビュー作「授乳」（二〇〇三）がある。この作品は、主人公の直子の受験対策として、大学院生で家庭教師の男性が母の友人の紹介でやってくる話である。直子は、潔癖で世間体を気にする母親と、自分の「性」にまつわる煩わしさに終始イラついている。その直子が、家庭教師の男性を一目見たときから、彼が自分の獲物になることを感じ取っている。ここにもくらげが現れる。

明るい所で先生をじっくり見るのは初めてだった。先生は表情がなくて、くらげみたいに透き通っている。人ではなく、むきだしの物質という感じがする。手も足も乾ききっていて、どこにも指紋を残すことなどできなそうに見える。先生のほっぺたは、和紙をぺっとり貼り付けたみたいな、柔らかい無機質さだった。[*58]

この作品では、美が虚飾されることはない。男性が女性をコントロールすることで耽美さが描かれるとすれば、女性が男性をコントロールすることで描かれるのは、とりわけ村田にとっては、社会的、人間的な意味が剝ぎ取られた生物同士の無機質で暴力的な官能である。直子と先生、二人の空間が密室化するなかで、直子は相手の手を足でふみつけ、男の傷口（自傷によるもの）をナプキンで手当てし、部屋に紛れ込んだ巨大な蛾を粉々になるまで彼の顔になすりつけ、最終的に「授乳」行為に及ぶ。

とはいえ、家庭教師もそれを拒むことはできず、いや、むしろ直子は相手の承諾と受容を完全に見越した上で、その男性をコントロールしていく。この直子と先生の完璧な授乳も、二人きりの閉ざされた空間で行われている。それは性愛ではないが、まぎれもない愛の異質なかたちである。

　私は先生がとても欲しがっている餌で彼を支配したのだ。*59

ここにもコミュニケーションはほとんどなく、驚きもない。二人の濃密な空気が充満した部屋が、直子の支配を完璧にするよう、あらかじめ仕組まれている。この空間が打ち破られるのは、「他者＝母」の闖入によってである。

私と先生はこの部屋に特別の空気を閉じこめていた筈だった。私の口と先生の口の間をじっくり行き来させ、熱っぽい二酸化炭素ばかりに創り上げたこの部屋の空気は、いつのまにか蒸発してしまっていた。私は母の健全さに打ちのめされた。[*60]

川端と村田の両作品において、「くらげ」は人間にとってのコントロール可能性／不可能性の境界線上を揺れ動くひとつの指針的な存在となっている。その針がコントロール可能の側に振れると、支配された美や無機質な官能の餌食となり、コントロール不可能の側に振れると、驚異を呼び起こす不気味で不可解な他者となる。

ここまで私たちは「くらげの人文学史」と銘打って、文学的形象としてのくらげの布置を辿ってきたが、やはり私たちは、くらげを利用しつくしてきたように思える。普段は気づかない意識下に根づいているかもしれない私たちのこの執着は、どこに辿り着こうとしているのだろうか。

1.5 — 踊るくらげと倦怠

弱さについて弱くなく語ってしまったのか

もともと私は、ドイツ現代哲学のフッサール現象学を研究していたが、その後、リハビリテーション臨床の共同研究を行うようになり、周囲からは「リハビリの人」や「リハビリと哲学の人」と呼ばれるようになった。だからといって理学療法や作業療法等の国家資格をもっているわけではないので、臨床家の先生方に対して、いつもなんだか申し訳ない気持ちでいた。しかし最近は、『絶滅へようこそ 「終わり」からはじめる哲学入門』(晶文社、二〇二二)という、ちょっと危なそうな表題の本を上梓したからか「絶滅の人」もしくは「絶滅先生」と呼ばれ始めてもいる。ただこれは、そこまで人様に迷惑をかけることでもないと思うので、そんなに悪い気はしていない。

どうして人は、誰かのことをあれこれいいたがるのだろう、といつも不思議に思う。

レッテルというのも本当に何でもいいのだなと半ば呆れながら、本書が出たら今度は「くらげの人」になっているかもしれない、と少し楽しみでもある。でも、それはそれでまた本物のくらげ研究者の方に申し訳なく思うことになるだろうから難しい。

「「くぐり抜け」の哲学」という本書の企画は、『群像』二〇二二年一〇月号の「「弱さ」の哲学」特集が起点となっている。当初の目論見としては、現代における弱さと自らのセクシュアリティを、人間社会の周縁に存在し、かつ、痛覚も確認されていないため動物福祉の対象にさえならない「くらげ」の方から考えてみたいと思っていた。

自分では距離を取るのが難しいセクシュアリティと、そこから極めて離れた「くらげ」という生物の間を往還することで、見えてくるものがあるのではないかと……。とりわけ「弱さ」の経験が重要になるのは、「男性」というセクシュアリティであり、しかもそれこそ最難関の問いだとも考えていた。そもそも、私を含む彼らにはその「弱さ」を受け入れない、あるいは拒否するという選択もあるからだ。

その『群像』の「「弱さ」の哲学」特集では、片瀬チヲルさんの小説から始まって、そこから永井玲衣さん、三木那由他さんの対談、そしていくつかの論考がつづく。片瀬さんの小説「カプチーノ・コースト」には、クラゲが出ていたりして嬉しかったけれども、永井、三木、お二人の対談を読んでみて、とにかく自分の論考の「硬さ」に驚いた。哲学者についてだけでなく、くらげについて、あんなに真剣に語っている自分についてでもある。ここにセクシュアリティの問題を重ねてしまうのは浅はかかもしれないが、それでも何かあるという気がしてならない。

特集を読んでくれた学生からも、私とそれ以外の人たちの論考の対比がとくに際立っていて面白かった、といくぶん皮肉交じりに感想を伝えられたりもした。でも私もそのように思う。クラゲという自然科学的、生物学的存在を扱う男性と、日常の違和や不快感、怖さに直面したさいの内面の微細な動きに言葉を添わせ、社会的な規範や制度とぶつかる界面で「弱さ」について実践的に問う女性の対比になっている、とでもいえばいいか（それだけではもちろんないが）。これこそステレオタイプ的な枠組みそのものの気もするが、考えすぎだろうか（この問いは、3章で再度取り上げる）。

私自身がこのステレオタイプを生きているのかとも思う。でもそもそも、文芸誌で自然科学的な話をする論者も少ない気がするし、哲学業界のなかで、自然科学的なデータ等を用いて論を展開する論文も少ないと思う。であれば私の個人的問題かもしれない。

なにも男性／女性という二項図式にこだわるつもりはなく、むしろこうした二項的な図式による規範こそが、人々に、とりわけ両性にカテゴライズされえない人々にとって「強さ」を押しつけてくる暴力の源泉に他ならない。だからこそ、そこから離脱し、逃走できる可能性を本気で考えたいとも思っている。

しかし他方、この「本気」のなかにも、ステレオタイプはこっそりと潜り込み、私たちの思考や行動をしばりつけていることも忘れてはならない。英語の書物での研究ではあるが、多くは一八〇〇年から二〇〇八年の間に出版された三五〇万冊をスキャンし、それら一一〇億語のデータから、性別が関係する名詞につけられた動詞と形容詞をＡＩ分析してみたところ、身体と外見に関連するネガティヴな動詞は、男性よりも女性にかかわる名詞のほうに約五倍の頻度で出現し、身体と外見に関連するポジティヴあるいはニュートラルな形容詞は、男性よりも女性にかかわる名詞のほうに約二倍の頻度で出現しているのが分かった。対して男性にかかわる名詞には、行動や内的な資質を示す動詞や形容詞の出現頻度が高い。[*1]女性は外見で判断され、男性は行動や資質で判断される。これも完全なるステレオタイプだろう。もし書物だけでなく、現在のＳＮＳ等のネット上に溢れるテクストを網羅してみても、これと同様の結果が現れるのではないかと、私は思う。

世間に流通し、受け取られる言葉や言説が個々人に内面化され、そうした内面を生きる個人が文章を書くのであるから、このスパイラルの解除は一筋縄にはいかない。今ようやく、シスジェンダーの男性とは異なる性を生きる人々の語りを眼にすることができるようになってきた。記憶に新しいところでは、二〇二二年上半期の芥川賞が、一九三五年の創設以来で初めて女性候補者だけという現象が起きた（それまでの女性の受賞者は全体の約三割である）。

前節では、男性の驚きをテーマに論じたが、女性が何を感じて、どのような世界を生きているのかに関する記述が今後もっと増えていくことで、上記のビッグデータに基づくAI分析のステレオタイプも漸次的に変化していくだろう。男性たちは驚くのかもしれないが、みずからの驚きを抑圧したり、無視することなく、変化するチャンスに変えていける社会であるのが望ましいのは言を俟たない。

弱者男性の男性学を精力的に推進している杉田俊介は、多様な男性の語りを促し、発明していく必要性を説いているが、大賛成である。「まだまだ、男性たちが当事者として、自分たちの性や身体について語るための言葉が―言葉の貯蔵庫やデータベース、あるいは「語り方」の方法そのものが―足りない。／世の男性たちには、どうか、自分の人生をもう一度、ゆっくりと眺めて、思い出してみてほしい*2」。

本書は、私なりにまだまだアカデミックな権威にすがるような語りの場所からにならざるをえないにしても、みずからのセクシュアリティに直面してどんな語りが展開できるのか、その試行錯誤の足跡でもある。

クラゲを選択したこと――美と共感

本書を執筆して以来、ずっと引っかかっていることがある。それは、どうして私はクラゲという生物を対象に選んだのかという問題だ。フッサールの草稿に刺激されて「くらげの現象学」を試みたいと思っていたのは確かである。だがこの問いは、どうしてユクスキュルの影響を受けたフッサールが、ユクスキュルが同時に扱っていたミミズやイソギンチャク、ウニ等ではなく、クラゲを選択したのか、ということでもある。こんな些細なことにこだわって……、と思われるかもしれないが、そこにすでにミミズやイソギンチャク、ウニにはない「美」につながる糸を嗅ぎ取る欲望があったのかもしれない。

絶滅危惧種であるアイアイよりも、レッサーパンダの方に多くの人々の寄付が集まってしまうのは、視覚的な「美」の共感があるからだ。私たちは、感覚をもつ動物だけではなく、風景や建築物であっても、それらが美しく純粋（pure）であると感じられれば、それらの存在に高い道徳的地位を与え、保護すべきであると判断してしまう。[*3]「情動的共感（emotional empathy）」ともいわれるこの働きが、倫理的でも公正でもない結果を生みだすことはしばしば起こる。だからいつでも用心が必要である。

クラゲを選択する私のなかにもこの共感が働いていたのではないか。それは、前節までに論じてきた、くらげにまつわる文学作品の選択に関しても同様である。私は「くらげとセクシュアリティ」の項で、「恣意的な選択になることは承知の上で（そして、その選択にこそ私の問題が含まれていることも見越して）」、と述べた。

これまで扱った、夏目漱石、三島由紀夫、中城ふみ子、川端康成、村田沙耶香は、どれも、私が昔から好きで読んできた日本の作家であるから、作品に偏りがあることは間違いない。もっと舞台裏を明かせば、芥川龍之介、泉鏡花、与謝野晶子、谷崎潤一郎、太宰治、萩原朔太郎にもくらげの記述はあるし、より現代的なものでも村上春樹、椎名誠、新井満、福島晶子、鯨井あめ等々にも、興味深いくらげの作品がある（村上春樹『ねじまき鳥クロニクル』は、まるまるクラゲに侵食される話として一冊の本を書けそうだ）。そうした作品も吟味したうえで、それらを削ぎ落としたことにも私の恣意性は当然含まれている。

だとすれば、これ以外の多くの作品群をもとに、私が論じたものとは全く異なる「くらげの現象学」ないし「くらげの人文学史」は展開できるし、それが試みられれば、ぜひ読んでみたいとも思う。むしろ重要なのは、そうした私の恣意性のなかから自分の経験の固有性を浮かび上がらせることのほうではないか、と思い始めている。それが私の「くらげに触れる手」でもあるからだ。

前節までの「くらげの人文学史」で発見された「くらげの効果」とは、以下のようなものであった。

【くらげ効果（暫定）】

1）固定し、硬化したものをほぐすリラックス効果
2）気息、肺、形にならない精神、生命と運動の原理
3）未分化な生命の母体、そこから生命が湧出する追憶の故郷

4）水に浮かぶ軽やかな魂
5）美しさ、乳房、水死体としての女性
6）不可解さ、驚きを引き起こすもの
7）コントロール可能な美と無機的な官能

クラゲという生物を対象として選択した時点で、私のセクシュアリティとしての内面化が、それを動機づけていた可能性、くらげが女性に多く重ねられていたかぎりで、異性愛的な欲望があらかじめ潜んでいたと考えることもできる。とはいえ、性別にかかわらず誰であれ、クラゲが水中をたゆたう、あの流線形のかたちとやわらかさには魅かれるのではないかとも思う。水槽でクラゲを飼育し、そのやわらかな動きに日々癒されている人もいるはずだ。

いや、しかしそう簡単に断定もできない。火力発電所の取水口に取りついた大量のクラゲをはがす業務に勤しむ作業員の人にとって彼らは憎々しく、汚らしい存在なのかもしれない。楽しい海の思い出が、クラゲに刺されてトラウマ的な恐怖に取って代わってしまった人も数多くいるだろう。各人にとって、くらげの存在も意味も全く異なる。

にもかかわらず、哲学や文学の世界においては、紛れもなく一部の男性たち（一部の女性も）はくらげに魅かれてきたのである。ようやくではあるが、その核心部に近づいてきた予感がある。

舞踏論：ヴァレリーの大クラゲ

唐突ではあるが、大きな問いを立ててみたい。私たち人類に「アート／芸術」はこれからも必要なのだろうか。ここでいうアートとは、絵画や音楽、文学、映画といった、いわばハイカルチャーと呼ばれる作品群およびその制作行為に関係する（サブカルチャーがアートではないとはいえないが、「作品（と鑑賞）」と「コンテンツ（と消費）」の区別が、両者を分けるものとして、今はまだ妥当していると想定している）。

人はパンによってのみ生きるのではない。そういわれるのは、生物学的な必要が満たされたからといって、人は生きているとはいえないからであり、生きることには自由に基づく「尊厳」が必要とされるからである。尊厳ある人間として生きるための十分条件のひとつに、いわゆる芸術が必要だと考えてきた思想家や哲学者はこれまで多く存在し、今も存在している。

フランスの詩人であり、小説家でもあったP・ヴァレリーもそうだ。しかも彼も、クラゲに魅せられ、驚かされた思想家のひとりだった。ヴァレリーは、芸術行為のひとつ、身体パフォーマンスとしての「ダンス」と、自分の「詩」の制作行為には互換性があり、その繋がりのなかに芸術の可能性と希望を見いだそうとしていた。

彼にとって詩とは、言葉が踊り出すことであり、ダンスとは身体動作が詩となることである。[*4] またここでの踊る人とは、「踊り子」のことであり、画家のドガが執拗に描いた「バレリーナ」の女性、あるいは「女性舞踊家」であった。[*5]

『ドガ　ダンス　デッサン』（一九三六）のなかでヴァレリーは、ダンスが、私たちの日常の行為の大半とは異なり、ある場所やある目標に到達するものでも、四肢を用いて外部の環境へと働きかけるものでもないことを強調する。子どもや犬がただ遊び跳ねまわるように、何かを行うための手段や有用性から身体動作が完璧なまでに切断され、次の方向も強度も分からないまま、動作自体が目的となり、喜びとなる。「その動作はエネルギーの濫費そのものを目的としている」[*6]。

芸術は「遊び／プレイ」に起源をもつ。手脚がひとつひとつ連鎖し、それが繰り返されるなかで「一種の陶酔が引きおこされ、ものうげな弛緩から極度の高揚感にいたるまで、催眠術による自失状態のようなものから一種の狂乱状態にまで導かれることになる」[*7]。これが「ダンスの状態」の生成であり、「神経＝筋肉にはおそらく共鳴に似た現象が起こっている」[*8]。

ダンスとは、安定しつつも、有用性や効率性に縛られ疲弊した日常世界の皮膜を破って、ひとつの新しい世界を創出し、舞踏家と鑑賞者がそこに共‐没入することである。それは「私たちを、私たち自身の外に、あるいは私たち自身から遠くに位置させるような状態、しかもそこでは不安定なものこそが逆に私たちを支え、安定したものは偶発的にしか現れないような状態[9]」である。彼はそれを「一般に霊感と名づけられているもののこと[10]」だともいう。くらげと霊体のつながりを私たちは思い出しておこう。

ヴァレリーは、女性たちが舞台上で踊る姿を何度も見てきたはずだ。彼は、三人の登場人物（ソクラテス、パイドロス、エリュクシマコス）が、女たちが踊るダンスについて語る「魂と舞踏[11]」（一九二一）というプラトンの対話篇を模した作品も書いており、国外から来仏した有名な女性ダンサーに向けての文章（「舞踊の哲学」一九三六）も書いている。[12]そのヴァレリーが、詩人のマラルメの言葉、「踊り子は踊る女ではない」、なぜなら「踊り子は少しも女ではないし、踊ってもいないからだ」を引用しながら、完全なるダンスの理想体に出会ってしまった体験を以下のように告白する。

> この世にありえるダンスのなかでも、もっとも自由で、もっとも柔軟で、もっとも官能的なダンスは、巨大な〈水母（くらげ）〉を映したスクリーンを見ているときに私の前に現れた。それは女ではまったくなかったし、踊ってもいなかった。[13]

ここでヴァレリーは、女でもなく、踊ってもいないクラゲが「絶対的な踊り子」としてスクリーン上で浮遊する姿に度肝を抜かれている。それは彼にとって完全なるダンスの理想体を体現していたからである。少し長いが、詩人がとらえたクラゲの細かな描写を引用する。

それは女ではなく、比類のない、半透明の感じやすい物質でできた生物である。刺激に途方もなく敏感に反応するガラス状の肉、ふんわりただよう絹の円蓋（ドーム）、ガラスのような王冠をそなえ、活き活きとした細長い帯には絶えずすばやい波動が走り、房飾りとギャザーは皺（しわ）を伸ばしたり、縮めたりする。そのあいだ、水母たちはくるりと身をひるがえし、形を変え、舞いあがってゆくのだが、まわりから圧してくる流体と同じように流動的で、その流体と一体化し、流体によってあらゆる方面から支えられている。流体は、水母がわずかでも方向を変えれば場所をつくり、その形に取って代わるのだ。水母にどのような抵抗も押しつけていないように思える水の、圧縮できない充満のなかで、この生物は理想的な流動性をもって、放射状の左右対称（シンメトリー）の形を繰りひろげたり、縮めたりしている。これらの絶対的な踊り子たちにとって、床というものはなく、固体もどこにもない。舞台はない。あるのはただ、自分があらゆる点で支えられていて、しかも自分の望む方向にその支点が後退する、そんな環境なのだ。伸び縮み自由なその水晶体の身体には、固体はどこにもなく、骨もなく、関節もなく、不変の結合も、数えることのできる体節もない……。[*14]

至高性と倦怠

この饒舌、ここまでクラゲについて語りたくなってしまう詩人は、どんな夢をそこに見ていたのか。「かつて女の踊り子が、欲情に興奮した女が、この巨大な〈水母〉のように、〔……〕有無を言わせぬ性の贈り物、売春の欲求への身ぶりによる呼びかけを表現したことは一度もなかった」。[*15] 人間(女性)の踊り子には到達できない何かをクラゲは実現している、彼はそう考えている。それは「〈エロス〉の夢」[*16]なのだと。

ヴァレリーにとってのこのクラゲの位置づけに関して、重要なポイントは二点ある。

①踊り手の語り：ここにも明らかな女性のステレオタイプ、しかもそれとクラゲの近さ、もっといえば、クラゲに女性(舞踏家)を見て、女性(舞踏家)にクラゲを見るという相互反照的な重ね描きがある。ここで、以前すでに引用した生態学者のユクスキュルが記していたクラゲの特徴を思い出しておきたい。

かれらクラゲの内的生活を満たす唯一の事象は、規則的な興奮の波動、ただそれだけである。[*17]

こうしてクラゲは自分自身に作用標識を与え、これが同じ知覚標識を引き起こし、それがさらに同じ作用標識を呼びおこす。これが無限に続くのである。／このクラゲの環世界ではいつも同じ鐘の音が鳴りひびき、それが生命のリズムを支配している。その他の刺激はすべて遮断されている。[18]

このクラゲの記述は、外部世界に働きかける日常の行為とは全く異なる境地で成立するヴァレリーによるダンスの特徴づけと、極めて類似したものとなる。その言葉も引用しよう。

この踊る身体はその他のものを無視し、自分の周囲のものを一切知らないように思われます。まるでその身体は、自分にだけ聞き耳を立て、自分のことしか聞いていないかのようです。[19]

その意味で「女性舞踊家はこの世とは別の世界にいる」[20]。絶対的な踊り子として床さえも離脱して踊るクラゲと、そこに至らないまでも、それでも別世界へ没入する女性の踊り子、さらに彼らのふるまい（外見・身体）を見て驚愕する踊れない男性、という構図がここにある。

こうしたセクシュアリティにまつわる配置は、1.4での「男性の驚き」論と同様に、記述者が男性であるかぎり、時代の制約も含め、やむを得ないところがあるのだろう。しかも、ヴァレリー自身が「売春」について明確に語っていたように、画家のドガが描いた多くのバレリーナたちの作品の片隅には、主体ではなく、客体としての彼女たちを品定めする黒服を着たパトロンたちが何人も存在していた。[*21] そのような当時の社会状況をカッコに入れたところでしか、ヴァレリーの巨大クラゲの驚きは成立しない。

しかも、あくまでもヴァレリーは鑑賞する側からのみ、ダンスについて語っているという問題がある。踊り手がダンスの最中にどんな内的経験をしているのか、実際に何を見て、感じているのか、その逆に、何を見ておらず、感じていないのか、確認してみないと分からない。いや、正確には、尋ねたとしても明かされない部分は必ず残る。身体が動くという出来事は、言語的なレベルの外で生じているからだ。しかしそれでも、そうしたコミュニケーションを行うこと自体は重要なことだと思われる。

一例を出そう。暗黒舞踏の創始者でもある土方巽は、おそらくヴァレリーの舞踏論を読んだうえで舞踏（BUTOH）の動きの原点ともいえる「灰柱の歩行」について以下のように語っていた。

［…］私の場合、足で歩くという経験をほとんど舞踏の中から取りはずしているん

です。幽霊になぜ足がないのか、ところが幽霊でもああいう形態を保っているわけですね。何かを支えている、支えなければ浴衣と同じで落ちてしまう。支えているもの、エアー（air）ですね。それから足のないタンポポなどは、無数の死に介在された一つの状態、触覚的に言えば、ウサギの毛を逆なでして、触覚だけで人体を知覚した場合どうなるのかと。その場合、方向とか歩くとか、上下左右はなくて、浮遊するわけですね。クラゲとかタンポポ、タンポポはあらゆる方向にひきのばされてどこでも行きなさい、でも足はない。これはヴァレリーのいうヨーロッパの舞踊の一つの究極でしょう。しかし、そういうふうに、私はなるたけ足というものを歩行の道具にしたくないという経験を、子供の時に持っていまして行ったきり戻らない足が、いったいどこへいっちゃったのか、それを追跡する、尾行する。これはタンポポの姿を借りようがクラゲの形を借りようが、ぶれた足を自覚せざるを得ない。そこで、無数の視線に介在されただまされやすい気力をたえず起爆剤として自分の中に培養するとかですね、そういう方法で足を消しているわけです。[*22]

一読するだけでは、何がいわれているのか分からないかもしれない。土方の言葉は、ひとつひとつ意味を確定させて理解するような言葉ではない。むしろヴァレリーがいうように、言葉が踊る詩に近いものとなっている。言葉を、放り出された足のようにどこかに投げてみて、そのイメージのほうから身体の動作や感じ方がぶれていく瞬間をつかまえ、それを身体実践につなげていく、そんな言葉である。足で歩くことなく歩く、それがクラゲやタンポポの経験にわずかにでも近づくことであれば、やってみよう、そのように土方は言葉とともに動作の経験を拡張しようとする。ここにも「統覚の解体＝経験の脱構築」（**くぐり抜け方法論2**）としての「くぐり抜け」がある。

こうした舞踏家の発話のなかにこそ、身体が詩となり、言葉が踊り出す契機があると、私は思う。

②アートとリテラシー：上記のような疑惑点を把握した上で、しかしそれでもヴァレリーが何を夢見ていたのか、ダンスや詩作を含むアートという営みにどのような可能性を見ていたのかを問題にしたい。

まず彼にとって重要なのは、クラゲという生物学的な対象の存在ではなかった。あくまでも、スクリーンに浮遊するクラゲの動作の連続が、詩を作る芸術行為と等しくなる、その符合をヴァレリーは見て取っていたからである。

そもそも私たちが現代の水族館でクラゲを見たからといって、それが絶対的な踊り子として感じられるわけではない。圧倒的な映像体験を誇るＩＭＡＸスクリーンで見たからといって経験できるようなものでもない。問題になっているのはそういうことではないからだ。

ヴァレリーは巨大クラゲに出会う以前から、ダンスについての思考を練り上げていた。研ぎ澄まされたダンスの思考と、当時の最先端の映像技術とが出会うなかで、ヴァレリーが受けた衝撃、それがクラゲの正体である。そのとき彼は、有意味性や有用性に拘束された日常の思考や動作からなる世界から離脱する奇跡的な瞬間を経験する。哲学者のバタイユであれば「至高性」と呼ぶ、思考と身体を揺さぶり主体を丸ごと変容させてしまう「強い体験[*23]」のことである。

ダンスであれ、詩であれ、制作行為の鍛錬には長い時間が必要となる。ダンスのひとつの動作は、緻密な手順の機械的な反復訓練を飽くことなく継続した結果としてしか生まれない。その鍛錬の果てに、人間の意図や努力の痕跡を一切帳消しにするような自然さが生まれる。ヴァレリーはそれを「第二の自然[*24]」と呼んでいる。

正直にいえば、私もアート体験というものに、ヴァレリーと近いものを求めてしまう。意味づけや説明といった言語理解や、有用性や効率性といった社会的なものに回収されえない強い体験や経験を追求したいと思う。そのような新しい世界の可能性を開いてくれるパフォーマンスや作品に出会えたとき、至上の喜びと解放を感じる。

しかし逆からいえば、どうして私たち（これは誰なのだろう?）は、そのようなアートをきっかけとする「強い体験」を求めようとするのか。ヴァレリーによれば、それは私たちが疲労によるのでも、つかの間のでもない「あの完璧な倦怠、あの純粋な倦怠」、すなわち「生きることへの倦怠」[*25]にとらわれているからだということになる。この倦怠は、自分自身を知ろうとする反省意識が高じて生じる。ヴァレリーを研究する伊藤亜紗も述べるように、ヴァレリーには「「知」ろうとするあまり生きることに没頭できない人間のあり方に対する不安」[*26]がある。

何のために、死すべき人間は存在するのか？——人間の仕事は知ることです。〔……〕それは、まぎれもなく、自分のあるがままのものでなくなるということです。[*27]

物事の理解を深めることが、当初あったその物事との自然な関係性を変えてしまう。物心がつくというあの幼少期、振り返って初めて気づかされるようなことでもあるが、そのとき私たちに何が起きているのか。知というものが、あるいは現代風にいえば、リテラシーが私たちを生から切り離す感覚、もっといえばリテラシーの向上とともに生の苦しみが増えていくようなこの感覚は、私もよく分かる。これは「知らぬが仏」のリテラシー版であり、「知は力なり」という格言への疑念を高めていく。それは、たとえば人権リテラシーが高まるほど世界にあふれる差別的な惨状をより敏感にキャッチできるアンテナが整備され、もう元の世界には戻れなくなるような現象である。あるいは、世界が容易には変わらないことによる無力感と絶望を増幅させる。ここで激しい怒りに転換できればまだ救われている。怒りは苦しみを麻痺させるからである。

以前、東大でゼミを担当していたとき、一人の女子学生が「飲み会などでもリテラシーが邪魔をしてバカなフリができず、つらすぎる」と述べていたが、彼女も世界に没入して生きるという感覚がよく分からないという。私自身は、小学生のビンゴ大会のとき、周囲が大盛り上がりで騒いでいるのに、心から熱狂できていない自分に気づいてしまったのが最初の経験である（解離や離人の経験にも近い）。もちろん周囲にバレないような演技はできるが、その時以来、絶望的に何も変わらないままこの感覚はつづいている。

ヴァレリーのいう倦怠が、知によってみずからの生に没入できないことなのだとすれば、こうした人間世界の倦怠を根底から炸裂させ、まったく別の世界への没入を可能にするもののひとつが、彼にとってのアートである。フロイトであれば人間による「文化への不満」と呼ぶだろう。

こうした思考の流れを

1）自然から分化した人間（主に男性）
2）自然により近い人間（主に女性）
3）自然と一体に生きる動物（クラゲ）

の三分類へとあえて一般化することで、1）の自然から分化した人間が、2）の舞踏家となって「第二の自然」に没入する人間を通して、3）のクラゲ＝自然と一体になりたい憧憬、もしくは生の倦怠から脱出する方法として理解することが可能になる。この構図が妥当であるとすれば、私自身が当然1）であることから、本書の最初から論じる対象として3）のクラゲを選択していたことには、隠された動機があったともいえてしまう。クラゲそのものになりたいのだと。これは、一部の男性に固有な逃避にすぎないのだろうか。

そもそもバタイユが定義する至高性とは、死やエロスを「禁止」することを通して動物性を克服した人間が、再度その禁止を「侵犯」し、動物性へと倒錯的に回帰する瞬間にあたる。[*28] これは芸術体験も含めた不可能で暴力的な「非-知」と呼ばれる体験である。この禁止と侵犯の混濁のなかで生きることが、人間の尊厳を保証する、というのがバタイユの見立てであった。[*29] これは、鳥になりたい、貝になりたい、とため息交じりにつぶやくあの日常的な夢想と混同してもいけない。そのほとんどは安定した世界を侵犯するほどの至高な「強い体験」を求めるものではないからだ。

フランス現代思想から固有の生命論を組み立てる檜垣立哉は、哲学者ドゥルーズの解説書のなかで、同一性（アイデンティティ）を重視する人間基準の知性を捨てて「狂人になれ！（Be foolish!）」と、それを第一標語としながら、さらに革命的力をもつマイノリティ的主体を生成するために「クラゲになれ！（Be jellyfish!）」と呼びかけている。[*30] が、これも生の倦怠からくる絶望的な願いであるのかもしれない。

クラゲの利用はここに至って最高潮に達している、と私は思う。憧憬の対象についてほとんど知らないまま、その視覚的形象に自分の願望と解放の欲望を重ねているからである。

ようやくひとつの「くぐり抜け」に区切りをつけられそうな場所に辿り着いた。ここで改めて、本章冒頭の「くらげの現象学」に戻ってそこから再読してもらえれば、いかにクラゲたちが生きている世界と、人間が利用してきたくらげの形象との間にズレがあるかが分かるようになっている。「観察する側の欲望の投影」がどれほど根深いものであるのかが。他者としてのクラゲをくぐり抜けるには、「クラゲの生」と「くらげの形象」との隙間を埋めるように粘り強くそばにいつづけることがなによりも大切になる。

1章　註

【1.1】

＊1　日本におけるクラゲの飼育と展示は、新江ノ島水族館の前身の「江の島水族館」が一九五四年から開始しており、そのきっかけとして昭和天皇が刺胞動物門に属するヒドロ虫綱であるクラゲの研究を行っていたことも有名である。

＊2　正確には、クシクラゲなどの「有櫛動物門」もクラゲとして総称されているが、以下の論述では刺胞動物門のクラゲ類に限定する。

＊3　ギリシア語のクラゲを意味する「プネウモーン（πνεύμων）」も肺のような動物を意味する。この点についてはいずれまた触れる。

＊4　三宅裕志『クラゲの不思議　全身が脳になる？　謎の浮遊生命体』（誠文堂新光社、二〇一四年）六四頁。坂田明『クラゲの正体』（晶文社、一九九四年）。ただし、クラゲは魚にとって必須なアミノ酸を含んでもいることから捕食される餌にもなる。

＊5　豊川雅哉、西川淳、三宅裕志編著『クラゲ類の生態学的研究』（生物研究社、二〇一七年）一〇〇頁。あるいは二〇二一年九月の読売新聞オンライン「日本海にまた大量エチゼンクラゲ、一つの網に1000匹も…09年には漁業被害100億円」（二〇二一年九月二八日）も参考。

＊6　三宅裕志『クラゲの不思議』一八頁。

*7　広海十朗、粕谷智之、石井晴人「クラゲ類のプランクトン生態系に及ぼす影響」『日本プランクトン学会報』（五二巻二号、二〇〇五年）八二〜九〇頁、三宅裕志『クラゲの不思議』一二二頁。

*8　豊川雅哉、西川淳、三宅裕志編著『クラゲ類の生態学的研究』七四頁。

*9　同書、七五〜七六頁。

*10　このバラスト水には、クラゲだけではない七〇〇〇種の生物が含まれて世界に運ばれるという推計もある。バラスト水管理条約は、二〇一七年になって五二ヵ国が批准し、ようやく発効されたが、それぞれの船に搭載するバラスト水の管理システムにかかるコストの問題もあることから、その進展は遅い。F・ピアス『外来種は本当に悪者か？　新しい野生 THE NEW WILD』（藤井留美訳、草思社、二〇一六年）七八頁。

*11　三宅裕志『クラゲの不思議』一三四頁。

*12　A・ルロワ゠グーラン『身ぶりと言葉』（荒木亨訳、ちくま学芸文庫、二〇一二年）六七頁。

*13　クラゲだけが存在する海になることの注意喚起をいち早く促しているジャーナリストもいる。M・カーランスキー『魚のいない世界』（高見浩訳、飛鳥新社、二〇一二年）、F・ピアス『外来種は本当に悪者か？　新しい野生 THE NEW WILD』。またそれを避けようと、クラゲを沢山食べて消費する試み（中国やタイで盛んである）や、粉砕したクラゲを海にまくことで藻の殺傷を行う等の試みも世界各地で行われ始めている。

【1.2】

＊1　たとえば、G・ドゥルーズの小論のタイトル「女性の記述―性別をもった他者の哲学のために」参照。G・ドゥルーズ『基礎づけるとは何か』（國分功一郎、長門裕介、西川耕平編訳、ちくま学芸文庫、二〇一八年）二五五〜二八二頁。

＊2　男性性の研究者であるコンネルは、近代の男性性の模範例が一五世紀以後に広がるヨーロッパやアメリカにおける帝国主義的で、フロンティア的な男性像として形成されてきたと仮説化している。とはいえ、そうした批判的、男性学的な眼差しが生まれたのは一九七〇年代前後からである。R・コンネル『マスキュリニティーズ　男性性の社会科学』（伊藤公雄訳、新曜社、二〇二二年）二五五頁以下。

＊3　身体とは、単なる物体でも、精神でもない、その中間領域にあるものだ。今でこそ「哲学的身体論」といった表現が一般に理解可能になってはいるが、いわゆる「身体論」という「〇〇論」がそれとして成立するのは、二〇世紀以降である。「身体論という「論」が成立するには、身体がひとつの固有テーマとして新たに発見され、それを中心に派生する問題を振り分け、組織しながら、体系的に論述することが必要になる。おそらく二〇世紀以前には、そうした試みがどういうことなのかの共通了解さえ確立されていなかった。／したがって、延長存在としての身体を扱うデカルトの『省察』も、カントの身体を通じた空間構成の論述も、それじたいは身体論ではない。むしろデカルトの身体記述や、カントの身体記述というように、それぞれの哲学者の思索を「身体」を中心テーマにして解読するという発想と試み（身体論）が現れたのが、ここ一〇〇年の出来事なのである」、稲垣諭『壊れながら立ち上がり続ける　個の変容の哲学』（青土社、二〇

一八年）一一〇〜一一一頁。これは、哲学的「他者論」でも同様であると予想される。

＊4 E.Husserl, *Husserliana*, Band V, MARTINUS NIJHOFF, 1952, p.8. あるいは、前掲拙著「「身体」――二一世紀身体論」を参照。

＊5 石原孝二「「感情移入」と「自己移入」――現象学・解釈学における他者認識の理論（1）「感情移入」の概念史」『北海道大学文学部紀要』（四八巻一号、一九九九年）一〜一九頁。「感情移入」論についての研究を行っていた石原が、現在は「当事者研究」や「精神医学の哲学」といった「当事者性」や「他なる主体」の病理にかかわる哲学研究へとその領域を拡張していることとも本論は関係している。

＊6 P・ブルーム『反共感論　社会はいかに判断を誤るか』（高橋洋訳、白揚社、二〇一八年）八四頁。

＊7 E・フッサール『間主観性の現象学　その方法』（浜渦辰二、山口一郎監訳、ちくま学芸文庫、二〇一二年）三六五頁。この本からの引用は原文と対照し、一部改訳している。

＊8 同書、三六七〜三六八頁。

＊9 同書、三七四頁。

＊10 同書、三七二頁。

＊11 この他者経験の方法論をかなり早い時期から指摘していたのが、私の師でもある山口一郎である。山口一郎『他者経験の現象学』（国文社、一九八五年）四〇頁以下。

＊12 E・フッサール『間主観性の現象学　その方法』三七六頁。

＊13 J・V・ユクスキュル『動物の環境と内的世界』（前野佳彦訳、みすず書房、二〇一二年）九八頁。

＊14　同書、一〇六頁。

＊15　Mirja Hartimo, "Husserl's Scientific Context 1917-1938, a look into Husserl's private library", *The New Yearbook for Phenomenology and Phenomenological Philosophy*, Vol.16, Routledge, 2018, pp.317-337.

＊16　正確にいえば、フッサールは身体論にかかわる一九〇七年の講義『物と空間』からすでに「Umwelt」という概念は用いており、どの時点でユクスキュルの文献との接触があったのかには不明な点が残る。

＊17　J・V・ユクスキュル『動物の環境と内的世界』四四二頁。訳者の前野の解説によれば、ユクスキュルは、一五歳ごろからカントのテクストに精通しており、世界の存在が認識に依存するというカントのコペルニクス的転回を生物学に拡張したとも考えられる。「すべての現実は主観的現象である〔……〕。カントが定立したこの偉大なる基底的認識は、生物学の基礎をも形成しなければならない」四六五頁。

＊18　同書、七三頁。

＊19　同書、三三一頁。ユクスキュルは、別の著書では、このカタツムリの殻を「シャボン玉」とも言い換えている。「野原に住む動物たちのまわりにそれぞれ一つずつのシャボン玉を、その動物の環世界をなしその主体が近づきうるすべての知覚標識で充たされたシャボン玉を、思い描いてみよう。われわれ自身がそのようなシャボン玉の中に足を踏みいれるやいなや、これまでその主体のまわりにひろがっていた環境は完全に姿を変える。カラフルな野原の特性はその多くがまったく消え去り、その他のものもそれまでの関連性を失い、新しいつながりが創られる。それぞれのシャボン玉のなかに新しい世界

が生じるのだ」、ユクスキュル、クリサート『生物から見た世界』（日高敏隆、羽田節子訳、岩波文庫、二〇〇五年）八頁。

＊20 J・V・ユクスキュル『動物の環境と内的世界』三三一頁。

＊21 同書、三三一頁。

＊22 同書、三三二頁（一部、訳文改変）。

＊23 同書、一一二頁。

＊24 E・フッサール『間主観性の現象学　その方法』三七一頁。ここには文化相対主義・多文化主義と、唯一の普遍的な世界の絶対主義をめぐる論争がある。最近では「多自然主義」としても盛んに議論されているが、フッサール自身は当時、未開社会の研究を行った人類学者レヴィ＝ブリュールと交流しながら、彼の業績に積極的な賛意を示していた。この書簡の内容をめぐってメルロ＝ポンティやデリダが敏感に反応しているが、本書ではその詳細には踏み込めない。フッサールは、それぞれの環境世界の相対性を明確に自覚し、尊重しながら、同時に普遍的な世界への参入可能性を肯定的に堅持していた。浜渦辰二「相対性の復権と相対主義の陥穽―フッサール間主観性の現象学の問題圏にて―」『現象学年報』（六巻、一九九〇年）三五〜五〇頁参照。

＊25 Nussaïbah B. Raja, Emma M. Dunne, Aviwe Matiwane, Tasnuva Ming Khan, Paulina S. Nätscher, Aline M. Ghilardi & Devapriya Chattopadhyay, "Colonial history and global economics distort our understanding of deep-time biodiversity", *Nature Ecology & Evolution*, vol.6, 2022, pp.145-154.

＊26 図は、右記論文より引用。

＊27　ドイツ語原文は、以下のサイトの断片2263を参考にした。また、引用文の直前には「どのような身体を見るときにも、人は自分自身を見るようにしてのみそうするにすぎず、ただ自分自身を見ているのではないか?」という、本論に直結する内容も記されている。https://www.projekt-gutenberg.org/novalis/fragment/chap001.html

【1.3】

＊1　M・メルロ＝ポンティ『自然』（松葉祥一、加國尚志訳、みすず書房、二〇二〇年）二二九頁。

＊2　J・V・ユクスキュル、G・クリサート『生物から見た世界』（日高敏隆、羽田節子訳、岩波文庫、二〇〇五年）五九頁。

＊3　同書、六三頁。

＊4　J・V・ユクスキュル『動物の環境と内的世界』（前野佳彦訳、みすず書房、二〇一二年）二七〇頁。

＊5　E・D・フォントネ『動物たちの沈黙《動物性》をめぐる哲学試論』（石田和男、小幡谷友二、早川文敏訳、彩流社、二〇〇八年）の第一七部以降において、フッサール、メルロ＝ポンティ、ハイデガー等の動物の理解に関する詳細な批判的読解が行われている。

＊6　M・メルロ＝ポンティ『行動の構造』（滝浦静雄、木田元訳、みすず書房、一九六四年）二三七頁。ただし、これがユクスキュルの正確な発言であるかは怪しく、原文も見つけられない。とはいえ、ユクスキュル自身が、「メロディ」を生物の理解に重要なタームとして使用していたことは確かであり、彼はそれを生物学者カール・エルンスト・フォ

ン・ベーアに由来するものだと述べている。J・V・ユクスキュル『動物の環境と内的世界』三九、二三三〜二三四頁参照。

*7 M・メルロ゠ポンティ『自然』二三六頁。

*8 串田純一『ハイデガーと生き物の問題』（法政大学出版局、二〇一七年）一〇〇頁以下。

*9 M・ハイデガー、Ph・ラクー゠ラバルト『貧しさ』（西山達也訳、藤原書店、二〇〇七年）一七頁。ハイデガーはそこでヘルダーリンの「我々においては、すべてが精神的なものに集中する。我々は豊かにならんがために貧しくなった」という一八世紀から一九世紀への移行期に書かれた言葉を解釈する。

*10 哲学者のデリダがこの点をすでに指摘している。「貧しさと剝奪という語は、［引用者補記――ハイデガーが］避けようと望もうが望むまいが、ヒエラルキー化と価値評価を含むのである」。石には世界がないので世界を奪われようもないのに対して、動物は世界を奪われている（貧しい）が、剝奪されているという仕方で世界をもつ。こうした特徴づけが、形而上学的本質であり、経験的なこととは無関係だといわれても、無世界的な石炭などの鉱物はどこまでも採掘されてよく、世界をもとから奪われている動物の搾取も正当化できるような解釈はいつでも可能になってしまう。J・デリダ『精神について』（港道隆訳、人文書院、一九九〇年）八〇頁以下。

*11 北川東子『ジンメル――生の形式』（講談社、一九九七年）九四頁。ニーチェにとって「おそらくは」は、それまでの真理を揺さぶる危険であると同時に、新しく到来するものを呼び込む運動を意味していた。とはいえ、ニーチェには「敵」と戦いつづける「強い」意志と態度が属していたのも確かである。F・ニーチェ『善悪の彼岸』（木場深定

訳、岩波文庫、一九七〇年）一三頁以下、J・デリダ『友愛のポリティックス　1』（鵜飼哲、大西雅一郎、松葉祥一訳、みすず書房、二〇〇三年）五三頁以下。

＊12　坂田明『クラゲの正体』五一頁。

＊13　彼女の遺作である、修士論文をもとにした著書が下記である。これを執筆した時点で、彼女は博士論文の構想も考えていたと思われ、本当に残念でならない。人見眞理『発達とは何か　リハビリの臨床と現象学』（青土社、二〇一二年）。

＊14　臨床におけるこれまでの議論やアドバイスだけでなく、質問にも答えていただいた橋間氏に心より感謝いたします。彼女は下記でブログも書いている。https://ameblo.jp/aoi19780728/

【1.4】

＊1　この「痛み」と「源泉」のつながりは、すでにデリダが気づいていて、彼の目利きの広さに出会うたびに驚かされる。J・デリダ『哲学の余白（下）』（藤本一勇訳、法政大学出版局、二〇〇八年）所収の「痛み　源泉　ヴァレリーの源泉」を参照。そして、後述するようにヴァレリーにもくらげの記述がある。

＊2　アリストテレス『動物部分論・動物運動論・動物進行論』（坂下浩司訳、京都大学学術出版会、二〇〇五年）二九四頁。中村公博「アリストテレス生物学における動物と植物の連続性について」『人文科学』（二〇号、慶應義塾大学日吉紀要、二〇〇五年）四頁。

＊3　アリストテレス『動物部分論・動物運動論・動物進行論』二九三頁。

＊4　同書、二九三頁、索引の四頁も参照。原文のギリシア語は、Aristotle, “*Parts of*

Animals. Movement of Animals. Progression of Animals", Translated by A. L. Peck, E. S. Forster, Loeb Classical Library 323, Harvard University Press, 1937, Revised and reprinted:1961, p.334.

*5 プネウマの語をさらに遡れば、ヘブライ語の「ルーアハ（רוח）」となるが、これも「（神の）息」、「風」である。また現代の「心」や「魂」を意味する「プシュケー」にも息や風の意味があるが、それは「プネウマ」とは別系譜の概念である。上記については以下の論文が詳しい。梶原直美「「スピリチュアル」の意味—聖書テキストの考察による一試論—」『川崎医療福祉学会誌』（二四巻一号、二〇一四年）一一～二〇頁。

*6 プネウマの医学的展開は下記に詳しい。俵章浩「イブン・スィーナー著『心臓の薬』におけるプネウマ理論」『科学史研究』（五一巻二六二号、二〇一二年）六五～七三頁。

*7 がんの発症には性差もある。男性の最多が肺がんであるのは確かだが、女性では乳がんや大腸がんが肺がんを抜くこともある。しかしそれでも肺がんの多さは無視できない。F. Bray, J. Ferlay, I. Soerjomataram, R. L. Siegel, L. A. Torre, A. Jemal, "Global cancer statistics 2018: GLOBOCAN estimates of incidence and mortality worldwide for 36 cancers in 185 countries", *CA: A Cancer Journal for Clinicians*, Vol. 68, Issue 6, 2018, pp.394-424.

*8 F・ドス『ドゥルーズとガタリ　交差的評伝』（杉村昌昭訳、河出書房新社、二〇〇九年）五〇七頁以下。

*9 小池水音『息』（新潮社、二〇二三年）。

*10 B・スネル『精神の発見』では、古代ギリシアにおいて「人間は苦悩、困窮そして労苦

によってのみ精神を把握するに至る」と述べられていて、この「精神はホメーロス以後に初めてギリシア人によって発見され、そのことによって生じた」ことになる（ただしホメロスは、私たちが名づける精神とは全く異なる仕方でそれを理解していたとも）。当時、身体もいまだ「単一体」、「統一体」としてではなく、四肢の総計という「集合体」としてのみ捉えられていたというのが、スネルの見立てである。精神と苦しみはつながっている。B・スネル『精神の発見―ギリシア人におけるヨーロッパ的思考の発生に関する研究―』（新井靖一訳、創文社、一九七四年）七頁、一三頁以下。

＊11　一一世紀後半、三条天皇皇女禎子内親王の乳母であり、弁乳母と呼ばれた藤原明子の詠んだ歌に、「山のはをいづるのみこそさやけけれうみなる月のくらげなるかな」とある。ここでは山の端の明るさと対比して、「海月」と「暗げ」がかけられている。上記くらげの歌に関しては、松本昭彦「『枕草子』「中納言まゐりたまひて」段試考―「海月の骨」の意味と「言い訳」の意図―」『三重大学教育学部研究紀要』（六七巻、二〇一六年）一〇九～一二四頁参照。

＊12　『新版　古事記　現代語訳付き』（中村啓信訳注、角川ソフィア文庫、二〇〇九年）二三、二五六、四六四頁。

＊13　同書、四〇～四一、二七〇～二七一、四七〇～四七一頁。

＊14　九鬼周造『「いき」の構造』（藤田正勝全注釈、講談社学術文庫、二〇〇三年）四五頁。「いき」には、武士道に由来する「意気（地）」のほかに、「媚態」と「諦め」の二つの要素がある。前者はセクシュアリティに、後者は執着や未練のない無関心さに関係する。

＊15　清少納言『枕草子（中）』（上坂信男、神作光一全訳注、講談社学術文庫、二〇〇一年）一八頁以下。

＊16　松本昭彦「『枕草子』「中納言まゐりたまひて」段試考」一一七頁参照。

＊17　同書、一二〇頁参照。

＊18　夏目漱石『草枕』（新潮文庫、二〇〇五年改版）九〇頁。

＊19　同書、九〇〜九一頁。

＊20　飛ヶ谷美穂子『漱石の源泉　創造への階梯』（慶應義塾大学出版会、二〇〇二年）三一頁。本書では、『草枕』におけるスウィンバーンの引用が、どの詩に該当するのかを緻密な調査に基づいて推定している。第一部第二章「「風流な土左衛門」考―漱石・スウィンバーン・サッフォー―」参照。

＊21　三島由紀夫『仮面の告白』（新潮文庫、一九九四年）九三頁。

＊22　中城ふみ子『新編　中城ふみ子歌集』（菱川善夫編、平凡社ライブラリー、二〇〇四年）一七三頁。この歌には、「癌で切除した乳房をシュルレアリスム（超現実主義）的映像に描いた奇抜な構想」だという解釈もあるが、私はこのくらげの形象は、そこまで奇抜ではなく、もっと現実の身体性と地続きな中城の心地として表現されていたのではないかと考えている。そのことは漱石や三島におけるくらげの形象とも連なる。加藤孝男、田村ふみ乃『歌人　中城ふみ子　その生涯と作品』（クロスカルチャー出版、二〇二〇年）一一〇頁。

＊23　佐方三千枝『中城ふみ子　そのいのちの歌』（短歌研究社、二〇一〇年）一七二頁。

＊24　中城ふみ子『新編　中城ふみ子歌集』二一頁。

＊25　同書、二〇六頁。
＊26　中城が一躍脚光を浴びることになったのは、歌集出版以前、一九五四年の『短歌研究』四月号において特選に選ばれたことによる。この年の四月から、亡くなる八月までの四ヵ月間、中城は病床にありながらその熾烈な生を駆け抜けていく。その事情については、『短歌研究』の編集長を務めていた中井英夫の記録に詳しい。中井英夫『中井英夫全集―10　黒衣の短歌史』（創元ライブラリ、二〇〇二年）。
＊27　中城ふみ子『新編　中城ふみ子歌集』四九頁。佐方三千枝『中城ふみ子　そのいのちの歌』一一〇頁。
＊28　中島美千代『夭折の歌人　中城ふみ子』（勉誠出版、二〇〇四年）一八八頁。カタログ『花の原型―中城ふみ子展　1994 7・23―9・4』（市立小樽文学館、一九九四年）一一頁。
＊29　中井英夫『中井英夫全集―10　黒衣の短歌史』七三九頁。
＊30　川端康成『川端康成全集補巻一』（新潮社、一九八四年）一三九頁。一五歳の彼の日記には「私は全く私の胸が悪いといふ事をいつも思つてゐるのだから嘿炯はしない」と記されている。
＊31　川端康成『川端康成全集第十一巻』（新潮社、一九六九年）二三八頁。
＊32　中城ふみ子『花の原型―中城ふみ子歌集』（作品社、一九五五年）一三六頁。
＊33　この作品は、昭和一五年に『婦人公論』に掲載された九つの短編のなかの一つであり、その後それらは『愛する人達』というタイトルでまとめられている。ただし、この「燕の童女」に関しては、これまでほとんど論じられた形跡はない。『愛する人達』が単行

本にまとめられた経緯とその背後に潜む川端の意図に関しては、以下の論文が詳しく論じている。川嶋至「「母の初恋」論のための序章」『苫小牧駒沢短期大学研究紀要』(二号、一九六六年)四五~五五頁。

*34 川端康成『愛する人達』(新潮文庫、二〇〇六年改版)二二七~二二八頁。

*35 川端が、雑誌掲載の小説を単行本化しなかったり、自作を否定したりすることはしばしばある。川端の伝記については以下を参照した。小谷野敦『川端康成伝—双面の人』(中央公論新社、二〇一三年)、森本穫『魔界の住人 川端康成 その生涯と文学 上下』(勉誠出版、二〇一四年)。

*36 第二次世界大戦に突入していくこの時代、川端は、牧田夫婦が見た「あいの子」らしい童女の印象から、最後に牧田に「世界中の人種が雑婚の平和な時代は、遠い未来に来るであろうかと、ぼんやり考え」させてもいる。川端康成『愛する人達』一三五頁。

*37 同書、一一九頁。

*38 同書、一二〇頁。

*39 同書、一二六頁。

*40 同書、一二一~一二二頁。

*41 「この女は、新婚旅行の帰りの汽車で、いったいなにを考えているのだろうか。牧田にはわからなかった」と、章子の考えが理解できないことも吐露されている。同書、一一九頁。

*42 同書、一一九頁。

*43 同書、一二〇頁。

＊44 同書、一二二頁。

＊45 清田隆之『さよなら、俺たち』（スタンド・ブックス、二〇二〇年）四一頁。

＊46 同書、四二頁。

＊47 稲垣諭「性というパフォーマンス（2）—性の語り、共同幻想、同意の現象学」『白山哲学』（五五号、二〇二一年）四七頁および脚注三七を参照。ただしE・トッドによれば、歴史人口学者の速水融の知見に基づき、そうした社会構造を下支えする家族構造としての父系制の直系家族は、「鎌倉時代から明治維新に至るまでの長い時間をかけて徐々に定着していった」ことになる。E・トッド『我々はどこから来て、今どこにいるのか？　上』（堀茂樹訳、文藝春秋、二〇二二年）二頁、六八頁。あるいは、総合女性史研究会編『史料にみる 日本女性のあゆみ』（吉川弘文館、二〇〇〇年）、久留島典子・長野ひろ子・長志珠絵編『歴史を読み替える ジェンダーから見た日本史』（大月書店、二〇一五年）も参照。

＊48 O. Bareket, N. Shnabel, "Domination and Objectification: Men's Motivation for Dominance Over Women Affects Their Tendency to Sexually Objectify Women", *Psychology of Women Quarterly*, 44 (1), 2020, pp.28-49. 男性被験者で支配傾向が強い人ほど、女性上司の部下として働くようになったさいに女性を性的に客体化する傾向が強くなる。他方、女性の被験者の間ではそういう傾向はみられない。つまり男性は、自分の支配的地位が脅かされるほど、女性を性的に客体化する傾向が強まるようである。最近は、女性だけではなく、男性が性的に客体化される現象の分析も進められている。

＊49 川端康成『愛する人達』一二〇頁。

＊50　同書、一一九頁。
＊51　伊藤紺『肌に流れる透明な気持ち』（私家版、二〇一九年）六頁。伊藤の歌集は、自費出版で売り切れ続出だったため、ついに短歌研究社から出版されることになった。多くの人に彼女の歌が届けばいいと願っている。
＊52　同書、四六頁。
＊53　伊藤紺『満ちる腕』（私家版、二〇二〇年）四七頁。
＊54　同書、五〇頁。
＊55　川端康成『愛する人達』一三四頁。
＊56　ただしこれは、婚活パーティに参加した人々の二〇〇〇件以上の声の録音データから明らかにされたものであり、そのため、パートナー関係を新しく築きたい人々の傾向である。そのなかでは、女性はコミュニケーションを大切なものだと感じているのに対して、男性はあまり重視していないことも指摘されている。D. A. McFarland, D. Jurafsky, & C. Rawlings, "Making the Connection: Social Bonding in Courtship Situations", *American Journal of Sociology*, 118 (6), 2013, pp.1638-1639.
＊57　フランスで日本文学を研究する坂井セシルは、川端の『雪国』という作品に限定してではあるが、その「文体は、「あえて言わなかったり、言わずにすませたりしたことや、言外の仄めかしで織りあげられたもの」であり、ほとんど実験的テキストというべきものだと」述べている。Guillaume Loiret「国民的作家の謎の死から50年　仏紙が再考する「川端康成を死に追いやった本当の理由とは」」（COURRiER JAPON, Le Monde, 2022.07.01 https://courrier.jp/news/archives/292767/）

＊58　村田沙耶香『授乳』（講談社文庫、二〇一〇年）一五頁。
＊59　同書、四五頁。
＊60　同書、四八頁。

【1.5】

＊1　A. M. Hoyle, L. Wolf-Sonkin, H. Wallach, I. Augenstein, R. Cotterell, "Unsupervised Discovery of Gendered Language through Latent-Variable Modeling", *Proceedings of the 57th Annual Meeting of the Association for Computational Linguistics*, 2019, pp.1706-1716.
＊2　杉田俊介『非モテの品格　男にとって「弱さ」とは何か』（集英社新書、二〇一六年）三七頁。
＊3　C. Klebl, Y. Luo, B. Bastian, "Beyond Aesthetic Judgment: Beauty Increases Moral Standing Through Perceptions of Purity", *Personality and Social Psychology Bulletin*, 48 (6), 2022, pp.954-967.
＊4　「詩の朗読を開始するということは、言葉による舞踊状態に入ることなのです」、「この舞踊という芸術が〔……〕ただただ生物の行為の総合的な詩となっている」を参照。P・ヴァレリー『ヴァレリー・セレクション　下』（東宏治、松田浩則編訳、平凡社ライブラリー、二〇〇五年）一四二頁、一四五頁。
＊5　当時、男性舞踊家もいたはずであるが、ヴァレリーが踊る人物として想定しているのは、バレエではなくスペイン舞踊（ラ・アルヘンティナ）やモダンダンス（ロイ・フラ

ー）であっても女性である。同書、「舞踊の哲学」一二三頁、一三一頁、「ヴァレリーあるいは踊るクラゲをめぐる幻想─訳者あとがき」二九八頁。

＊6 P・ヴァレリー『ドガ　ダンス　デッサン』（塚本昌則訳、岩波文庫、二〇二一年）二九頁。

＊7 同書、三二頁。

＊8 同書、三二頁。

＊9 同書、三四頁。

＊10 同書、三四頁。

＊11 この「魂と舞踏」の執筆時期に、彼はカトリーヌ・ポッジという詩人との恋愛関係に発展する出会いがあったようだ。ヴァレリーの生理学的な身体への着目が、この時期の彼女との影響関係の中で起きていた可能性があることが指摘されている。P・ヴァレリー『ヴァレリー集成　全6巻　VI〈友愛〉と対話』（恒川邦夫、松田浩則編訳、筑摩書房、二〇一二年）二五四～二五六頁。

＊12 P・ヴァレリー『ヴァレリー・セレクション　下』一二三～一四七頁。

＊13 P・ヴァレリー『ドガ　ダンス　デッサン』三五頁。

＊14 同書、三五～三六頁。

＊15 同書、三六～三七頁。

＊16 同書、三七頁。

＊17 J・V・ユクスキュル『動物の環境と内的世界』（前野佳彦訳、みすず書房、二〇一二年）一〇六頁。

*18　ユクスキュル、クリサート『生物から見た世界』（日高敏隆、羽田節子訳、岩波文庫、二〇〇五年）六三頁。また、このようなクラゲの特徴づけは、踊り子と比較する以前に、たとえば哲学／社会学者のジンメルが、「女性心理学の試み」（一九〇四年）として記述していた女性の表現とも符合する。「女性たちは、実際に、事柄の実質と、その隅々にまで投げかけられた心情的な光と陰とを分けて考えることができないのかもしれません。〔……〕それは、周辺と中心とが解け合うように結びついている魂が世界にたいして獲得する関係であって、まだしっかりと根をはった関係なのです。そのような魂は、ある音が奏でられただけで、内面全体が応答し、内面全体が共鳴します」（強調は引用者）。G・ジンメル『ジンメル・コレクション』（北川東子編訳、鈴木直訳、ちくま学芸文庫、一九九九年）二四頁。

*19　P・ヴァレリー『ヴァレリー・セレクション　下』一三六頁。この他にも、似たような特徴づけは多数ある。たとえば、「それは全面的に持続の感覚とエネルギーの感覚とでできた生で、そうした感覚どうしは呼応しあい、反響する圏域のようなものを形成します」。同書、一四〇頁。

*20　同書、一三七頁。

*21　W・ゾンバルト『恋愛と贅沢と資本主義』（金森誠也訳、講談社学術文庫、二〇〇〇年）一一九頁以下。

*22　三上賀代『器としての身體――土方巽・暗黒舞踏技法へのアプローチ』（ANZ堂、一九九三年）九一〜九二頁。

*23　「芸術とは、つまり建築とか、音楽、絵画、詩とはいったいなにを意味するだろう、あ

る驚嘆した瞬間、宙吊りとなった瞬間への期待、ある奇蹟的な瞬間への期待でないとするならば」。G・バタイユ『至高性』(湯浅博雄、中地義和、酒井健訳、人文書院、一九九〇年)一三頁。

*24 「彼女[踊り子]は自分の芸術の最高のところから始めるのです。自分の到達した頂点の上を、じつに自然に歩いている。この第二の自然は、最初の自然からおよそもっともかけ離れたものですが、見違えるほど最初のものに似ていなければならないのです」。P・ヴァレリー『ヴァレリー集成 全6巻 VI〈友愛〉と対話』二三四頁。

*25 同書、二四四頁。

*26 伊藤亜紗『ヴァレリー 芸術と身体の哲学』(講談社学術文庫、二〇二一年)二〇〇頁。

*27 P・ヴァレリー『ヴァレリー集成 全6巻 VI〈友愛〉と対話』二四六頁。

*28 G・バタイユ『至高性』二二三〜二二四頁。

*29 同書、二二二頁。バタイユは、人間的な尊厳と至高な尊厳とが根源的にはひとつであると述べている。

*30 檜垣立哉『ドゥルーズ 解けない問いを生きる〔増補新版〕』(ちくま学芸文庫、二〇一九年)二二二〜二二五頁。

2章　「現代社会」をくぐり抜ける——プレイとゲームの哲学

2.1 ― 至高性のない世界へ

弱さは流行しない

私たちの世界から何かが失われていくとしたら、あなたは何を挙げるだろうか。

私の小中学校時代、体育でも部活でも、水を飲むことは禁止されていた。そういう時代だった。青い空から世界を制圧する強い太陽の日差しによって周囲の鉄棒や遊具の輪郭は溶け、一面真っ白になった光のグラウンド。そこを走り回った後に飲んだ水の味は格別だった。浴びるように飲むという経験をしたのは後にも先にもあのころだけである。

公園の一人乗りブランコではチェーンを交差させてねじったり、ぶつけ合ったりしながら、いかに新しい乗り方を発明できるかを競い合っていた。箱型ブランコという重量のある鉄製の四人乗りブランコもあった。背もたれ部分に立ってこぐと、鉄製の箱はものすごいスピードで前後にきしんで揺れながら、空に近づくその瞬間、ひしゃげた平行四辺形のように変形し、「がったん」と巨大な金属音を響かせる。その地点までその物体をもっていけるかどうかが、仲間の羨望の的になれるかどうかの通過儀礼のようでもあった。

自転車置き場の屋根や、学校の屋上にもよく登っていた。登ってはいけないことになっている場所から見える景色は、高鳴る鼓動とともに見慣れた世界とはまったくちがう光景を与えてくれた。

これらの経験は、1.5で論じたバタイユの「至高性」、すなわち「強い体験」と密接にかかわっている。これはリスクを積極的に取ろうとする男性的な、もしくは若い男子的な経験なのだろうか。

こうした経験の数々は、今ではほぼありえないことだろう。夏場の運動中におけるこまめな水分補給は、熱中症対策には必須であるし、四人乗りブランコは悲惨な事故が止まず、撤去されてしまった。屋根や屋上に登ることは、今では室内のボルダリング施設が充実しているし、それで代替できる。私たちが生きている現代社会とはそういう世界である。

1章において、くらげという他者をくぐり抜けながら、私たちが辿り着いたのは、近代から現代にかけて、私たち人間（とりわけ一部の男性）が、アートに結びつけられた「至高性」という強い体験をもとめる欲望が生じる場所であった。

それは、自然から分化した人間が、再度、芸術的／技巧的に、あるいは倒錯的に自然と一体化する没入感覚を取り戻す運動でもある。それこそが私たちを深く倦怠させている世界に対する、有用で生産的な人間社会に対する、アンチテーゼとなると信じられてきたのだ。にもかかわらず、このような「強い体験」（とその要請）は（バタイユとともに）消失しつつある、すなわち、「至高性のない世界」が訪れようとしているというのが私の本章での作業仮説である。ここからは、現代社会の諸相をくぐり抜けながら、「弱さ」と「男性のセクシュアリティ」の問題に新しい光を当てていく。この社会においてくぐり抜けねばならない他者はどこにいるだろうか。

二〇〇四年から現在までに検索されてきた言葉の流行を解析できるGoogleトレンドで、日本語の「強さ／弱さ」、「強い／弱い」という対となる単語を調べてみると、「強さ」や「強い」という語が圧倒的に多く検索されており、かつ、とりわけ二〇一〇年代に入りぐぐっと増加してきているのが分かる（次頁の図を参照）。

この時期の大きな出来事として、二〇一一年三月には東日本大震災が起き、二〇一二年一二月には第二次安倍政権が発足している。一九九〇年代以降、デフレがつづいてきた日本経済において復興支援を含む「強さ」が要請される舞台が整っていったようにも見える。故安倍元首相は「強い日本」を創ると二〇一八年の所信表明演説で述べていたが[*1]、そうしたタカ派の政治手腕も関係していたのだろう。あるいは、スポーツであれ、学力であれ、商品開発であれ、競争において勝ちつづけることが、大衆の視線を集めるのもまた事

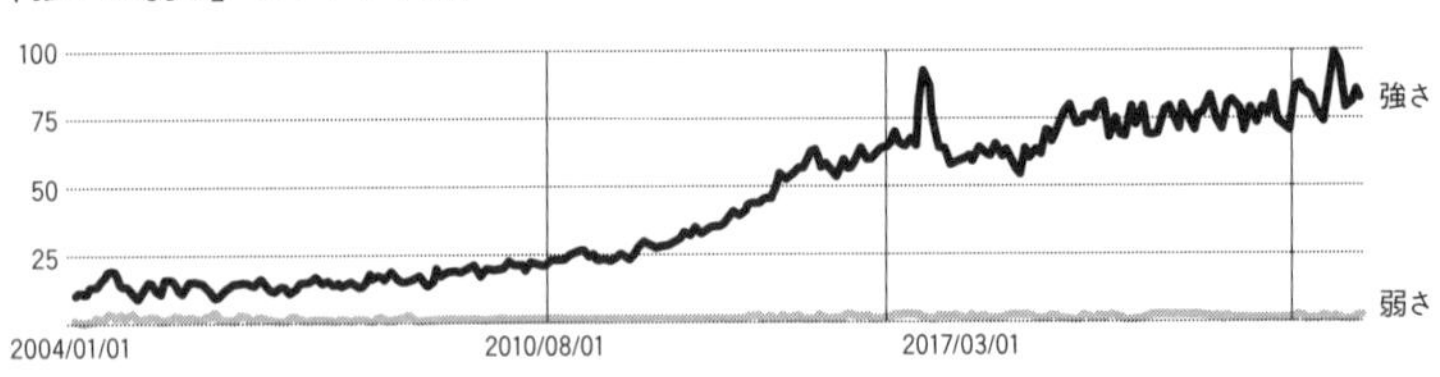

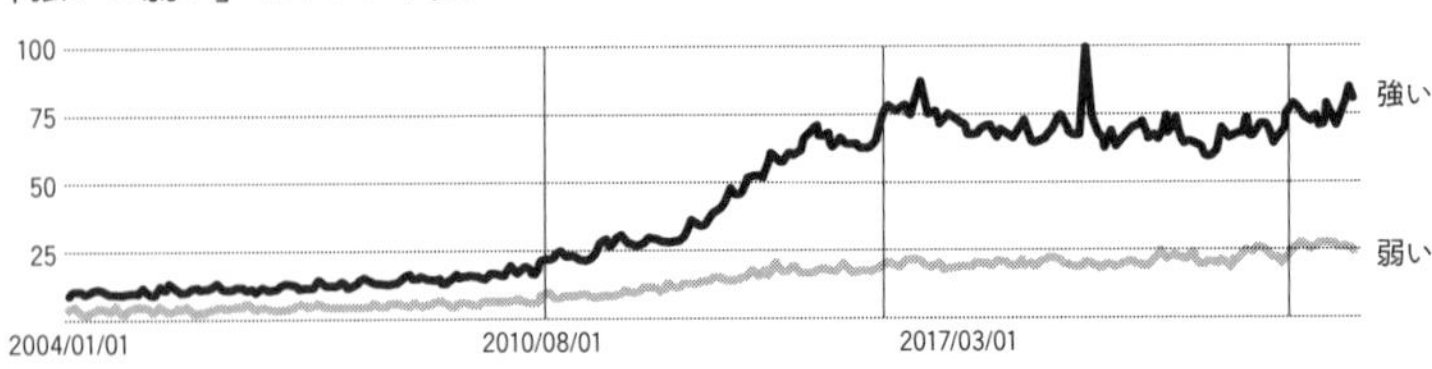

実である。私たちは強さに魅かれ、囚われ、検索しつづけている。

それに対して「弱さ」や「弱い」という語への注目は微々たるもので、検索もそこまで増えてはいない。このトレンドデータだけを見るかぎり、「弱さ」の流行など起きる様子もない。むしろ「強さ」が求められる社会状況がつづいてきた、というのが実情である。弱さは流行しない。いつも強さに押しきられ、吹き飛ばされてしまう。弱いとはそういうことだからである。

だがしかし、そのように周縁化され、無かったことにされるからこそ、強さで塗り固められていく社会の裏側で、弱さの言説が着実に求められてきた、といえるかもしれない。なぜなら強い主体であるべきだという社会要請があるだけならまだしも、そうした主体の足もとには新自由主義的な自己責任という言葉、失敗したら終わりという強迫観念がぴったりと張りついているからである。

誰もが強い主体として生きられるわけではない。強さが言説として流布している背後で、その要求を満たせずに隠れてしまう弱い主体がたくさん蠢いている。その声があふれ出てきて、はっきり可視化されてきたのが現在ではないか。「個として強くあれ！」と要請される時代に、自分の弱さをひた隠しながら様々な防衛的なリスク管理が求められているともいえる。そして、この防衛戦略にこそ「強い体験」を回避する世界的なトレンドがある、と私は感じている。

強い体験としての至高性

1章の最後に論じた、クラゲに絶対的な踊り子を重ね見ていたヴァレリーは、その驚きによって身体がしびれ、放心していたはずである。感動に打ち震え、過去の記憶に落とし込むこともできず、何が起きたのかも分からないまま何日も過ごしてしまう、「経験の事故」のような体験だったはずである。[*2] それは心的外傷といっても遜色ないほどのもので、当人の経験の枠組みをまるごと組み替え、それをきっかけに想定外の方向へと人生を分岐させてしまう力ももつ。

1章で取り上げた暗黒舞踏の創始者、土方巽の逸話となるが、彼は故郷の秋田から上京したとき、まだ舞踊家になるか、文学作家になるか迷っていたという。そのためアパートを引っ越すときにはリヤカーに大量の本を積んでいかねばならなかった。ある引っ越しの際、長い坂道を汗水垂らしてリヤカーを引っ張り上げる途中、一息ついたその瞬間に書籍でいっぱいのリヤカーが坂道を音もなく滑り落ち、大量の本が「横の土手や河原一面に飛び散っていくさまを眺めたとき」、土方は「「ダンサーになること」を決意した」という。*3 語りによる脚色もあるのかもしれないが、強烈な体験が土方を決心させたのだと思う。だからこそ、こうした「強い体験」に思想家や哲学者、アーティストは社会を突き動かす革命的な力を夢見てもきたのである。

バタイユにとっての「至高性」もまぎれもなく、そのような体験だった。この「至高性」は souveraineté の訳語だが、現在では「主権」と訳されるものである。しかしバタイユはこの語から、そうした政治的、社会的含意を削ぎ落としてしまう。いや、もともとの意味は、絶対君主的な至高の力であり、何者もその力の行使を阻むことはできず、一切の財を思うままに濫費し、社会制度を破壊し、人々を蹂躙することの許された者がもつ力のことであった。その原体験、バタイユにとってそれは「太陽」である。私たちが太陽と聞けば、それは生命の源であり、無尽蔵にエネルギーを注いでくれる善良なイメージや印象しかもたないかもしれない。

しかしバタイユにとっては違う。太陽はたしかに地球上の全生物を養う光エネルギーの源である。が、同時に、すべての生物を絶滅させ、燃やし尽くし、消滅させるエネルギー源でもある。実際、一〇億年後には細菌類をのぞく、ほとんどの生物は太陽によって殺されることが科学的に予測されている。[*4] 太陽は生物のことなど何も考慮してはいない。ただ自重を核融合で減らしながら、爆発するままにエネルギーを濫費し、消尽しているだけである（そしていずれ燃え尽きる）。そこには人間にとって有意味なことは何もない（すべて人間の誤解である）。この爆発的な濫費、そこに至高性が体感される場所がある。問題になっているのは、人間が生存するために知恵を結集し、作り上げた資本主義的な社会の生産的な維持とはまったく無関係な、経験や体験の重視である。

バタイユが至高性の事例として挙げているものを見てみよう。ある労働者が仕事終わりに、なけなしの金で買った一杯のワイン。それを最初に口にするときのあの味わい、「ある短い瞬間、自分が世界を自由に取り扱っているという奇蹟的な感覚[*5]」に立ち会うことがある。人はそのときだけ「奇蹟に参入する」。何口も飲んでしまえば、すぐに失われてしまうものにすぎない、が、それでも生きることにとっての必要を超えた彼方との出会いがそこにある（人はパンによってのみ生きるのではない）。

このような力に襲われる体験領域の典型が、バタイユにとっては「死」、「性愛」、「遊び」にかかわるものである。それらは、有用性や生産性によって未来のほうから私たちを計測し、評価する「労働」が重きを占める社会からの瞬間的な離脱を可能にする。ここではない、別の世界があることを指し示してくれるのだ。

進化心理学者のR・ダンバーは、『宗教の起源（原題：どのように宗教は進化したか）』（二〇二二）で、自分よりも上位の存在を信じる宗教性の土台には、その至高の存在とひとつになる強烈なトランス体験があると考えている。そこには、「最悪の事態になってもひるむことなく、世界をわがものにできると感じる」[*6]全能感がある。バタイユの至高性も、紛れもなくこうした体験と通底している。

他方、だからこそそれらの体験は、社会の安定を脅かすものとして禁止の対象にもなってきた。死も性愛も、人目に触れないように、汚れ／穢れ／恥として処理されるか、秘匿される。または労働時間中の遊びが許されないことも当然のこととして教え込まれる。

これらの体験が禁止されるのは、主体そのものの安定が揺り動かされるだけでなく、主体や社会を台無しにする暴力性を含んでいるからだ。人体に加えられる物理的な「暴力」と、体験の「暴力」的な出現および伝達は全く異なるものではあるが、どちらも有無をいわせず私たちに襲い掛かる至高性の滋養となる。

道端にふと見つけた動物の死骸にも、私たちはそれなりの衝撃を受ける。しかもこの衝撃には恐れや不安だけではなく、幾分かの快楽、いや、不快なものさえ味わってしまうような享楽的体験が伴っている。死は禁止されているからこそ、その禁止を突き破る暴力的な魅惑となる。

ドイツ現代音楽の巨匠ともいわれるK・シュトックハウゼンは、9・11のアメリカ同時多発テロ事件が起きた翌日に、「あれは、かつてない大芸術作品です。われわれ音楽家が夢想すらできなかったこと〔……〕を、たった一度の行為でやったということです〔……〕。これは全世界でもっとも偉大な芸術作品です」[*7]と述べ、大顰蹙を買った。この発言がどれだけ非倫理的で犠牲者への配慮を欠いたものであるか、火を見るより明らかである。

にもかかわらず、このように社会を破壊する爆発力をもつ出来事を「アート」と表現してしまいたくなる芸術史的な誘惑の歴史があったことも否定できない。「「芸術に栄えあれ、たとえ世界が滅んでも」とファシズムはいう」[*8]、W・ベンヤミンは一九三六年にそう警告していた（ここには「芸術の終わり」の宣誓も当然関わっている）。こんなことを今、教育場面でうかつに語れば、ポリコレ的にすぐにアウトになってしまうだろう。そんな禁止の侵犯を内発的に促す力を、至高性という体験は内在させている。

至高性のない世界へ

一九五〇年代半ば、戦後の高度成長にさしかかる世界を見ながら、こうした至高な強い体験を萎縮させていく社会の雰囲気をバタイユは肌で感じ取っていた。だから彼は、「至高性は泥濘にはまり込んでいる」[9]と述べ、しかも「原則として、いわゆるブルジョワ［中流階級］は最もそれ［至高性］に疎遠で、異邦の者なのだ。それも自ら進んで異邦の者となる」[10]とも指摘していた。

戦後の高度成長期とは、豊かな中流階級（大量消費社会）が生まれ、世界の国々が徐々にリベラル民主化することで、格差は平準化され、誰もがアメリカ的生活を望み、営むようになった時代である。これが、コジェーヴおよびフクヤマによる「歴史の終わり」以後の世界の到来であり、バタイユもコジェーヴ本人から大きな影響を受けていた。実際に彼も、戦争（冷戦）を終わらせるには「諸々の権利と生活の水準の大きなばらつきが還元され」[11]、人々の生活水準が平準化されることが望ましいとも述べていた。

しかし同時にバタイユは、すべての人間の経験が未来という時間に隷属させられ、生産性に使役するだけの資本主義的な社会が全面化することへの恐れと拒絶を併せもつ苦しい立場にもあったのだろう。

以前、私は拙著『絶滅へようこそ「終わり」からはじめる哲学入門』において、こうした日本も含めた現代のリベラル民主主義国家の社会のあり様を（日本の政治がそもそも民主主義的なのかという問いはひとまず措く）、ロールプレイング・ゲームのラスボス討伐後のレベル上げを生きる世界だと呼んだ。[12] そのゲーム世界ではラスボスを倒す最終クエストはもう終わっている。しかしまだ取っていないアイテムや訪れていない洞窟があったり、小ボスや終えていないイベントもある。裏ボスもいるかもしれない。だからそれらをせっせとクリアしながら、弱い敵を効率的に倒して自分に磨きをかけていく、そのような世界である。日々、何かが物足りないと感じながら、それでもやるべきことはあるし、自分の周囲世界を崩壊させるような事件もめったに起きはしないから、平凡な毎日こそ幸福でかけがえのない日々だと言いきかせて生きていく。

このような世界で生じている日常の現象を、哲学者のニーチェは「人間の家畜化」と呼び、コジェーヴは「人間の動物化」と呼んだのである。バタイユも当然、こうした「歴史の終わり」の空気の中にいたし、そうした世界と人間のトレンドに楔を打ち込もうともしていたのである。それが「至高性」という強い体験の重要性であった。したがって、バタイユこそ「至高性」が失われていく世界を予測していた先行者に他ならない。

しかし私がここでくぐり抜けたい「至高性のない世界」は、バタイユが恐れていた一九五〇年代以降の世界のことではない。高度成長期の夢と希望に導かれた、リベラルで民主的で、いずれ完全なる平和と格差の是正が実現されるだろうと期待されていた「歴史の終わり」以後の世界ではないのだ。

むしろ至高的な体験は、バタイユの思惑とは裏腹に、その時代のほうが相応しかったのではないかとさえ感じられる。というのも、バブル経済のような好景気のときにこそ、財の濫費や性の解放といった生産活動とは無関係で無意味な出来事、つまり至高な強い体験が起こりやすかったはずであり、私が2章の冒頭で挙げた幼少期の経験も一九七〇〜八〇年代のものだからである。

それに対して、二〇二〇年代に入った現代は、豊かだったはずの中流階級は止まることなく凋落し、日本でも三〇年近いデフレと賃金低下が止まることはない、そんな時代である。日本の国力の衰退は目に見えて明らかである。ロシアによるウクライナ侵攻も勃発した。『歴史の終わり』の著者のフクヤマは「政治が衰退」し、「政治体制は発展の過程で後退することもある」と自身の歴史の終わりの見解を修正してもいる。[*13]

大学の講義で、苦しみをかかえた学生に対して、その苦しみはいくらのお金をもらえば楽になるかと尋ねてみることがある。大抵の苦しみは、一〇〇万円今すぐもらえれば、だいぶ楽になると答える学生がほとんどだ。が、なかには一万円もらえるだけで死ぬほどうれしいと答える学生もいる。どうしてお金があるだけで元気になるのか。それくらい私たちのメンタルヘルスが、生産性によって報われる金銭に強く縛られていることの証左である。

こうした時代を明確に意識すると、拙著『絶滅へようこそ』で描いた世界線のその一歩先を問題にせざるをえなくなる。バタイユの予測した至高性のない世界の局面が、ここ数十年で大きく変化し、拙著で指摘していた、穏やかな絶滅を待ち望めるほどのしなやかなメンタリティの獲得にも困難が生じざるをえない、と考えられるからだ。「至高性のない世界2.0」に突入している、とでもいえばいいだろうか。

世界の見立て：男性性は終わらないのか？

以下は、そうした現在の世界の見立てを押さえる準備として、いくつか補助線を引く作業となる（少し長くなり、次節までつづく）。それは、今私たちがどのような世界を生きているのか、共有できる場所を設定しておくためでもある。

私は『絶滅へようこそ』の中で、人類史を数万年のスケールで見た場合、ホモ・サピエンスは「女性化（feminization）」していること、すなわちテストステロン（男性ホルモン）の長期的減退により頭蓋骨がツルっと丸くなる変形が起こっていることを指摘した（ツルツル人間化）。これと関連して、とりわけ先進各国では二〇世紀以降、テクノロジーの発展およびプライベートな浴室や個室空間が徐々に整備されたことにより、衛生観念と脱毛等によるエチケット意識の向上が起こっている。男性であっても身体や肌、身だしなみの美容的なケアとメンテナンスの重要性が高まる時代である。しかもその背後では、数千年におよぶ物理的な暴力の一貫した減少（殺人事件の発生率の減少）も生じており[14]、人類はどんどん大人しくツルツルになっている、そう主張したのである。

このことはまた、コジェーヴのいう「動物化」ではなく、生物学的人類学者のR・ランガムが明らかにした人間の「自己家畜化」による結果でもあった。人類は、動物に備わる脊髄反射的な「反応的攻撃性[15]（reactive aggression）」を、冷静に判断しながら実行する「計画的攻撃性（proactive aggression）」によって抑え込むことで、殺人に関わる暴力を減少させてきた。

「計画的攻撃性」とは、手の付けられない暴力的な個体を、自らの被害が最小になるよう互いに共謀して排除する集団の力であるが、人間社会におけるこの最たる仕組みが、暴力的な個体を「処刑する」ことであり、その制度をもつことで成立したのが、都市社会、国民国家である。人間の「良心」の進化的な起源の一端は、処刑による排除を防ぐための集団の知恵であり、生存の技法だと考えられる。精神分析家のフロイトも「良心は最初は攻撃「欲動」を抑圧することによって生じた[16]」と主張している。ただし現在、人類は先進各国を中心にこの処刑制度でさえ廃止しようと試みている。

にもかかわらず今も私たちが、たとえばSNSのX（元Twitter）上で、自分の素性は隠しながら「正義」の名の下に特定の誰かを狙い撃ちにして晒し上げ、攻撃することを好むのは、ランガムによれば紛れもない「殺人の快楽[17]」があるからである。たとえサイレント・マジョリティとして炎上に参加していなくとも、燃やされている人を見ることの悦楽、このシャーデンフロイデを感じることのなかに、どうして人間においてだけ処刑制度が確立されているのかの起源がありそうである。
もっといえば、人間はみずからが真っ当な存在であることを実感するために、人間ではないもの（非人間的なもの）を、たとえば処刑に値する人、働かない人、貧困に苦しむ人、燃やされる人を絶えず必要としてしまう、といえるかもしれない。これは、精神分析家のラカンによる人間の定式化でもある。[*18]
さらに私は、拙著でこうした人類の長期的トレンドに鑑みて、コジェーヴ／フクヤマが主張した「歴史の終わり」とは、実は「男性性の終わり」のことではないかとも指摘していた。コジェーヴ自身がそう思わせる論考も書いている。つまり、歴史の終わりだと騒いでいた張本人も含めて、それは「ヨーロッパ白人男性による歴史の独占の終わりにすぎない」[*19]のではないかと仮説化したのである。本書とのつながりでいえば、ヨーロッパに限定することなく、他者としての「くらげ」に女性を重ねてきた、そうした「男性性によるまなざしの終わり」といい換えてもいいかもしれない。
ともかく私は今、この「男性性の終わり」という想定が、今後どうなっていくのかに一抹の不安を覚えている。グローバルシンクタンクの経済平和研究所（ＩＥＰ）が公表する世界平和度指数（ＧＰＩ）や世界テロリズム指数（ＧＴＩ）の二〇二二年度版データブックを見てみると、ここ最近、紛争地帯が増え、政情不安が高まっている。世界平和度指数も〇・三％悪化しているし、プーチンが上半身裸で馬に乗る姿を（そして、英国元首相のジョンソンがG7首脳メンバーと歓談中にシャツを脱いで胸筋を見せて負けずにタフさをアピールしようと冗談めかし、それを欧州委員長の女性フォン・デア・ライエンに話題を変えられ、それとなく窘められたことを）思い出さずとも、男性的な雄々しさの希求が再度、高まっているように思える。

ただし二〇二一年のテロによる死亡者数は、攻撃数が増えているにもかかわらず、前年より一・二％減少の七一四二人となり、二〇一五年のピーク時に比べて三分の一になっていたりもする。[20] とりわけテロ件数は、欧米では二〇一八年から六八％低下し、GTIスコア（世界テロ指数）はアメリカでも二〇一五年以来最低となっている。[21] マクロな暴力の減少トレンドは変わっていない、と信じたいところではあるが予断を許さない。

2.2 — 民主主義の他者をくぐり抜ける

「移行期危機」仮説の放棄（E・トッドの転向）

もう少しだけ、現在私たちがどのような世界を生きているのかの見通しを与える補助線を引く作業がつづく。2.1のような世界トレンドの見立てを行うなかで、私が『絶滅へようこそ』で完全に依拠していた理論仮説があった。それは歴史人口学者であり、家族人類学者でもあるフランス人研究者E・トッドの「移行期危機」仮説というものだ。[*1]

トッドは、世界各国、各地域の家族構成・人口動態を調査しながら、人類が文明とともにどのような「家族類型」を発明してきたのかを明らかにしている。彼を一躍有名にしたのは、一九八八年から一九九一年に起こったソビエト連邦の崩壊を、ロシア人の識字率の上昇と、乳児死亡率の上昇および出生率の低下という人口動態から予測していたことによってでもある。ある国家における男性の識字化が五〇%を超えるとリベラルな民主化運動が起き、それにつづいて女性の識字化が五〇％を超えると出生率が低下する現象を、彼は人口データから読み解いていたのだ。[*2]

男性人口の半分が読み書きできるようになるということは、科学技術の理解を必要とする工業化による産業の活性化を促し、かつ、それによる富の増大を引き起こす。近代化はこのようにして起こる。

とはいえ、父親世代は読み書きできないが、息子世代はそれができ、かつ政治的な意見表明も可能になれば、それまでの伝統的で安定的な価値観や秩序を攪乱する要因が生じる。親世代は古い価値観を守ろうとするし、子ども世代は、新しい世界に向けて新しい価値観を創造しようと躍起になるからだ。

その意味でも近代社会への移行がすんなり進むことはなく、この過渡期にこそ激しい暴力の躍動が生じる。これをトッドは「移行期危機」と呼んだのだ（この点、現代の日本における夫婦別姓や同性婚の法制度化に対する保守的、世代的な反動に近いものも感じる）。[*3]

リベラルな民主化に対する激しいバックラッシュは、イギリスやフランス、アメリカ、日本といった先進各国においても過去に同様に生じていた。識字化の進行度合いによるタイムラグはあっても、そうした混乱の過渡期を乗り越えて、最終的にリベラルな民主主義国家に収斂する、というのがトッドの見立てだったのだ。[*4]この部分は、フクヤマによるリベラル民主主義の勝利としての「歴史の終わり」とも一部重なっている。[*5]

にもかかわらずトッドは、二〇一六年のイギリスのEU離脱の是非を問う「ブレグジット」とアメリカの「トランプの大統領選勝利」の衝撃を受けながら執筆された『我々はどこから来て、今どこにいるのか?』(二〇一七)において、この仮説を放棄するに到る。つまり、移行期危機を乗り越えて、「先進社会がこぞって自由主義という唯一のタイプに収斂するという仮説を捨てる」[*6]にいたる。

別のいい方をすれば、この仮説は、さまざまな家族類型、たとえば中国やロシアに根づく「共同体家族」が、最終的には崩壊し、イギリスやアメリカのように個人化された「核家族システム」に収斂することを予測するものでもあった。そもそも政治体制やイデオロギーと、その国や地域の家族システムには深い相関関係があるというのが、トッドの譲ることのできない理論的立場だ。

具体例にそくせば、イギリスやアメリカに民主主義が容易に根づいたのは、その家族類型が、個人主義的な「絶対核家族」だからであり、中国やロシアが全体主義的で中央集権的な政治体制になるのは、その家族類型が、父の権威が強く、かつ、平等主義的な「共同体家族」だからだ(ちなみに日本はドイツと似て、父が強く長男が優遇される「直系家族」の系譜にある)。

ではどうして彼は、その仮説を放棄せねばならなかったのか。本作から読み取れる理由は大きくまとめて三つある。

①望ましい統治の形として考えられていた民主主義には野蛮な起源があること。
②アカデミックな学歴社会はリベラルな理想を掲げながら同時に不平等を拡大させていること。
③家族システムは、その国や地域で暮らす人々に強く内面化・規範化されるだけでなく、ローカルな療育や教育、習俗を通してその土地にゾンビのように宿りつづける「人類学的システム」の影響を強く受けること（トッドはこれを、たとえばゾンビ・共同体家族、ゾンビ・カトリシズム、ゾンビ・絶対核家族等々と名づけている）。

これら三つの問題が複合化することで、各個人が自律した生を確立するのに最適なリベラル民主主義の実現が阻まれ、家族類型も分岐し、多様化したままになる、つまり「歴史の終わり」を完遂させない理由になる、とトッドは考えている。

以下、本書において重要なこととして取り上げたいのは、理由の①と②であるが、最後の③についても若干の補足をしておく。トッドはこの③を「弱い価値観」仮説と呼んでいる。ある土地に移住してくる人々が、その土地の水に慣れるように変幻自在な弱い根づきの価値観しか内面化していないとすれば、その土地の価値観は、人々が移動し、新しい住民に入れ替わったとしても「場所の記憶」として存続する。[*7] そこからトッドは、「社会を動かす意識（＝経済）は五〇年、下意識（＝教育）は五〇〇年、無意識（＝家族）は五〇〇〇年のスパンで機能する」[*8]と、三段階の意識のレイヤーを想定し、短期的に変化するものとほぼ恒常的に持続するものとが複雑に絡み合うことが、人類全体のリベラルな民主化を阻むものとして仮説化する。[*9]

民主主義の野蛮な起源

では、上記の①、②の理由は、どうして歴史の終わりを完遂させないというのか。まず①である。

民主主義の起源は古い。歴史の発祥ともいわれる古代シュメールにも原始民主制は存在した。[*10] さらに有名なところでいえば、ギリシア哲学発祥の地でもある古代アテナイの民主制だが、その地においても完全なる「他者」の排除、つまりアテナイ人ではないものたち、奴隷、あるいは成人男性の市民以外の人々は政治参加が許されてはいなかった。

哲学の黎明期、古代ギリシアに多くの哲学者が誕生したことの要因のひとつに、召使いや奴隷が身の回りの労働を強制的にこなしてくれたおかげで、日々の細事に囚われずに思考を自由に羽ばたかせられたことは確実にある。そしてこの事情は、現代のアメリカにも当てはまるとトッドはいう。

元々の米国の場合でいえば、インディアンと黒人を拒否するが、それはすべての白人を出自を問わずに同化するためであった。[*11]

したがってレイシズム（人種差別）を、アメリカの民主制に残存する不充分な点の一つと見做すことはできない。それどころか、レイシズムはむしろ、アメリカン・デモクラシーを支える基盤の一つなのだ。[*12]

アメリカは常に、自らの存在を感じるために、ミステリアスな境界線の向こう側に位置づけられる「他者」を必要とするだろう。[*13]

ショッキングな物言いではあるが、トッドは、アメリカに深く根づく「他者排除」の構造自体が、民主化を促し、それを安定的に維持することに貢献していたとみなしている。民主主義という制度が他者の排除をいつでも必要とするものなのか、ここは慎重に判断する必要があるだろう。

にもかかわらず、私はこのトッドの民主主義に関わる仮説は一考に値するものだと考えている。私たちが、アメリカ人にいだいているかもしれないステレオタイプのいくつかのイメージ、つまりオープンでちょっと軽薄、でも驚くほどのエネルギーと野心に溢れた心性を想起するのも、トッドによれば、彼らの心性が、文明によって洗練されたものではなく、むしろ原始的で粗野な人間の心性に近く、「原初のホモ・サピエンス・モデルが、現代的な様相を纏い、一つの大陸に拡がるかたちで完成したもの」*14になるからだ。銃をあれほど手放そうとしない愚かに見えるふるまいも含め、そういわれるとどこか腑に落ちるところがある。

世界各国および地域の家族類型のデータに基づいたトッドの分析によれば、紀元前四〇〇〇年よりも前の人類最古の家族の形態は「核家族」である。その最古のかたちが残存している典型的な場所がフィリピン諸島とイギリスだが、どうしてそこが他の家族類型の影響を受けずに済んだのかといえば、その場所が島国であると同時に辺境でもあるからだ。これを「周縁地域の保守性原則」という。次頁の図にもあるように直系家族や共同体家族が生じたユーラシアを中心に世界を見た場合、原始的な核家族はその周縁地域に今も生き残っているのが分かる。

つまり家族類型は、私たちが思い描きがちな想定とは真逆で、「核家族→直系家族→共同体家族」の順序で、複雑なコミュニティとして歴史的に新たに発明されてきたと、トッドは仮説化している。*15そしてアメリカは、その古来の核家族が残るイギリスから移住した

ユーラシア大陸の主な家族システム（*16）

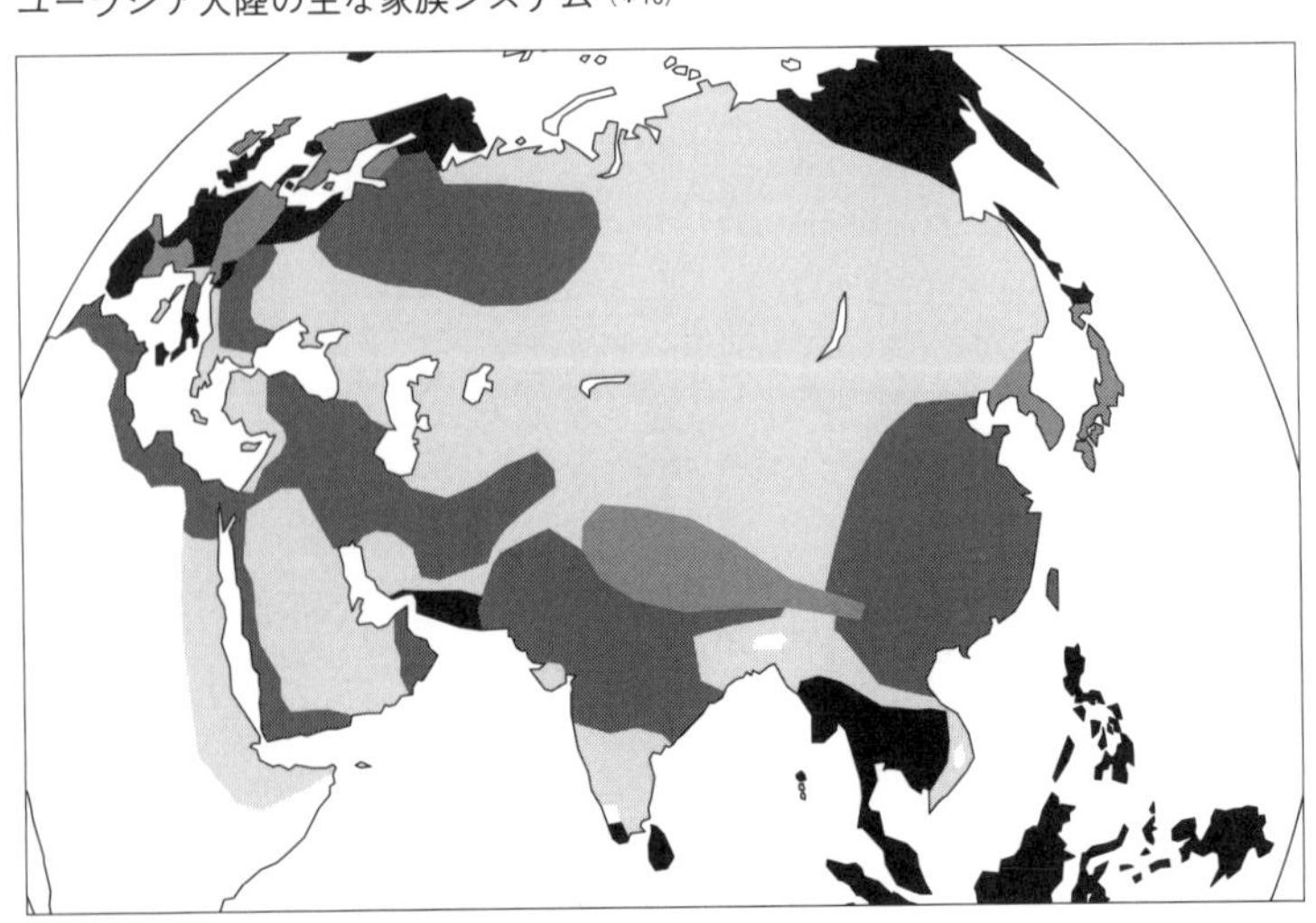

ヨーロッパ人によって建国された国である。アメリカに原始的な核家族の類型が生きているというのはそういう意味だ。

とはいえアメリカは、一九六四年以降、公民権法、投票権法を制定することで、それまで排除してきた黒人の解放と包摂へと大きく方向転換する。[*17] 実際に、黒人の生活水準や教育水準の向上は段階的に生じている。それによって白人同様、黒人でも「教育レベルに基づく社会的階層化」が現実となり、「うまく浮上して展望を拓く「高学歴の黒人」と、社会の下層に沈む「低学歴の黒人」とにはっきり二極化している」[*18]、とトッドはいう。確かに現在も、白人と黒人の間にある生活水準の格差は大きく、黒人の収監率も他殺率も高いままだ。コロナ・ウイルス感染とそれ以外の要因による死者数も、黒人（ネイティヴアメリカンも同様に）は白人と比べて二倍以上も高くなっていた。[*19]

たとえそうだとしても、一九五〇年代にバタイユが夢見ていたように、今後さらに格差や差別が緩和され、黒人の社会包摂が進むことで、もし排除すべき他者がいなくなれば、アメリカはどうなるのだろうか、これが私たちに差し向けられた問いとなる。民主主義が安定するのに他者の排除が必要なのだとすれば、アメリカは誰か別の他者を標的として見つけ出さねばならなくなるだろう。トランプ前大統領がターゲットにしたのが、メキシコからの移民であったように。

この問題を思考実験的に日本に置き直してみる。日本の民主主義は、シルバー民主主義といわれて久しい。[*20] コロナ対策のための自粛要請も明らかに高齢者を優遇したものに見えた。とはいえそれは、若者が国家権力によって選挙制度から強制的に排除されているからではない。そうではなく若者の投票率の低さに加え、たとえ多くの若者が選挙に行き、彼らの投票率が劇的に上がったとしても、絶対数の少なさとしてその声が反映されることはない、という票の重みづけ問題によってである。

二〇〜三〇代の若者世代の全有権者に占める割合は、一九五〇年の五〇％超えから、二〇一五年時点で三〇%弱にまで低下し、その逆に高齢世代の割合は一四%から四〇%に上昇した。[21] 二〇二一年には三〇歳未満の若者は有権者人口の一三・四%になったというレポートもある。[22]少子化が全く解消されていないのだからこの差はますます増強されるだろう。これに加え、現代の若者の多くが安定的な自民党の継続を支持してもいることから、この構造的排除はいっそう見えづらいものとなる。

たしかにこれは、民主主義の黎明期における奴隷や女性、黒人等々のマイノリティの強制的な排除ではない。にもかかわらず、現行の制度自体が、あたかも一部の人、たとえば若者を排除する仕組みとして働き、もっといえば、そのように彼らが投票に行かず、たとえ投票しても声が反映されないことで民主主義が「いわば」安定的に維持されるともいえそうなのだ。

私たちは民主主義の陰で、誰が排除された他者であるのかにいつも目を光らせておく必要がある。もしかするとそれは、あなたかもしれないからだ。

再度、アメリカの民主主義に話を戻すと、今は①の理由の話をしていたが、これが以下の②の問題と連結する。これまでマジョリティとして民主主義を維持してきた中流階級の白人、とりわけ白人男性が高度成長期以降、急激に凋落することで、むしろ民主主義から排除される「他者」の側へとスライドする現象が起き始める。これが民主主義の安定を阻む次の要因であるし、本書に関わる重要な契機になる。

識字（リテラシー）の人類学

トッドの家族類型ならびに政治分析において何よりも重要な要素のひとつが「識字化」であった。これはフランス語では alphabétisation となるが、英語では「literacy（リテラシー）」に他ならない。

前章の最後でもリテラシーについて触れたが、ここではまさに人類にとっての「リテラシー＝識字」の意味と役割が問題となる。読み書きの能力があることは、私たちにとってすでに空気のように当たり前だろう。たとえばスマートフォンの文字情報をまったく理解できない場合、それをどのように使えばいいか、考えてみてほしい。読み書きができる前とできた後に、人間に何が起きてしまうのか、識字化に慣れ親しんだものには、もはや思い起こすことのできない記憶である。

これは発達心理学的な問題であると同時に、人類史的な問題でもある。現象学という私の哲学の専門に近づけていえば、フランスの哲学者J・デリダが主張した「エクリチュール」という「書くこと、読むこと、書かれたもの」に関する経験が、人類史において出現したインパクトに関わる問題だ。[*23]

メソポタミアにおける最古の文字の出現はおよそ五三〇〇年前といわれるが、古代文明において識字化の割合が「人口の一〇%を超えることはなかった」[24]。その後も数千年の間、男性の識字化は最大でも三〇%、多くは一〇%から二〇%の間で頭打ちとなっていた。

しかし、グーテンベルクの活版印刷技術と宗教改革を経て、一七世紀にドイツのプロテスタンティズム地域で、男性の識字率が五〇%を超えるようになる。そしてそのまま一九三〇年頃までヨーロッパではドイツを中心に、とりわけルター派教会が優勢な地域において識字率はその高さを維持していた。ヨーロッパで若者世代の全員が識字化されたのは一九〇〇年頃だという[25]。

興味深いことに、日常会話や知能に支障はないが、読み書きに困難を覚える「ディスレクシア（失読症）」の発見と命名もこの時期（一八八七）である[26]。つまり、人類史の大半の時代においてほとんどの人々は読み書きを必要としなかったため、その障害が問題になることもなかった。失読症は、注意欠陥障害（ＡＤＨＤ）と同様に[27]、その時代の（識字化の）社会圧力が創り出したものでもある。

識字化に関する具体的な年代の推定値をいくつか見ておこう。若者世代の二〇〜二四歳の識字化が起きた（五〇%を超えた）のは、ドイツ（プロテスタント地域）では男性が一六七〇年、女性が一八二〇年（その差一五〇年）、イギリスでは男性が一七〇〇年、女性が一八三五年（その差一三五年）、日本では男性が一八七〇年、女性が一九〇〇年（その差三〇年）となっている[28]。日本は、徳川時代に識字化の波が起きてもいたが、やはり「一挙に加速したのは、欧米による植民地化への懸念から発生した明治維新を機にしてのこと」である。

世界人口の識字化は現在も継続中であり（二〇〇〇～〇四年時点で世界全体の一五～二四歳の若者の八七・五%）、二〇三〇年頃には世界中の識字化が完成する、とトッドは予見している。つまり、ここにいたって「人類はついに幼年期を終える」[*29]（強調は引用者）ことになる。

ただし、いまだに識字（リテラシー）から取り残された人々が世界人口の一四%、七億七三〇〇万人いることも認識しておいたほうがいいだろう。しかもその三分の二は女性である。九ヵ国、二〇〇〇万人近くの最新のシステマティック・レヴューでは、このリテラシーの低さは健康の悪化、慢性疾患の罹患率の高さ、平均寿命の短縮に加え、うつ症状や不安といったメンタルヘルスの悪化とも関連していると報告されている。[*30] こうした結果からもリテラシーの上昇トレンドが今後も止むことはないと信じたい一方で、アフガニスタンにおける女子教育の禁止というおぞましい問題も記憶に新しい。

人類史上初の出来事

初等教育による識字化はヨーロッパ中心に進んでいたが、読み書きと単純な計算能力を超えた「中等教育」の普及の早さに関して、アメリカは頭ひとつ抜きん出る。一九〇〇年ごろの中等教育機関への入学率はアメリカでも一〇%にすぎなかったが、一九四〇年ごろには七〇%に達している。それに対して、ヨーロッパでは一九五五〜五六年に至っても一五〜一九歳の就学率は一五〜二五%と低かった。[*31]

この中等教育の普及は、企業の工業部門の知識理解に加え、サービス部門におけるコミュニケーション能力も向上させる。それを示すように米国ではこれと並行的に、つまり一九二〇〜六〇年の間に「中間層と民衆層の大幅な所得アップ」[*32]が起こり、経済的不平等のレベルが下がり始める。

国民所得のうち人口の上位一〇%の富裕層が占める所得割合は、一九二八年の四六%から一九五二年には三二%に落ち、上位一%の超富裕層が占める所得割合は一九二八年の二〇%から一九五三年には九%にまで落ちている。[*33] バタイユが「至高性は泥濘(ぬかるみ)にはまり込んでいる」と指摘した時代もちょうどこの辺りだ。このトレンドは七〇年代の終わりまで続くが、急速な識字化とともに世界に躍り出たアメリカ社会を産業的に支えていたのが、白人を中心とした中流階級だった。そしてまさに、この中等教育の普及、高度成長、格差の平準化が同時に進行するなかで、先に指摘した黒人の解放と包摂の運動も生じたのである。

アメリカの教育普及のスピードは戦後も衰えることはなかった。むしろソビエト連邦に宇宙開発の技術力で敗北し、その辛酸をなめた「スプートニク・ショック」（一九五七）

の危機意識も相まって、国民への教育圧力はますます高まっていく。その結果、「一九〇〇年には、二五歳の男性のわずか三%、女性のわずか二%だけが高等教育」を受けていたにもかかわらず、「一九七五年には、その比率が男性で二七%、女性で二二・五%」に達し、「二〇〇〇年頃には、男性で三〇%、女性で三五%に到達[*34]」する。

それに対して、ヨーロッパおよび日本での高度成長および生活水準の向上は、アメリカに遅れること三〇年、つまり一九五〇～九〇年において起こる。[*35] しかもこの三〇年の遅れは、第三の教育革命、すなわち「高等教育（大学）」の普及のズレとも重なっていく。

とはいえアメリカでも、初等教育、中等教育があまねく国民に行き渡ったようには、高等教育の普及が進むことはなかった。一九六〇年代の半ばごろから七〇年代の初めにかけてアメリカにおける高等教育の普及は頭打ちになる。そして「二〇一〇年には、ほとんどすべての成人世代の高等教育修了率が三〇%から三五%までの間の数値」に停滞してしまう。その理由が、すこしショッキングでもあるが、トッドは（大学の）「受け入れシステムの制約によるものではなく、高等教育を受けるに足る知的能力の持ち主の比率が上限に達してしまった」からであると述べている（この上限が不変なものかどうかは保留しながら[*36]）。

これと同じ事情が、アメリカに追従する日本でもおよそ三〇年ズレて起こる、つまり学歴社会が成熟すると予想されうるのは当然だろう。[*37] 現在の日本の高等教育の普及率はＯＥ

CD諸国の中でも一、二を争うほど高く（短大といった制度の特殊性もあるが）、二〇二二年の文部科学省による学校基本調査（確定値）によれば、大学（短大除く）進学率（修了率ではないことに注意）は五六・六％と過去最高を記録している。[*38]

しかしそれでも二〇〇〇年代に入り、五〇％を超えたあたりから伸びは鈍化し、むしろそれでも伸びを生みだせているのは、女子の進学増加によってである（短大進学率は減っている）。学部学生に占める女子学生の割合は四五・六％と過去最高を継続中であり、いずれ男子学生を追い越す可能性も出てきた。

そもそもアメリカでは、一九八六年から一九九〇年にかけて、女子の高等教育の修了率が大きく伸び、男子をすでに追い抜いている。この現象はイギリス、フランス、カナダ、オーストラリア、イスラエルなどの先進各国でも起きている（そこにはなんとロシアも含まれる）。なかでもスウェーデンでは、二〇一一年時点の二五〜六四歳の総人口に占める高等教育修了者の割合は、男性二八％に対して女性は四〇％である。[*39] なぜフェミニズムがスウェーデンの代名詞なのかも、ここからよく理解できる。

それに対して、父系制の強い直系家族を類型とするドイツと日本では、この逆転がまだ起きていない。そうであっても、私がこれまで講義を行ってきた各大学の哲学科、心理学科、デザイン学科、医学部などでも、漠然とではあるが、ある時期から女子学生が増えたなという印象をもってはいた。トッドは感嘆を込めて述べている。「教育水準で女性が男性を追い抜くという現象は歴史上かつて観察されたことがないので、ひとつの人類学的革命、未知の世界への跳躍というふうに見てよい」[*40]。

この人類史上初の逆転現象は、私たちを奇妙にねじれた世界に直面させる。というのも、初等教育のリテラシーを受けられない約八億人の三分の二が女性であるという残酷な事実がある一方で、学問的リテラシーの最高峰である高等教育を修了した女性の数が先進各国で男性を追い越し始めている、という皮肉な世界の現実があるからだ。

二〇二二年のアメリカ人の生活調査によると、一八歳から二九歳までの女性のなかで自分をリベラルだと考える人の比率が急速に高まっていて、一〇年前の三〇%から四四%へと上昇している。それに対して同年齢の男性の意識はこの二〇年間さほど変化せず、二五%前後にとどまる[*41]。

リベラルな価値観を最も強く擁護し、教育する社会組織体こそ大学にほかならない。そこで学業に励む女性の数が増大していることは、この意識変化に大いに関係していそうだ（他方、なぜ男性は変わらないのかという複雑な思いもある）。

私はこの逆転現象にこそ「至高性のない世界」の秘密がありそうだと予測しているが、トッドは、この男女の逆転現象のインパクトのほうではなく、高等教育そのものの機能的役割こそが不平等を増大させ、リベラルな民主主義的世界を破壊する元凶だとみなしている。どういうことか。

アカデミアの功罪

アメリカにおける教育普及の話に戻れば、一九六〇年代以降、高度成長と格差の是正によって国民全体がその豊かさを享受できていた。実際、初等教育と中等教育に関して国民のほとんどが平等主義的な恩恵に与ることができた。しかし高等教育はそうではない。この時期すでに高等教育の普及は頭打ちになり、その恩恵を受けられる人とそうではない人が明確に選別されはじめている。

八〇年代に入ると、イギリス人社会学者のM・ヤングが『メリトクラシー（能力主義）』（一九五八）のなかで予測していた知的能力による階級社会が現実のものになってくる。「大卒プレミアム」にもとづく賃金上昇は、一九八〇年代から一九九〇年代前半にかけて急速に上昇し、四〇％から七〇％以上も高くなった。*42 例を挙げれば、「1955年生まれの男性が22歳のとき（大卒者がフルタイムの従業員として労働人口に加わる年齢）、大卒男性はそうでない男性より7％多く稼いでいた」にすぎないが、「そのプレミアムは54歳までに77％にまで広がっている」。*43

さらに一方で、個人の知的能力が成果主義的に称賛されながら、他方で、大卒の親のもとに生まれた子は大学に行けても、非大卒の親の子は大学には行けないという階級の固定化が再生産され始める。そして現在まで、アメリカでは博士、修士、学士、高卒、高卒未満の人々の間には一貫した世帯所得の中央値の格差がある。[*44]

八〇年代までのアメリカの製造業を支えたのは、紛れもなく多くの中等教育修了者たちであった。にもかかわらず、七〇年代からつづくアメリカの構造的な貿易赤字は解消されることはなく、関税を下げる自由貿易はさらに推進され、新自由主義的なグローバリゼーションの時代へ突入する。これを称賛、吹聴したのが、賃金が上昇した大卒のエリートたちなのだが、米国の有権者全体も保護主義に反対し、当然のようにそれを歓迎していた。[*45]

とはいえその結果、グローバル化によって所得が圧倒的に増えたのは、大卒者というよりも、むしろ上位一%の最富裕層だけであった。一九八〇年から二〇〇〇年にかけて最富裕層とそれ以外の人々の間の格差は再度大きく開いていったのだ。しかもこの格差の再拡大が起きたのは、起源的な核家族であり、民主主義を強く支持しているアメリカとイギリスにおいてであった。[*46]

一九九二年から二〇一七年にかけて、アメリカの四五歳から五四歳までの白人の自殺と薬物、アルコールによる死亡率が急激に増えていることを、医療経済学者のA・ケースと経済学者のA・ディートンが突き止めた。[*47] 彼らはそれを「絶望死（Deaths of Despair）」と名づけているが、そこで亡くなっているのは非大卒の白人ばかりだ（男性が多いが、女性も増えている）。男性で見た場合、二〇一七年には大卒と非大卒の間で三倍も死亡リスクの差が開いており、大卒の白人の死亡率は二五年間そこまで変化していない。トッドもこのことに触れているが、「このような死亡率上昇は、世界中の他の先進社会にも類例がない」[*48]という。

私は本節の「民主主義の野蛮な起源」の項で、「白人男性が高度成長期以降、急激に凋落することで、むしろ民主主義から排除される「他者」の側へとスライドする現象が起き始める」と述べたが、ここでの白人とは、非大卒の白人のことであり、さらに重要なのは、この「凋落」の意味である。

というのも、絶望死に襲われる人々は、必ずしも貧困に陥っているわけではないからである。アメリカには非大卒の白人よりも生活水準や所得が低く、貧困率も高い黒人やヒスパニック系の人々の集団が存在している。それにもかかわらず、そうした集団に絶望死が増大しているデータはない。

ケースとディートンは述べる。絶望死は「州レベルの所得貧困では捉えられない」。むしろそれは「取り残された者、人生が思い通りに運ばなかった人々の間で顕著」であり、「低学歴労働階級白人の暮らしが長期にわたり、ゆっくりと崩壊していくその過程を、絶望死が反映している」[*49]のだと。

彼らはまたこのことを、エスカレーターの比喩を用いて語っている。「成長はあらゆる学歴、あらゆる所得の人々を乗せたエスカレーターだった。1970年を過ぎると、そのエスカレーターが2基に増え、学歴が高く、すでに成功していた人々が乗るほうはますますスピードを上げ、大卒資格を持たず、すでに失敗していた人々が乗るほうはスピードが落ち、場合によってはほとんど動かなくなっていく」と。[*50]

格差は広がり、国内製造業も空洞化するなかで、非大卒の白人の人々は、みずからがアメリカという国から「取り残されている」と感じるようになる。一緒に成長していく上昇感から取り残されるだけではない。グローバル化により、人生の意味を感じられる職業からも取り残され、大卒層が都会での生活を謳歌できるのに対し、自分たちは田舎や郊外に取り残され、結婚からも取り残されていく。

これは「人はパンによってのみ生きるのではない」という生の尊厳と自信の問題でもある（が、私たちが1章で扱ったアートの問題における倦怠とはだいぶ異なるものであることに注意）。もっといえば、こうしたストレスが多くかかる、あるいは、それをストレスとしてより強く感じてしまうのが、白人のなかでも男性というセクシュアリティだということである。自分を社会内に位置づけながら、その自分が他と比較して取り残されているという認識をもつこと、これはリテラシーによって可能になったメタ認知の成果に他ならない。そしてこの自己認識こそが、人々の健康を蝕み、アルコールや薬物の依存につながる苦しみの源泉となる。ケースとディートンの分析は、トッドによる「識字の人類学」の歴史を踏まえることで、非大卒白人の、なかでもその多くは男性の苦しみを一層明確に浮かび上がらせることになる。

ここにおいてようやく、「歴史の終わり」を阻む理由の②が明らかになってくる。それは、アカデミックな学歴社会がリベラルな理想を掲げながらも同時に不平等を拡大させているということであった。トッドは強い言葉で述べる。「今や明らかにアカデミアは、社会の階層秩序化への貢献を最大の存在意義として」いて、それが「客観的に果たしている機能は、むしろ平等の破壊なのだ[*51]」と。

二〇一六年のアメリカ大統領選において票が明確に分かれたのが、学歴差であったこともよく知られている。非大卒の白人、とりわけ男性層の71%が、トランプ候補に投票し、民主党のクリントンへの投票はわずか23%にすぎなかった。対して、大卒にとどまらず、大学院にも進学し、修士号や博士号を取得した最高学歴層は、その58%がクリントンに投票し、トランプには37%である。この分極化が驚くべきことなのは、「『左翼』政党であるはずの民主党を、絶対的な文化的支配者の側に位置づけるからである」とトッドは述べる。[*52]

これはすなわち、移民の受け入れや、黒人やヒスパニック系、アジア系という異なる人種、LGBTといった性的マイノリティの人々の弱者救済を声高に求めながら、大卒エリートたちはアメリカ国内に別の弱者を生みだしていたことに気づけなかったということだ。と同時に、彼らは図らずも「他者排除」を行う民主主義の歴史を再度裏書きしてしまったという悲劇でもある。バイデン政権発足後もつづいた国会議事堂への襲撃事件や投票結果に対する不正の告発、Qアノン等による陰謀論の跋扈、これらは故なきことではない。

少し長くなったが、ここまでが「歴史の終わり」を完遂させない、トッドによる三つの理由の中身であり、本書における現在の世界を理解するための補助線である。

アメリカで起きていることは、たしかに日本で起きていることとはちがう。女子学生の進学率の逆転も、非大卒の人の自殺率の急激な増加も起きてはいない（ただし、無職者の自殺が毎年総数の50％以上を占めている）。アメリカのような二大政党制もなく、自民党は盤石だ。

しかし私には日本という国が、アメリカの白人層の「取り残され」現象に重なる境遇の近くにいるように思える。この二五年間、実質賃金は下がりつづけ、GDPは中国に抜かれ、一人あたりの名目GDPは一六年前にシンガポール、つづいて香港に抜かれ、二〇二二年には台湾に、その後は韓国にも抜かれると予測されている。[*53] 一九九〇年以降の就職氷河期で、過酷な競争社会を生き抜いたロスジェネ世代の貧困や困窮が叫ばれてすでに久しい。中流が崩壊し、誰もが貧しくなりながら、学歴による階層が頑として存在する、そんな社会になったとの指摘も多くなされている。[*54] こうしたデータはうんざりするほど見つかるのに、特に何も起きていない日本。それが恐ろしくもある。

アメリカに追従しがちな日本において、この「取り残されている」感覚に蝕まれた同質の問題が遅れてやってこないともいえない。挽回のチャンスが閉ざされたまま取り残される感覚は暴力に転化しやすく、同じ轍を踏まないためにも私たちはどこに進めばいいのだろうか。

トッドは「移行期危機」という仮説を撤回した。それは民主主義を持続させるには繊細な注意と忍耐が持続的に必要だということの裏返しである。初等・中等教育によるリテラシーは人々の民主的な価値意識を培うことに貢献するが、高等教育は上層階級の人々を供給することで階級をむしろ強化する。トッドは、このジレンマは構造的なことなのだから「ある意味で超克不可能なのだと断言できる」[*55]と述べる。

しかし他方で彼は、高学歴 vs. 低学歴、エリート vs. 民衆という対立を煽るだけでは何にもならないとも強調する。必要なのはいつでも、他者が誰であるのかを見極めること、そして彼らの声を聴くコミュニケーションであり、相互の交渉である。私自身がアカデミックな組織にいて、かつロスジェネ世代だ。自分には何ができて、何が必要なのか、まだまだ分からない。しかし他者と自分に触れる手を創る試みを止めるわけにはいかない。

2.3 ― 傷つきしものはゲームを愛する

人を殺さない国に生きる

今どきの若者は……といいたくなる年齢になってしまった。もっといえば、大学生が黒板の板書をスマホ撮影するようになったころからかもしれない。ただ今では自分も、メモ代わりにスマホで写真を撮ることに慣れてしまっているのだし、当時の学生たちは新しいテクノロジーとともに私の一歩先を進んでいただけなのだと思う。

だから「今どきの若者論」も、昔はよかったという「懐古主義」も、根拠なく信じないよう心掛けている。[*1] 金髪にしていた二〇代、自分もそういわれて辟易してきたのだし、それでもなんとか生き延びられたのだから、そのときの自分が完全に間違っていたとも思えない。そのときそのときを必死に生きていただけだった。

だから「今どきの……」と、つぶやきたくなるとき、むしろその時代の若者の経験をうまくぐり抜けられない自分のマインドセットの骨董品感を自覚すると同時に、そこに異なる世界を生きる人々の現実があるのだと問いを向けるチャンスだと思うことにしている。

過去一〇〇年間の出来事を見てみると、水アクセスの増加、衛生状況の改善、乳幼児死亡率の低下、平均寿命の伸長、GDPの増加、女性の就学率の上昇等が、全世界レベルで生じている。これが良いことなのか単純に評価できないという向きもあろう。寿命が延びたからといって幸福かどうかは分からないし、GDPなんかでは国の豊かさは測れない。しかしだからといって、乳幼児があっけなく亡くなってしまう世界、きれいな水にアクセスできない人が地球上にあふれる世界を肯定できる、とは私は思わない。こうした信頼されたマクロ指標による客観的データを無視して個人的印象だけで物事を考えることは、さすがにもう無理だろう。

上記の世界トレンドには、当然暴力の減少もつらなっている。とりわけ日本は、殺人の発生率が他国と比べても極めて低い。世界一安全といってよいほど日本人は人を殺さない国民である。『令和4年版 犯罪白書』における殺人の発生率（一〇万人当たり）では、二〇一九年時点で日本は〇・三であるのに対して韓国は〇・六、フランス一・三、ドイツ〇・七、イギリス一・一、アメリカ五・一だ。[*2] 日本の犯罪全体の認知件数も二〇〇三年を境に減少している。[*3]

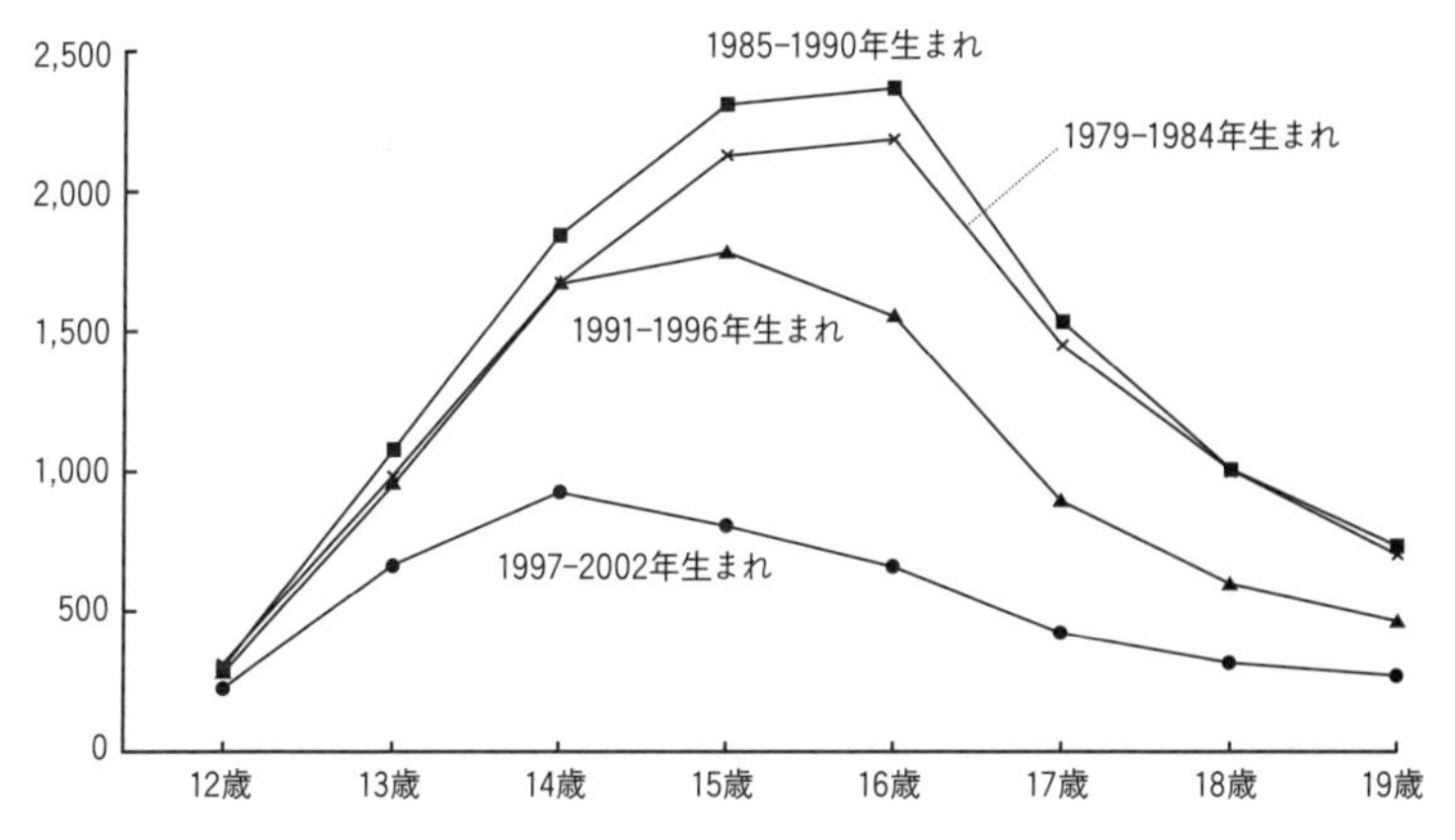

※警察庁の統計、警察庁交通局の資料お呼び総務省統計局の人口資料による。
※犯行時の年齢による。ただし、検挙時に20歳以上であった者を除く。
※2002年から2014年の検挙人員については、危険運転致死傷によるものを含む。
※「非行少年率」は、各世代について、当時における各年齢の者10万人当たりの刑法犯検挙（補導）人員をいう。

外国に出てみると分かるが、こんなに安全に夜の街を闊歩できる国はない。その秘訣が何であるのかよく分からないが、この安全社会の仕組みをパッケージ化して他国に輸出できれば、それこそクールジャパンなのではないかと夢想したくもなる。

さらにいえば日本の若者、とりわけ二〇歳未満は、犯罪行為が一層少ない世代である（上図参照）。人口が減っていることも当然あるが、一九八五～九〇年生まれの若者と一九九七～二〇〇二年生まれの若者を比較しても、後者の非行少年率（各年齢一〇万人当たり）はグンと低くなっている。急速に大人しくなっているといってもいい。こうした若者に、いったい何がいえるだろうか。

ひとつ重要なことは、犯罪が以前より減り、社会が平和になれば、たとえ小さな事件であっても、その犯罪行為がより凄惨なものとして目立ち、メディアやSNSに取り上げられやすくなるということだ。そもそも殺人事件にしろ、減ったとはいえゼロにはならない。多種多様な犯罪は毎年、確実に起こりつづけ、被害に遭う人々も確実に生じてしまう。

だから私たちはそうした事件に敏感になり、より過剰に反応するようになる。メディアに醜悪な事件が取り上げられない日がないのは、誰もが実感するところだろう。だからこそ治安が悪化していると不安を感じる人々の意識と、犯罪認知件数はズレ続ける。このことを私は、「暴力を減らすことは、苦しみを減らすことではない」[*5]と自著で述べてもいた。

それでも世界が、社会が、良い方向に向かっていると信じることができれば、それは日々を生きる希望にもなる。だから私たちはマクロな統計の実数と、ミクロな日常実感のどちらをも手放すことなく、余計な不安に苛まれないよう、かつ、完全に安心しきるのでもなく生きる術を身につける必要がある（これがとても難しい）。誰もが世界情勢に不安を強く感じる不確定な時代だからこそ、希望を見つける試みを止めてはいけない。しかしそれはどこにあるのだろう？

「取り残される」という経験

改めて確認しておきたい。2.2では「至高性のない世界」を描き出すための補助線として、E・トッドの「移行期危機」仮説の放棄を手がかりに民主主義に何が起きているのかを論じた。

それは主にアメリカの事情ではあったが、リテラシー（識字化）の上昇と高度成長を通じて豊かな中流階級が生まれた。にもかかわらず、「高等教育」の普及は、そのアメリカ国民のなかに不平等と格差を再度生じさせる。それが大卒と非大卒の人々の分断である。しかも大卒者の内訳として女性が男性を上回る現象が先進各国で起きており、さらに、それまで民主主義から排除されてきた黒人や他のマイノリティの人たちへの認知度が高まることで、彼らの状況改善が進められていく。「取り残されていく人々」として、非大卒白人（多くは男性）の人々の絶望死が問題になったのはこの段階においてである。

心理学者のマズローの五段階欲求説を例にとってみれば、彼らは①「生理的欲求」も②「安全欲求」もとりあえずは満たされている。問題になってくるのは、家族や仲間といったコミュニティへの帰属を求める次の③「社会的欲求」、およびそのコミュニティ内での承認を求める④「尊重の欲求」である。一九六〇年代までのアメリカの高度成長は、①から④へと順調に進んでいく未来を与えてくれた。白人の中流階級の人々はその未来を見据えながら日々の充実感を味わっていたはずだ。

しかしその後、非大卒の白人にとって③と④が変調しはじめ、中抜きされていく。産業は空洞化し、自分の就きたい仕事にも就けず、日雇いや非正規等の条件を課された将来の保証のない社会状況に置かれる人々が見向きもされずに増えていく。④の次の段階となる⑤「自己実現欲求」など見果てぬ夢だろう。もしそのような人々が④の承認だけを求めようとした場合、どうなるのかは想像に難くない。

SNSのテクノロジーは、あまりに簡単に、そして拙速に、その人の承認を満たす情報や発信源との結びつきを可能にする。だからといって、そうしたフィルターバブルに閉じ込められた人々を見下すこともできない。彼らには彼ら固有の苦しみがあるのだから。

哲学者のドゥルーズは、人が疲れるのは、可能性を実現したからだと述べていた。できることをこなしたから人は疲労する。実現する可能性があるからこそ人は疲弊できるといってもいい。その意味では、すべての可能性に閉ざされた人は、疲労することからも取り残されてしまう。ドゥルーズはそうした存在を「消尽したもの」と呼ぶ。

疲労したものは、ただ実現ということを尽くしてしまったのにすぎないが、一方、消尽したものは可能なことのすべてを尽くしてしまう。疲労したものは、もはや何も実現することができないが、消尽したものは、もはや何も可能にすることができないのだ。[*6]

消尽したものには固有な姿勢がある。立つことも、横たわることもなく机にむかって座り、うなだれた頭を両手でおおいながら、眠るのでもはっきりと目覚めるのでもない。不眠とおぼろげな意識のなかで、かすかな声が漏れ、震える身ぶりを、ドゥルーズはベケットの作品から読み解いている。あらゆる目的や実現の可能性から見放されている。が、まったく動かないのでもない、むしろ「受け身ではなく活発に動くのだが、それは何のためでもない」[*7]、そのような存在である。

バタイユの定義によれば、可能性さえ濫費する、非生産的な濫費の遂行者、それこそ「至高な体験」を体現するものに該当する。だから文学者や哲学者は、たじろぎながらも消尽したものにも至高な存在を見て取ることができる。

しかしこれは、すべてではないにしろ大半は嘘だ、と私は思う。[*8] 可能性は尽きてなどいない。取り残されたものには、絶対的な社会要因があるからであり、いくらでも手を差し伸べることはできたはずだからである。むしろそこに至高性を感じ取り、思考を停止させたまま、驚いた素振りができるものたちのほうに問題があったともいえる。

マラソン競技にたとえれば、これまでハイペースで並んで走っていた人々が、急に自分を越えてぐんと進み出て、もう追いつけなくなる。と同時に、後ろにいたはずの人が迫ってきて、自分を軽々と追い抜いていく。しかし自分のペースが上がることはもうない。前を走る背中が小さくなるにつれ、息切れしていくしかない自分がはっきりと自覚できる。今より悪くなる以外の自分の未来を想像できない、取り残された苦しみとはこうした感覚に近いだろう。

金を稼ぎ、社会の役に立ち、社会に貢献することを至上命令として、強く生きることが呪いのように席巻する現代社会において、取り残される人たちが直面しているのは、激しい強度をともなう至高的な体験ではない。そうではなく、至高性を欠いたまま、真綿で首を絞められるようにゆっくりと実存が削られていく暴力性である。

私が指摘した「至高性のない世界2.0」では、どうすればよいかも分からないまま没落していく弱いものたちが可視化されていく。こうした行き場のない苦しみによって傷つけられないように自分の身を守ろうとする人々にとって必要なのは、バタイユが求めた目眩のするような強い至高な体験ではないだろう。

弱者を認められない弱さ

コロナ禍前からではあるが、大学の講義で貧困や障害、性差別、性的マイノリティの問題を取り上げ、そこで起きている事態の深刻さの話をしていると、

「自分だって望んでこの生活を選んだわけではない」
「失敗談とか、弱者アピールとかができないとダメみたいで人生の挫折をとくに経験したことのない自分は困る」
「ほんのすこし裕福なだけで責められている感じがする」
「女性活躍も分かるが、自分はそれなりに満足しているし、もう平等はだいぶ進んでいる」

と結構な頻度で、こういう意見が講義のリアクションペーパーに書かれて返ってくる。その多くは、インターネットの書き込み等で見られるものと酷似していて、彼らが日頃からどれほどその影響を受けているのかがよく分かったりもする。

しかもそうした発言が、自らの与り知らないところで、今まさにギリギリの生活を送っていたり、絶えず社会から脅かされて生きている人たちを傷つけてしまう攻撃性を含んでいることに、彼らはとても無頓着である（だから、講義でこうした意見を紹介することは極力しない）。

なにが彼らの想像力を他者へとどかせることを拒んでいるのか。そのひとつとして、他者の生について単純に知らないというリテラシーや経験の欠如があるのは確かである。だからたとえば、当事者の方に講義に来てもらい、彼らの生の声を聞くだけで学生の理解度は大きく変わり、自分の見識の狭さを省みることのできる学生たちも多く現れる。しかし、こうした当事者の声を聞いてもなお、上記のような声を書き込んでくる学生が少なからずいるのも確かなのだ。

そのときの彼らのイラつきのようなものに対して、これまでは教員の立場として、もっと想像力を働かせるように、あるいは、物事の無理解に彼ら自身のほうから気づいてもらえるように試みてきたし、これを止めるわけにはいかない。

しかし最近は、それだけで本当に充分なのか、その彼らのイラつきに「取り残されている」感覚がどこまで食い込んでいるのか、そこに向き合う必要があるのではと思い始めてもいる。

端的にいえばそれは、社会的弱者を素直に認められない、あるいは、認めたくないものたちの「弱さ」であると同時に、みずからが取り残されていくことを敏感に察知している声かもしれないからだ。どうすれば彼らの経験をくぐり抜けられるのだろうか。

この試みが大きな困難をともなうことを自覚しておくのはとても重要だ。というのもそれは、たとえ無自覚であっても他者に対して攻撃性を向けてしまう加害を行うものの心性に向き合い、寄り添うことでもあるからだ。その試みが彼らを擁護し、正当化するように見えれば、一挙にそれは、たとえば貧困者や障害者、性被害者、性的マイノリティといった社会的弱者の困難に対するバックラッシュとなってしまう。ここだけは絶対に避けなければならない。社会的に脅かされた立場にある人々の声が抑圧されていいはずはなく、その声はなにがあろうと掬い上げられねばならない。

このことを思考の片隅に固く置きながら、同時に、取り残されていると感じているかもしれない彼らの透明で静かに煮える怒りのようなものに触れてみる必要がある。

人は基本的に、社会的な豊かさを感じているときに他人にも寛大になる。切羽詰まって余裕がないとき、人にやさしくできるかを自分事として考えてみればよい。しかもそれは個人的な問題にとどまらない。

枢軸時代といわれる紀元前五〇〇～前三〇〇年の間、ギリシア、中国、インドでも他者への寛大さが大幅に推進されたが、その背景には物質的豊かさの増大があった。[*9] 2.2で触れたアメリカの黒人の解放が起こった一九六〇年代においても同様である。

社会が裕福になっていくプロセスのなかにあるとき、人は他人に共感し、他人への想像力を広げていく。アメリカの研究ではあるが、「定期的収入（給与など、将来にわたって得られると期待される収入）が一％増加するごとに、慈善活動への寄付額が〇・五％増加する」[*10]ことも分かっている。

収入がすべてではないにせよ、それでも所得の中央値が一九九五年と二〇二一年の間で一〇〇万円以上も低下し、世界各国の成長水準からも取り残されつつある現在の日本で、人々に寛大さを期待することなどできるのだろうか、そんな想いがよぎる。

ここ三〇年で見てみると、大学生への仕送りの額も目に見えて減っている。二〇二一年の調査では、首都圏の私立大学新入生の家庭を対象にした調査ではあるが入学直後の出費が落ちつく六月以降の月平均の仕送り額は八万六二〇〇円となっている（過去最低の前年より三八〇〇円増加）。ここからは当然、家賃が差っ引かれるため、生活費は一万九五〇〇円にとどまると推計される。[*11] アルバイトをしなければ生活の維持などできないだろう。

大学新入生の仕送り額（六月以降の月平均）の推移

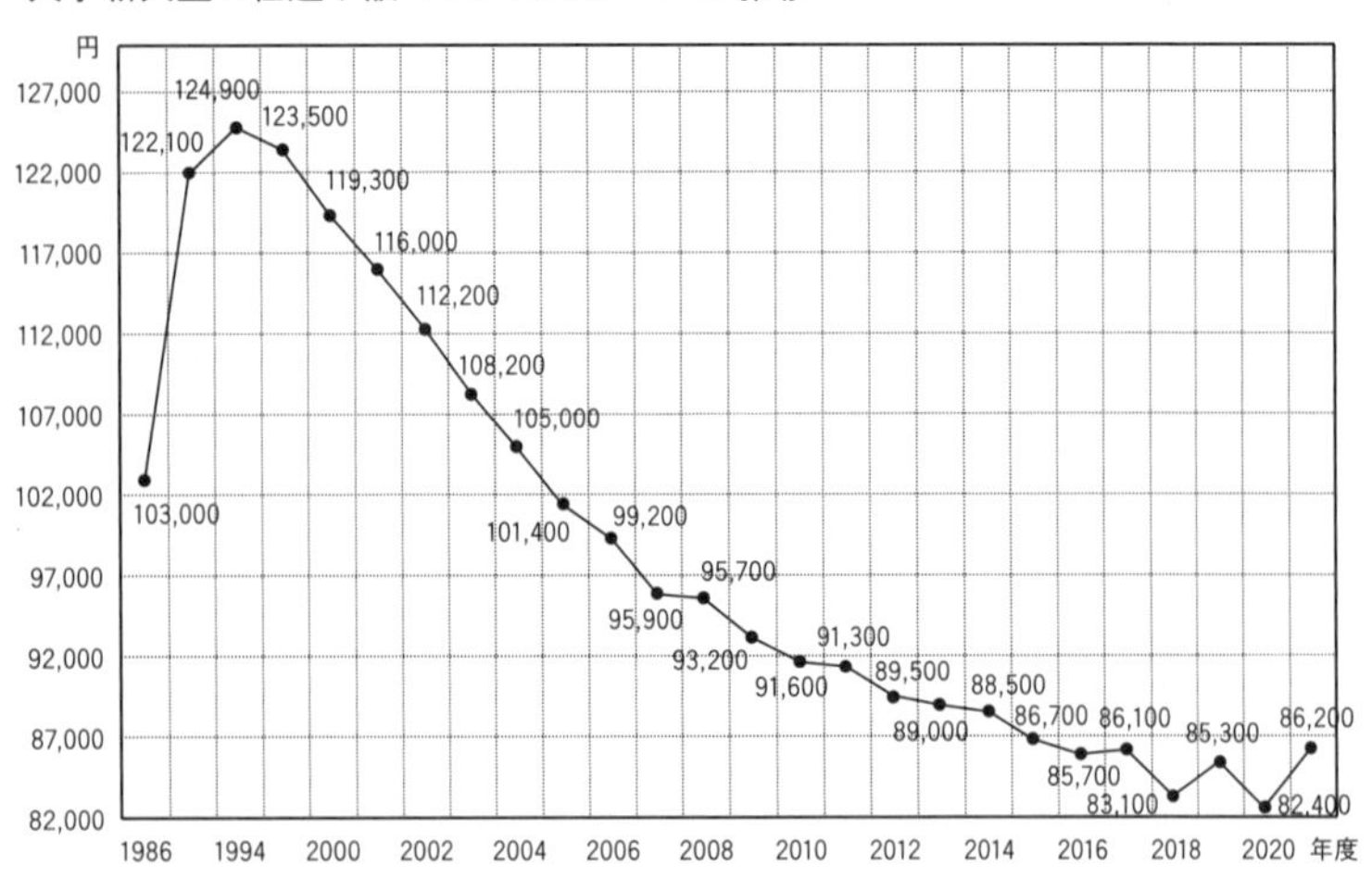

本節冒頭では、若者の犯罪率の減少について触れたが、明らかな差が出てくるのは一九八五〜九〇年生まれと一九九一〜九六年生まれの若者の間においてであった。この若者の差は、九〇年代後半から二〇〇〇年代初頭にかけて一挙に滑り落ちていく仕送り額の図に対応している。豊かさの減少と犯罪率の減少が見事に相関している。

これはとても不思議である。豊かさの減少は他者への寛大さを奪うはずなのに、それが明確な犯罪や暴力として現れてきてはいないのだ。むしろ若者は大人しくなり続けている。2.1で述べた世界全体における人類の暴力の減少トレンドはここでも続いている。『暴力の人類史（原題：われわれの本性の善良な天使　なぜ暴力は減少したのか）』で著名な認知心理学者のS・ピンカーは一九九〇年代以降に暴力犯罪が減少する現象が先進各国で起きていることを指摘し、かつ、その要因として、①刑事司法制度の強化・厳罰化と、②六〇年代にカウンターカルチャーが進めた非文明化に対して、再度文明化プロセスが進んだことを仮説的に挙げている。*[12]

この後者の文明化のプロセスとは、2.2で論じた「高等教育」を含むリテラシーの向上に他ならない。現代の教育は、すぐに暴力に訴えることも、他者を攻撃することも許されないことであり、にもかかわらず、社会構造的に、あるいは、差別や偏見による心無い発言等によって傷つけられてしまう人々がいることを教える。だからこそ、上記の意見を講義で述べた学生たちも、そうした社会的な弱者が守られるべきであることはよく分かっているだろう。

それなのに、そのように弱者とされている人ばかりが守られてずるい、とどこかで感じてしまう自分がいる。その鬱屈した思いは、目に見える物理的で直接的な暴力行為に結びつくことはないが、その吐き出し場所がないまま（あるいは、ＳＮＳに容易に飛びつきながら）、小さく執拗な攻撃性（マイクロ・アグレッション）となって、彼らの胸の内で発露の機会を待っている可能性がある。そして実際、社会経済的に見ても、他者に寛大になれる余裕が彼らにとって充分だとはいえないのである。

YouTubeなどのデジタル・プラットフォームには、何十万人ものフォロワーをもつ若いYouTuberたちがいる。彼らのきらびやかで豪勢な生活が映し出された動画を手元のスマホで終始覗き見ながら、若者を含む多くの人々が「取り残されている」感覚に苛まれてバイトや望まない仕事に明け暮れているのかもしれない。

最小の不平等に傷つけられる

このように日本でも、取り残されている感覚をもつ人々が増えている可能性がある一方、さらにもう一つ厄介な問題がある。それは一八四頁で述べた、犯罪が減り平和になるほど、小さな犯罪がよく目立ち、人々の社会不安が高まる現象と同様、社会の平等が進めば進むほど、残された小さな不平等が目立ち、人々はそれを無視できなくなる、そうした社会・心理メカニズムが存在することだ。

一八三〇年代、アメリカの民主主義を現地で視察したフランスの政治思想家トクヴィルは、その慧眼によってこの心理を見事に見抜いている。

> 一国の人民の社会状態と政治の基本構造がどれほど民主的であろうとも、市民の誰もが自分の負ける相手を身辺にいつも何人か見出すと考えねばならず、彼は執拗にこの点に目を向けるだろうと予想される。不平等が社会の共通の法であるとき、最大の不平等も人の目に入らない。**すべてがほぼ平準化するとき、最小の不平等に人は傷つく**。平等が大きくなればなるほど、常に、平等の欲求が一層飽くことなき欲求になるのはこのためである。[*13]（強調は引用者）

確固たる身分制度などが存在する場合、人々はそれが当たり前すぎて、そのおかしさに気づけないし、反乱も起こさない。むしろ誰もが同じ権利をもつ人間であり、同胞であるという同質化と平準化が進んだとき、人々はそのなかでの不平等に苦しむ。アメリカの非大卒白人の絶望死の問題もここにあったといえるだろう。

最小の不平等にこそ人は傷つく。これは以下のようなことだ。アルバイトでも何でも構わないが、自分の給料が想定していた額よりも一万円多かったとする。「え、すごい」と、そのときの喜びの大きさは身に染みて感じられるはずだ。

しかしそのとき同じ時間だけ働いていた同期のバイト仲間の給料が、自分の額よりもさらに五〇〇〇円多かったことを知ったとき、何が起こるだろうか。「え、なんで」と、先ほどの喜びは急速にしぼみ、怒りや妬みといった暗い感情が湧いてくる。一万円多かったのだから、それでいいじゃないか、とはならない。これが「社会的比較、相対的剝奪」と呼ばれるものだ。

リテラシーを身につけた私たちは、自分の身近な他者と比較しながら、社会内に自分が正当に位置づけられているかどうかを勝ち負けで正確に判定しようとする。ここに残酷さがある。

多くの人がこの現象を実感しているのではないか。ＳＮＳ、とりわけFacebookやInstagramは社会的比較の宝庫である。たとえば知人によって「私はこんな食事をして、こんな洋服を身につけ、こんな場所へ旅行し、たくさんの友人に囲まれて幸せである」といったあからさまな内容が画像とキャプションとともにアップされているとき、そこで問われているのは「では、あなたは？」である。

これは、画像をシェアしている人が完全なる善意からそうしていても関係がない。ただ楽しい思い出をシェアしているつもりが、閲覧者には不平等や格差を見せつけることとなり、取り残されている感覚を醸成してしまう。

先の給料の話に戻れば、その五〇〇円の差が、たとえば男女という性別によって決められていたことが判明し、その不平等に対する声が上がったとする。この「小さな」不平等が、差別や偏見に基づいているかぎり、民主主義の社会を生きる私たちはそれを放置することができない。これは、J・シュクラーのいうところの、正義のではなく、民主的な「不正義の感覚」によるものだ。[*14] たとえ小さな不平等であったとしても、私たちはそれを是正しなくてよいとみなしてはならないし、その先にこそ来たるべき社会の未来がある。

だからこそ不平等な状況を温存させてきた組織や企業、人物があれば、無数の共感者たちが彼らを非難しようと殺到するだろう。しかもそのとき共感者たちは、自分たちも傷つけられていると叫ぶのだ。その意味では、社会における不平等の是正プロセスは同時に傷つきからのケアのプロセスであり、回復のプロセスでもある。

最近は特にSNS上で、弱者を救済するNPOや団体に対して、障害者ビジネスや貧困ビジネス、性被害ビジネスなどとの非難が止まらない。各種組織や団体のなかには、当然優良なものから悪質なものまでが含まれており、後者に対して厳正な対処が求められるのはいうまでもない。

しかし他方、二〇二一年一一月までに事後的に国会に報告されたコロナ予備費一二兆三〇七七億円のうち用途を正確に特定できたのは六・五%にすぎず、九割以上は具体的に何に使用されたのか分からないという調べがある。[*15] 予算や税金の不透明な使用が許せないのであれば、こうした巨額の不正の可能性にもっと不正義に対する怒りの声が向かってもいいはずだが、私たちは国家や政権というあまりに巨大なものに対してよりも、小さくて身近な不平等のほうに目を向けてしまう。もっと弱いものによって傷つけられていると感じるのだ。[*16]

私たちは今、この最小の不平等に相当、過敏になっている。自分が傷つかないように、そして他者を傷つけないように。過度にセンシティヴであると自認する人々が増えている実情もある。先に取り上げた学生たちも、どこかで自分たちが傷つけられていると感じているのではないか。

「取り残されている感覚」と「最小の不平等」、この二つに私たちは備えつつも警戒しなければならない。しかもこの過敏性は、平等で公平な民主制のメンタリティを促した「リテラシー」とともに醸成されるのだから、知識による訂正も容易にはいかない。傷つくなと伝えても傷ついてしまうのだ、とりわけ社会が貧しくなっているときには。

確認しておくべきなのは、小さい、大きいに関係なく、不平等が是正されることは、より良い社会に向けて絶対的に必要なことであるということだ。だから問題になるのは、この過敏性が、他者への攻撃性に反転してしまう局面である。それは、自分や他者の身を守るために、異なる他者を攻撃することがどこまで許されるのかという「寛容のパラドクス」に近い事態を引き起こす。[*17]

訴えられた不平等が、社会的に認められうる正当性をもつ場合、それを解決する最も適した方法がある。それは、不正の温床になっていた場所に光を当て、可視化し、誰にとっても納得できる「規則」を明示し、それによって公正な管理と予防を徹底することであろう。この不正をただすための「規則化」と「見える化」が「至高性のない世界」と密接につながっている。

プレイとゲーム

バタイユが「至高性」の起こる典型的な体験の場所として取り上げていたのが「遊び」であり、「性愛」であり、「死」であった。だとすれば「至高性のない世界」とは、これら三つのものが消失していく世界に等しいことになる。

以下で問題にしてみたいのは、「遊び＝プレイ」の喪失である。人類学者のD・グレーバーはこれに関して興味深いことを示唆していた。

私たちは「遊び＝プレイ」を怖れているのだ、と。[*18]

どういうことか。遊ぶことが嫌いな人などどこにいるというのか。重要なのは、グレーバーがこの「プレイ（play）」に対置して考えているもののほうであり、それが「ゲーム（game）」だ。私たちはプレイを怖れ、ゲームを愛する。プレイとゲーム、一見どちらも同じことのように思える。従来の「遊び」に関する哲学的考察でも、この二つが明確に区別されることはまれだった。

たとえばドイツ語のSpielには、どちらの意味も含まれていて、単なる戯れ、遊戯を意味することもあるし、ゲームの意味もある（さらには演劇という意味も）。哲学者ウィトゲンシュタインによる有名なSprachspielは、日本語では一律に「言語ゲーム」と訳されているが、「言語プレイ」や「言語遊び」でもよかったはずなのに、どうやら時代がゲームという訳語を選択させた事情がありそうなのだ。[*19]

ではそもそも、プレイとゲームはどう異なるのか。私たちはもちろん、ゲームをプレイすることができる。しかし、プレイがゲームでないことも確かだ。髪の毛先をくるくる指で回したり、芝生の雑草をプチプチ抜いて遊ぶこともある。それはゲームではない。誰かにちょっかいをかけてただ戯れること、それがプレイである。対してゲームは違う。グレーバーによる定義を見ておこう。

〔ゲームには〕ひとつの領域（フィールド）があり、ひとつの盤（ボード）があり、開始の合図があり、終わりを画する契機がある。この時間／空間の内部では、特定の人びとはプレイヤーとして指示される。規則(ルール)もまた存在する。［……］ゲームとは純粋に規則に支配された行為なのである。*20

プレイと異なりゲームには、明確なフィールドと規則があり、開始と終わり、勝敗がある。先に私は、取り残された人々の感覚を説明するアナロジーとして「マラソン競技」について述べた。これも同様にゲーム（スポーツ）である。しかも興味深いのは、その競技を現代社会の説明モデルとして用いても、ほとんどの人が何の違和も感じないということだ（2.1の最後では、歴史の終わり以後の日常生活を、ロールプレイング・ゲームに模して述べた）。

少し話はズレるが、もし「時計」という精密機械が歴史上発明されていなければ、私たちは自分たちを「社会の歯車」だと認識することはなかっただろう。「計算機」が発明されなければ、自分の「頭の回転の速さ」を気にすることもなく、「コンピューター」が発明されなければ、誰かの「スペック」を羨んだりする必要もなかっただろう。*21 最近では、「解像度」という画像の画素密度を示す言葉を思考の理解度として用いはじめてもいる。

ここから分かるのは、私たちはその時代のテクノロジーによって生み出された技術品の方から、自分たちを事後的に認識し、その結果、苦しんだり、悩んだりするのが得意だということだ（大好きなのかもしれない）。

そしてゲームは、スポーツ競技やカードゲーム、ボードゲームを超えて、高度成長期を迎えた一九七〇年代以降、テクノロジーの力を糧にしながらコンピューターゲーム、デジタルゲームとして世界市場を席巻し始める。このゲーム産業の発展と大衆化を牽引したのが、当時、GDP世界一位のアメリカと二位の日本である。[*22]

デジタルゲームの出現によって世界はどんな変容を被ったのか。それを示そうと試みた『現代ゲーム全史　文明の遊戯史観から』において著者の中川は、「ゲームとテクノロジーはいずれも、目下の現実世界では不可能なヒトの願望を、人為的な工夫によって一時的ないし恒常的に実現していこうとする営み[*23]」だと述べる。

さらに彼は、ゲームが資本主義社会に普及することで「市場を通じて人々の現実を実際に変えて革命への〈理想〉を不要化し、ひいては共産主義の人類史的実験に終止符を打たせたのだという言い方さえできるだろう[*24]」とまで主張する。

政権を入れ替えるだけのクーデターとは異なり、革命によって国家や政権を転覆し、新しい社会の到来を夢見ることができた時代は、デジタルゲームの幕開けによって終わったというのだ。これほどまでにゲームが社会に与えた影響の計り知れなさを強調することは、単なる誇張として無視できるものだろうか。

最近よく聞かれる「ゲーミフィケーション（gamification）＝ゲーム化」とは、ゲームプレイの興奮や没入の体験を、ゲーム以外の領域に応用することで、本来ゲームとは関係のないシステムやサービス等々の理解や活動を促進することだ。たとえば英単語を、シューティング・ゲームのように学ぶアプリなどを思い浮かべればよい。

しかし、こうした個別領域へのゲーミフィケーションに先立って、すでに社会がゲーム化されていると考えることは当然できる。2.2で論じたように、高等教育に進むための選別は、日本でも六〇年代以降厳しくなっていたが、受験戦争という言葉も流行したように、そもそも教育メソッドがゲーム仕様のようにも見えてくる。[*25]

中間テストは中ボス、期末テストはラスボスであり、どんなスコアを獲得するかによってS判定やA判定等の成果が決まる。具体的な教育内容やその意義よりも、そのステージをクリアできるかどうかが重要になる（人生はゲームである）。

最近の若い世代の言葉に即していえば、たとえば「リセットする」や「無理ゲー」、「親ガチャ」、「レベチ」、「チート」、「上位（下位）互換」等々、こうした言葉の数々は、ゲーム関連用語でありながら、それらを転用して社会状況や人間関係を表すものとして用いられている。しかもそのように社会状況や人間関係をゲーム用語に置き換えることで、耐え難い不合理や不平等、不正に対する人々の溜飲を下げる効果さえある。

社会そのものがゲーム化されている、あるいはゲームに近いものとして社会を認識することが常態化している。気がつけば私たちは、ＰＣ、タブレット、スマートフォンといったいくつものデジタル機器を身の回りに所持し、それらによっていつでもゲーム世界にコネクトできる。電車のなかでも、講義中でも、テレビを見ながらでもスマホでゲームをする人たちが無数にいる。他人のゲームプレイの配信を視聴する人も増えている。さらにデジタルゲームの黎明期、八〇年代に子どもだった人たちは今や四〇代、五〇代になる。彼らのなかにもゲームに熱中した経験は蓄積されている。これだけのゲーム熱があるのだから、そこでの経験が現実に反映されていても全くおかしくはない。

どうしてこんなに人は、ゲームを愛するのか。社会そのものがゲーム化されたものとして認識されているとすれば、単にゲームから降りればよいという批判的言説だけでは絶対に済まない問題がここにある。人々は自ら好んでゲームに参入していくのだから、むしろそこにある人間の固有性をこそ見つめなければならない。

ゲームは誘惑する

グレーバーは、人々がゲームに夢中になる理由は、私たちの日常があまりにもあいまいな規則にあふれているからだという。それは暗黙の見えないルールといってもよく、そこにこそ恣意的な不平等や不正が紛れ込む。

誰かと会話をするさい、何をどこまでいっていいのか、いわないほうがいいのか、あるいは、ある場所や会合で、どのようにふるまうのが正しいのか、どのような行為は慎むべきなのか等々、ドレスコードのようにはどこにも明示されていない。

とりわけ新しいコミュニティや他者と接する場面では、空気を読みながら、その人や場の規則をそのつど探り出さねばならない。これはいつでも骨の折れる作業だ。しかし同時にそのプロセスにこそ新しい世界や他者との「出会い」があるともいえる。出会いとは本来、予測できない偶然性の戯れ／遊びとともにしか生じない（ただし「エンカウント＝出会い」もすでにゲーム化されつつあるが……）。こうした体験が、生の充実にとって重要だと指摘されることも多い。

しかし、である。最近よく思うのだが、たとえばセクシュアリティやフェミニズムの知識を自分なりに蓄積していたりすると、初対面の人たちが、どのような性規範やジェンダーロールを信条として生きているのかが分からないことが私にとってストレスとなることが増えてきた。

たとえばフェミニズムやＬＧＢＴといった言葉をふと口に出したとき、すんなりそのことについてのポジティヴな話ができる人もいれば、その言葉を聞くだけで表情がみるみる険しくなり、露骨に嫌悪感を表出したりする人もいる。「ああ、この話は地雷だったか……」と毎回げんなりしながら、対話の糸口をどう回復するかに苦労したりもする。

意見を異にする他者との対話が大切なのはよく分かる。それによって初めて見えてくる現実があるのも確かである。にもかかわらず、明白に性差別的な思考をもっていたり、そのことに無自覚なままの人の話を聞くことが、なかなかしんどくなってしまった、というのが本音でもある。実際にそうした会話の後は、その日一日、自分が傷つけられたかのように消耗することも多い。

だからできれば、たとえばその会話相手の特性として、この人は「思考はリベラルだが、性規範的にはやや保守的であり、夫婦別姓にも反対」といったステイタス説明や、その人が生きる規則があらかじめ情報として与えられたりするととても助かる、と素直に思う。攻略法が見えてくるといってもいい。そして実は、ここにこそ「ゲームの誘惑」がある。

なぜならゲームの世界では、何が許されていて、何が許されていないのかが規則として明示されているだけでなく、アーキテクチャがプレイヤーの行動選択の範囲をあらかじめ制限してくれているからだ。だからこそ予測可能性の枠内で勝敗に集中できるし、自分を傷つけることのないストーリー展開を楽しむこともできる。もし失敗すればリセットすればいい。そこにあるのは「あいまいさが一掃された世界」、つまり規則によって支配され、理想化された世界である。

本来、規則でがんじがらめになることほど嫌なことはない。にもかかわらず、私たちはみずから進んでゲームに身を任せる。ゲームの世界は、ほぼ規則に支配された場所なのに、である。グレーバーが「ゲームとは一種の規則のユートピアなのである」[*26]と述べているのは、私たちはゲームの規則に自発的に従属しながら、そこから快楽をえることを好むからである。

またグレーバーはこのゲームへの偏愛を、世界中で蔓延する「官僚制（ビュロクラシー）」の全面化の問題とつなげて考えている。*27 官僚という語にまといつく堅苦しく、非人格的なイメージは誰も好ましいとは思わないはずだ。しかし官僚組織ほど、規則が重視される場所もない。法律、法令、法規、条文、内規といった文書主義が徹底されることで、できることの範囲が明確に規則化された官僚組織は、プログラミングで動く自律ＡＩのようにふるまう。国会答弁での官僚の受け答えを見ていつも感じるのは、そのような自動応答マシーンであろう。これほどゲーム化された組織もないことが分かる。

このとき私たちにはアンビヴァレントな感情が芽生えるはずだ。ゲームは好きだが、官僚組織は嫌いだと。それは正しい反応である。しかしそのとき私たちは、おそらく官僚組織に（無下に）扱われる側の一個人としての立ち位置にいる。ではその逆に、あなたがたとえば公的機関のクレーム窓口のような場所で働く組織側の人間であった場合、それでもあなたは顧客や市民に対して、自分が嫌がる官僚的な対応を取らないでいられる自信があるだろうか。

多くの場合、窓口対応などをしていると、相談数の多さにもよるが、一律に無機的な対応になっていく。というのも一人一人にパーソナルな対応を行っていると、時間がかかって効率性は下がり、余計な言質を取られるリスクも高くなるし、個人的便宜を図っているとの疑念をもたれたりもするからだ。

この辺りの実践感覚は、私はあまり経験がないためとても不思議なのだが、たとえば大学に属していたりすると、事務の職員の人たちと仲良くなることがある。私にとってはとても気さくなある人の、学生からの評判が極めて悪いといったことが起こる。学生がいうには、私が見たこともないような冷たい対応と発言をその人がするというのだ。

このような官僚化の弊害は、大学だけではなく、コンビニのバイトでも、電話応答の受付でも起こっている。実はこのとき人は、官僚制という組織のゲームと規則に魅了され、取り込まれてもいる。規則を遵守した対応をしているかぎり、弱みに付け込まれることもない。それは組織を守ること以上に、自分の身を守るためにもなるからだ。ゲームは私たちが傷つかないためのユートピアなのである。

それに対してプレイとはまさに、この規則化された世界から排除されると同時に、ゲームの外でこそ本領を発揮するものだ。それは規則を変形し、冷笑し、破壊する力をもっている。傷つくことに敏感になっている私たちは、このプレイを怖れてゲームの誘惑に身を委ねるのである。

2.4 ―「人間のふるさと」へ向かって

予約文化は席巻する

予約文化ときくと、あなたは何を思い浮かべるだろうか。旅行からレストラン、居酒屋、歯医者、美容室などなど、予約を行ってからその場所へと向かう、そうした慣習や技術的に整備された環境のことだ。郵便局や銀行でも整理番号をもらって順番を待つ。これはもう当たり前の風景である。

メンタルヘルスに不安を抱えた大学生用のカウンセリング・サポートも、電話かメールでの予約が必要なことが多い。今まさに解決したい問題や聞いてほしいことがあっても、場合によっては二週間待ちになる。学生のなかには心理的な不安や焦燥感が強く、かつ、電話をかけたり、メールを書いたりする行動さえ途方もなく大変に感じる人もいる。その挙句の二週間待ちである。だから予約をしたのはいいが行けずに諦めてしまう学生も出てくる。これのいったいどこがサポートなのか、と素直に思ったりもする。が、サポート側にも事情があるのもよく分かっている。

ある学生は、「食べログの評価が三・六以上のお店しか予約して行かないと決めている」という。そこで私が「じゃあ、それで行ってみるとどうなるの?」と聞くと、「え、普通においしいですよ」と満足そうに答える。それはそうだろう、と思う。評価のよい店に行き、評判通りのおいしさの料理が出てくる。そこに不思議はないし、驚きもない。学生からしてみれば、驚く必要も、不満をもつ必要も特にないのだ。むしろ損をしたり、失敗をしたり、時間を無駄にしたりはしたくないという思いのほうが強い。

私はこの予約というのが、物心ついてからずっと苦手だ。予約という行為も、予約をしてしまった後の心持ちもすこぶる苦手である。心がギュッとしぼられる感じがする。どうして予約なんかしてしまったのだろう、と後悔し、落ち込むこともよくある。これとは逆に、スケジュールが予定で埋まらないほうが不安だという話はしばしば聞く。これも分からなくはない、暇が怖いからである。しかし、では、自分の場合のこのメンタリティ、これがいったい何に由来するのか、いまだによく分からない。

ただこのメンタリティがあるからなのか、たとえば誰かにご飯に誘われて行ったりするさい、相手の人から「お店予約してないんですよね」と伝えられても特に気にならない。「じゃあ、どこか探しましょう」となるだけである。その間に、あそこはどうか、とか、こっちのほうがいいかも、とか、うろうろ街を歩いたりする時間が意外と好きだったりする。「この人とこんなふうに街をうろつくことは、今後、二度とないかもしれないな」と、ひとり考えながら、店が満杯で断られたり、予約がないと入れないところだったりして、当てもなくぶらぶらする。そんなこんなで、ふと入ったお店が意外とおいしくて、今後も通う機縁となることもあれば、反対に二度と行きたくないようなひどい味や対応に遭遇して、お互い顔を見合わせてびっくりすることもある。

単純に、私にとって出会いという経験は、こうした失敗も含めた偶然性にあふれたものだという信念がある。だからそれが面白いし、そこに豊かさを感じたりもする。なので予約文化ということを考えていると、この「偶然の出会い」という経験が今後どうなってしまうのか少し心配になる。

しかし他方で、このように予約文化が進んでしまう理由も痛いほどよく分かる。想像してみてほしい、スケジュールのない社会を。電車やごみの収集、給与の振り込み等が、次にいつ来るのか分からないような世界である。偶然やってきた電車にたまたま乗れるような世界、ほとんどの人がそんな世界を生きたいとは思わないだろう。むしろ人々は自ら進んで、規則や未来の時間に積極的に縛られようとする。理由は明白である。「遊び＝プレイ」が怖いからである。

プレイは定義できるか？

そもそも人はなぜプレイを怖れるのか。むしろ多くの人が同意するのは、たとえば子どもにとって遊びの経験は発達的に重要だし、遊びには「創造性」の鍵も含まれているということだろう。プレイの恐ろしさはどこにあるのか。

「プレイ」をそれ自体として定義してみようとすると、非常に困難なことが分かってくる。その理由のひとつは「ゲーム」との差異が不明瞭だからである。したがって「ゲーム」との対比を際立てながらプレイの実像を押さえていく方法がベターとなる。

まずプレイには、ゲームにとって必須の規則が存在しなくてもよい。「プレイには原則、規則は必要ではない」というメタ規則があるわけでもない。むしろプレイは、規則や社会的な有意義さから外れたところで「何かが起こる」という出来事性からなる。そしてそこから人は快楽を積極的に得るのだ。

そもそも人は遊びたくなるから遊ぶのであって、もし何か別のことを目的として遊んだり、遊びが規則的になったりする場合、その純粋さ、本義は失われる。プレイは究極なまでに自己目的的行動である。規則を翻弄しながら新しい規則を生みだすことさえプレイの特性であり、逆にその規則がプレイを縛るようになるとゲームに近くなる。

誰かに「遊びなさい」と命令されると遊べなくなる感じはよく分かるだろう。規則があれば、それに抗って、それとは無関係な時空間を生み出すことがプレイであり、その意味では「遊びなさい」という命令を逆手にとって「遊ばない」という仕方でニヤニヤする「遊び」さえ成立する。

大抵は数人以上の関係性において遊びは成立するが、たとえ一人でもそれは可能である。プレイが、どのような要因によって「始まる」のかはいつも不確定であり、ゲームのように結果として何かが成し遂げられて「終わる」わけでもない。それはあるとき、ある瞬間に起こり、プレイヤーはそれに没入し、そして飽きられ、消失する。ここに遊びの暴力的なまでの「恣意性」がある。「神々の遊び」という言葉が、どこか恐ろしい響きを背後に隠しているのは、彼らの恣意は私たち人間の事情などお構いなしに私たちをオモチャにできるからである。

この恣意性と、いつ、そして、何が起こるか分からない不確定性から、遊びを自由や自律、主体性へと結び付けることもできる。遊びは偶然の「余白（play）」から生じ、遊動空間の「余地（play）」に糧を与え、生真面目で融通の利かないお堅い世界とは異なる、ゆるんだ現実があることを私たちに垣間見せる。[*1]

本書において、このプレイにかかわる議論に私たちはすでに何度か出会っている。それは、１章の最後、詩人のヴァレリーが見た「踊るクラゲ」としてであり、哲学者のバタイユにとって至高性が生じる場所のひとつとしてである。

プレイは芸術性や創造性の溢れる場所であり、ヴァレリーにとってそれは、「それ自体が目的となるダンスの生成」であったし、バタイユにとってそれは「未来から私たちを搾取してくる労働からの離脱」であった。どちらもそのような至高な体験に貫かれ、それを夢見ていた。その体験とは、後先を考えることから切り離された、現在の瞬間に特化した特別なものである。これに関連して、『広辞苑〔第七版〕』には「遊び」の定義のひとつとして「(文学・芸術の理念として)人生から遊離した美の世界を求めること」が挙げられてもいる。

1章において私は、「くらげの人文学史」の帰結として、下記の三つの人間と動物のレイヤーを図式的に取り出していた(それぞれに若干の関連事項を付け加えておく)。

1) 自然から分化した人間(主に男性)	リテラシー(高等教育)・コミュニケーションの欠如・倦怠
2) 自然により近い人間(主に女性)	美・水死体・アート(第二の自然)・踊り子・売春婦
3) 自然と一体に生きる動物(クラゲ)	直接性・驚きを誘発・没入・至高性(=死・性愛・遊び)

この図式は、ヒエラルキー的に1)の高所の人間(主に男性)が、2)の人間(主に女性)を媒介して3)の自然のうちで生を直接的に生きる動物性を理解することを可能にするものだった。しかもそれはどこまでも1)の場所からまなざすものが投影する欲望としてである。そして1)から3)へと驚きながら下降し、自らクラゲへと生成すること、それが深い倦怠にとらわれた1)の人間を解放する方法だとも説いてい

た。「遊び」がかかわるのもこの3）への下降においてである。

この図式を、2.3での民主主義とリテラシー（識字）の議論とつなぎ合わせてみた場合、それはバタイユが「至高性」について主張した一九五〇年代までは妥当だった、もっといえば、その図式が孕む問題が深く自覚されることがなかった、といえるだろう（とはいえ、今もこの図式は女性や動物に対する性差別的、種差別的思考として、私たちのマインドセットに根深く残存していることも否めない）。

では、1）が夢見た3）への欲望は、どこまで擁護し、維持できるものなのか。今や問題にしなければならないのは、この図式が「至高性のない世界2.0」においてどう変容しつつあるのかである。

自然はプレイする

先の図式における3）、それは文明やリテラシーが覆う文化世界とは異なる「自然」の世界でもある。色とりどりのクラゲが海中を漂う野生といってもいい。とはいえ、その見かけの美しさや、私たちが思い描きがちな理想とは裏腹に、その世界には倫理も、正義も、法もない。その代わりに存在するのがプレイと深くかかわる暴力性である。

動物たち、とりわけ高等哺乳類が紛れもなく遊んでいると思われる事例は無数にある。

ライオンの子ども同士が戯れたり、ネコがネズミと戯れることもある。生物進化のプロセスにおいて、どうして動物たちが遊ぶようになったのかには尽きない関心があるが、以下では、その遊びに関連すると思われる例をふたつ紹介する（ただし、少しショッキングなものが含まれるので、ぜひ注意して読み進めていただきたい。この事前警告Trigger Warningも予約文化にかかわっている）。

最初の例は、群れでクジラを襲うことでも知られる海洋哺乳類のシャチだ。パタゴニアに生息するシャチはアシカを常食している。彼らは日向ぼっこをしているアシカがいる岸辺に突進し、巨体を上陸させてアシカを捕まえる。

この例では二頭のオスのシャチであるが、彼らが思う存分食事をしたあと、最後に残った子アシカをおもちゃにして遊ぶところが観察されている。「食事の最後の一品はまだ生きている脅えきった子アシカで、一頭のシャチのもとからもう一頭のもとへと、まるでビーチボールのようにはね飛ばされて空中を往復させられていた。着水するたびに、アシカは方角を見定めようともがきながら岸辺にもどろうとするのだが、そのたびにどちらかのシャチが、どう見ても喜び勇んでいる様子でそのあとを追いかけ、運動選手を思わせる派手な身のこなしをもってゲームに連れもどすのだった[*2]」。

しかも一通り遊び終わったあと、そのシャチの一頭が子アシカを口で咥えて、その子を捕まえた場所へと運んで戻したのである。「子アシカは動かなかったが、シャチが何度もつついていると、急に生き返ったようにばたつきはじめ、家族のもとへと帰っていった」[*3]。彼らが遊びを楽しんでいたのか、正確なことは分からない。が、殺すことも食べることも目的ではなかったのは確かである。

残酷だなと感じると同時に、人間の子どもたちがカエルや、アリなどの生物をもてあそぶ様子（今は減ったのかもしれないが）や、食べ物や食材で遊ぶ様子と変わらないとも思える（ところで、どうして子どもは食べ物で遊んではいけないと躾けられるのだろうか。食材をナイフで見事に捌き、色とりどりに飾り付けるシェフの遊び心は許されるのに[*4]）。

次の例は、私たち人類に最も近縁の動物種に関してである。以下は、タンザニアのゴンベで暮らす野生チンパンジーを長期的に観察した霊長類学者のJ・グドールによる記録である。それなりに長いものなので、適宜、まとめて再構成してある。

・一九七六年一一月のある日の午後五時一〇分、メスのチンパンジー、メリッサは、生後三週間の赤ん坊ジェニーを抱いて低い木の枝に座っていた。そこに同じく母でもあるメスのチンパンジー、パッションの子どもプロフとポムが現れ、プロフがジェニーの臭いを嗅いだ。メリッサが警戒してさらに高い木の上に登ったところ、そこに潜んでいたパッションがメリッサに飛びかかった。メリッサは悲鳴をあげて木の幹を滑り降りる。パッションがそれを追いかける。
・戦いは一〇分ほどつづく。パッションと娘のポムは協力して赤ん坊を奪おうとする。攻防が続く中、パッションは背後からメリッサの臀部を咬む。その傷は直腸まで達していた。メリッサがパッションの猛攻を避けている隙をついて、ポムが赤ん坊の頭に咬みついた。それでもメリッサは、パッションに咬みついたりして抗戦したが、最終的にポムは赤ん坊を抱えて逃げおおせた。
・パッションとプロフは、子どもを奪ったポムにつづいて木に登っていく。すでに子どもは、ポムに前頭を咬まれたことで死んでいた。メリッサも追いかけたがすでに消耗していて、枯れ枝が折れて墜落する。彼女はパッションが死体を持って食べ始めるのを下で見ていた。
・三分後、メリッサはパッションの後を追い、悲鳴をあげ始めた。パッションは彼女を避けたが、メリッサは細く哀訴の声を出しながらパッションの後を追った。
・赤ん坊を失った一五分後、メリッサは再びパッションに近づく。静かににらみ合いながら、メリッサは手を差し出し、パッションは彼女の出血している手に触れた。パッションはプロフと一緒にまだ赤ん坊を食べつづけていた。
・午後六時三〇分、メリッサは再びパッションに近づいた。二頭のメスは短い間、手を取り合った。
・午後六時四二分、メリッサは再び近づいた。パッションはメリッサを抱きしめて赤ん坊を食べつづけた。パッションが自分の足をメリッサに差し出すとメリッサはそれに触れた。メリッサの傷と腫れはひどく、四週間、怪我は回復しなかった。[*5]

わずか一時間半ほどの出来事だ。これをはじめて読んだとき、身の毛のよだつ思いと後味の悪さに慄然とせざるをえなかった。パッション親子が何をしたかったのか、どうしてメリッサは我が子を失ってなお、パッションと手を取り合ったり、抱き合ったりしたのか、他の仲間たちが止めに入ったり、それ以外の解決策を模索することはどうしてできなかったのか。この「なぜもっと……」という思考を私たち人間は止めることができないはずだ。

「チンパンジーは絶望しない」とは、動物心理学者であり、霊長類学者でもある松沢哲郎の言葉である。松沢は、オスのチンパンジー（レオ）が急性脊髄炎で首から下が麻痺して動かなくなったあとでも、わが身をまったく嘆くことなく、変わらぬ様子で松沢に関わろうとすることに驚いてそう結論づけている。[*6]「今ここの世界を生きているから、チンパンジーは絶望しない。「自分はどうなってしまうんだろう」とは考えない。たぶん、明日のことさえ思い煩ってはいないようだ[*7]」と。

それに対して人間としての私たちは同じような障害を抱えたとすれば、自分の身に起こったことを一年後、五年後、一〇年後の未来に投影して、自分がどのような生を送ることになるのかを想像してしまう。そして絶望する。こうした想像力に、類人猿における人間の種差がありそうなことは理解できる。

しかし、これも本当なのか、即断しないほうが賢明だとも思う。というのも、あのような悲惨な目に巻き込まれ、なすすべもなかったメリッサの悲哀の叫びが、絶望以外の何かであったと信じることは、私には難しいからである。それとも彼女は、明日になれば全部忘れて、「今ここの世界」を生きるだけなのだろうか。そして私のこの想定こそ、彼女に絶望を投影したい人間の想像力の遊びにすぎないのだろうか。

この例も、正確に遊びと呼べるものなのか判断は難しい。たとえ空腹だったとしても共食いが、チンパンジー(人間以外の霊長類も同様)で起こるのは稀なようだ。[*8] にもかかわらず、このパッション親子は四年間で群れの新生児を三頭も殺して食べていたことが分かっている(さらに七頭が殺され食べられていた可能性もある)。[*9]

グドールの統計では、チンパンジーが他個体に暴力を振るう要因として挙げられるのは、肉食のためであったり、性的もしくは社会的な興奮によってであったりする。が、「はっきりした前後の脈絡なし」に唐突に暴力が行使されることも多い。暴力的な行動の全数を見ると、オスのほうがメスよりも多いが、それでもこの理由の見当たらない攻撃性の割合はオスメスともに二〇％前後である。*10

「はっきりした前後の脈絡なし」という判定は、グドールを含む人間の観察者の推測にすぎない。だからもしかするとチンパンジーたちの固有な経験として何か要因があった可能性は残る。が、それでもこのパッション親子の蛮行は、攻撃された側からすれば当然、理由もなく驚くべきことであり、平穏な日常を無邪気に裏切るプレイに近いものとなる。

右記のふたつの例は、プレイに内在する暴力性や残虐性を強調するものとしてあえて選んだものだ。だから反対に、和やかで、かわいらしい動物たちのプレイの例を紹介することもできる。

にもかかわらず、こうした例の提示に終始したのは、その戯れの行為が、度を越えて過剰になるリスクを内在させていることを示したかったからであり、かつ、動物たちの世界では、そうしたおぞましい行為とかわいらしい行為とがどちらも同じ「遊び」の範疇として併存しているからである。笑ってじゃれ合っていた幼児たちが、いつのまにか髪を引っ張り合い、取っ組み合いのケンカになってしまうように、プレイには互いの意図を裏切り、過剰化（悪ふざけ化）する傾向がある。

もし人間社会で、右記の例に近いことが起きた場合、私たちはそれを許すことも、それに耐えることもできないだろう。この耐えられなさが、人間に固有の「弱さ」と繋がっている。それは2.3で論じた「傷ついてしまう弱さ」でもある。

したがって「至高性のない世界」へと向かう私たちに差し向けられた問いは、この弱さが、精神的もしくは肉体的な強さによって乗り越えられたり、克服できたりするものなのかどうかだが、私にはそれは不可能なことだと思える。もはや私たち人類は、この弱さを無視することなく、引き受け、それを壊れないようにやさしく抱えながら生きていくしかない、そうした地点に立っているのではないだろうか。

どうして私たちがプレイを怖れるのか、その理由は、プレイのこうした恣意的な暴力性とその暴走を、プレイそのものによって抑制することが困難であることを私たちが深く自覚しているからだ。

だから私たちはゲームを愛することでプレイを囲い込み、プレイをゲームへと吸収する。それは、獰猛なオオカミが長い時間を経て豆柴になったように、プレイを家畜や伴侶動物のように飼い慣らすことでもある（プレイの家畜化）。ゲームを壊さない範囲でのプレイ、つまり「ゲーム内プレイ」だけを許容していくような社会の方向性である。予約文化も含め、私たちは間違いなく、そうした世界に向かっている。

しかしそれはどこまで可能で、そこに別種の問題はないのだろうか（いずれ私たちは、プレイ的暴力とゲーム的暴力の差異を見つめなければならなくなるだろう）。

戦争と遊ぶ、坂口安吾

本節で検討しようとしていたのは、二一四頁の図式において１）の人間が夢見る３）の世界の内実であった。１）の人間が倦怠しながら深く憧れている自然の世界には、前述のようにダークで暴力的な側面が多分に含まれていて、それに歯止めをかける仕組み（＝規則）がない。それがゲームなきプレイの跋扈する世界であり、バタイユにとっては至高的な体験が生じる場所でもあった。

私たちはメリッサの身に降りかかったような事件に直面したとき、そんなことが人間社会で起こってはならない、あってはならない、とプレイの恐ろしさに戦慄し、「突き放される」感覚をもつだろう。

しかも、そのとき同時に見つめなければならないのは、共食いではないにせよ、私たち自身がパッションのように誰かの子を捕らえ、日々食していることである。

パ、ッ、シ、ョ、ン、と、は、私、た、ち、の、こ、と、か、も、し、れ、な、い

その仄暗い可能性にさえ届きうる想像力を私たちは手にしている。

確かに人間には、おぞましい現実から目を逸らしたくなる心性がある。しかしだからといって気づいてしまったプレイの暴力性をそのまま許容することもできない。このことは、日常から突き放され、弾き飛ばされる至高な体験の重要性を説いたバタイユも当然承知していたはずだ。

だから彼は、広島に落とされた原爆の凄まじいまでの人的被害を把握したうえで、人間の最大の暴力行為としての戦争に強く反対していた。しかもその被害のおぞましさについて「動物的な苦悩の果てしない《不条理》[11]」なのだと、メリッサの体験をくぐり抜けた私たちであれば理解できる言葉を残してもいる。

それなのになぜバタイユは、この暴力的でもある至高な体験へと私たちを導くような態度を示しつづけたのか。私たちはその真意を探らなければならない。彼は、単にサディスティックに暴力や加虐を礼讃していたわけではない。むしろ人間を含む生きとし生けるものの生の暗さを、プレイの残酷さをくぐり抜けて初めて辿り着ける場所があると信じていたはずだ。それをしかと見定めた上で、私たちの世界がどう変容するのかを見届けねばならない。

しかしここで直接、バタイユへと向かうのではなく、それとは別の思考の補助線を導入してみたい。それは、敗戦後まもなくの日本社会において、日本人が堕ちぬくことを、堕落することを勧めた作家であり、批評家でもあった坂口安吾である（私の勤務大学の卒業生でもある)。

ダークサイドに堕ちるといえば、STAR WARSの見すぎかもしれない。が、この「堕ちる」という言葉には、抗いがたい誘惑がある。スリルや背徳的な快だけではない。怠惰な自己の肯定もそこには含まれる。日本人は堕ちていいのだ、堕ちる必要があるのだと、安吾の説く言葉にはどこか優しささえも感じられる。

しかも安吾は、バタイユと同様、間違いなく私たちの図式の1)から3)へと下降し、そこにおける暴力的な体験の最中にある美を称賛する傾向があった。以下は、「堕落論」(一九四六)における安吾が戦時中に経験した自身の「遊び」の記述である。

私は戦きながら、然し、惚れ惚れとその美しさに見とれていたのだ。私は考える必要がなかった。そこには美しいものがあるばかりで、人間がなかったからだ。〔……〕戦争中の日本は嘘のような理想郷で、ただ虚しい美しさが咲きあふれていた。それは人間の真実の美しさではない。〔……〕たとえ爆弾の絶えざる恐怖があるにしても、考えることがない限り、人は常に気楽であり、ただ惚れ惚れと見とれておれば良かったのだ。私は一人の馬鹿であった。最も無邪気に戦争と遊び戯れていた。[*12]

ここで安吾は、戦争と遊んでいた自分を「一人の馬鹿」として、振り返ったのちの自戒も込めていそうな知的な書き振りで告白している。しかし同じ評論の中で戦争の「偉大な破壊、その驚くべき愛情[*13]」とも述懐している。ここには「**私自身が戦争である**[*14]」と述べていたバタイユとも通底する何かがある。

しかも上記の引用は、現に戦火をくぐり抜けた当事者としての安吾の言葉だ。おそらく彼は、苦しむ人々の被害をわきに置きながら、戦争という剝き出しの暴力と美に囚われ、見とれてしまうことの不謹慎さ、遊びの不遜さもよく理解していた。しかしそれでも、そうした体験に捕らえられてしまったことを隠したり、恥じたり、否定したりするのもまた嘘である、と自分を裏切ることもできなかった。安吾の思考のかたちも、至高な体験の強烈さに決定づけられていたことは否定し難い。

これが人間のふるさとなのか

その安吾が「堕落論」に先立つ戦時中の一九四一年に発表した「文学のふるさと」という小論がある。ここでは、共食いではないが、メリッサに起きたことと近い童話が、私たちの心をつかむ「ふるさと」という言葉で語られている。

シャルル・ペロオの童話に「赤頭巾（あかずきん）」という名高い話があります。〔……〕荒筋を申上げますと、赤い頭巾をかぶっているので赤頭巾と呼ばれていた可愛い少女が、いつものように森のお婆さんを訪ねて行くと、狼がお婆さんに化けていて、赤頭巾をムシャムシャ食べてしまった、という話であります。まったく、ただ、それだけの話であります。[15]

このペローの童話は、私たちが知る赤頭巾とはずいぶん違う。何が違うか。そこには猟師も現れないし、お婆さんと赤頭巾が最後に救われることもない。教訓も、モラルも、救いも見出せないのがペロー版の赤頭巾である、と安吾はいう。[16] そして彼はこれこそが「文学のふるさと」、しかもそれを拡張して「人間のふるさと」[17] なのだと主張する。

> 愛くるしくて、心が優しくて、すべて美徳ばかりで悪さというものが何もない可憐な少女が、森のお婆さんの病気を見舞に行って、お婆さんに化けている狼にムシャムシャ食べられてしまう。
>
> 私達はいきなりそこで突き放されて、何か約束が違ったような感じで戸惑いしながら、然し、思わず目を打たれて、プツンとちょん切られた空しい余白に、非常に静かな、しかも透明な、ひとつの切ない「ふるさと」を見ないでしょうか。
>
> その余白の中にくりひろげられ、私の目に沁みる風景は、可憐な少女がただ狼にム

シャムシャ食べられているという残酷ないやらしいような風景ですが、然し、それが私の心を打つ打ち方は、若干やりきれなくて切ないものではあるにしても、決して、不潔とか、不透明というものではありません。何か、氷を抱きしめたような、切ない悲しさ、美しさ、であります。*18

私たちは、この安吾がいう「ふるさと」にどう向き合えばよいのだろう。このふるさとが、私たちにノスタルジーを喚起する穏やかで温かさに満ちた場所でないのは確かだ。ともかくバタイユとともに歩んできた私たちにとって重要なことは、何が安吾に、この救いのない物語に「氷を抱きしめたような、切ない悲しさ、美しさ」があると言わしめているのかである。

安吾は、この小論のなかで赤頭巾の童話とは別に、二つの小作品（狂言と『伊勢物語』）と晩年の芥川龍之介の逸話を取り上げていて、それらを「ふるさと」に結びつけている。この二つの小作品も興味深いものだが、以下では芥川の逸話だけを取り上げる。それは以下のようなものだ。

晩年の芥川のもとにときどきやってくる農民作家がいた。あるときこの農民がもってきた原稿を読んでみると、こんな内容が書かれていた。ある百姓が子どもをもうけたのだが、貧乏なので、このままでは親子共倒れになるから、「むしろ育たないことが皆のためにも自分のためにも幸福であろうという考えで、生れた子供を殺して、石油罐だかに入れて埋めてしまうという話」である。芥川はあまりに暗い話でやりきれなくなって、農民作家に尋ねる。「いったい、こんな事が本当にあるのかね」と。「すると、農民作家は、ぶっきらぼうに、それは俺がしたのだがね、と言い、芥川があまりの事にぼんやりしていると、あんたは、悪いことだと思うかね、と重ねてぶっきらぼうに質問」してきたというものだ。[19]

芥川はその問いかけに対して言葉を失ってしまう。そして農民作家が立ち去った後、「突然突き放されたような気が」したという。安吾は、この「芥川が突き放されたものは、やっぱり、モラルを超えたものであります」と述べる。しかも、「子を殺す話がモラルを超えているという意味では」ないとも注記する。その具体的内容ではなく、「とにかく一つの話があって、芥川の想像もできないような、事実でもあり、大地に根の下りた生活でもあった。芥川はその根の下りた生活に、突き放されたのでしょう。いわば、彼自身の生活が、根が下りていないために、根が下りていないためであったかも知れません。けれども、彼の生活に根が下りていないにしても、根の下りた生活に突き放されたという事実自体は立派に根の下りた生活であります」と。[20]

芥川に起きていたのは、私が1章で述べていた「くぐり抜けの方法論」の一つ「統覚の解体」だろう。想像を超えた生の現実の迫力を目の当たりにし、自分の安定した生活から一挙に引きはがされ放心してしまう、そのような体験である。

しかしでは、安吾がここで述べた「大地に根の下りた生活」とは何であるのか、そこに「ふるさと」の秘密があるはずだ。それはおそらく、赤頭巾の童話や子を殺した農民作家の逸話が伝えるように、モラルもなければ、救いもないまま、生や死が遊んでいる世界であろう。誰が、どのように、何によって生きるのか、そして死ぬのかが、その理由も、予測も、解決も、改善もないまま流れ、戯れる世界である。

私たち人類にも、偶然性や恣意性に翻弄され、滅ぼされ、苦しんできた目も眩むような長大な時間と歴史がある。そして今も同じような世界を生きている動物たちがいる。これこそ私たちの図式でいう3）の世界である。

この大地から根が離れ、くらげのように浮遊した生は、突き放されることで再度、「大地に根の下りた生活」となる。このことはそのまま、「堕落論」における「堕ちること」のプロセスとも重なり合っている。大地を離れて浮遊した生活を送る人間は、堕ちることでふるさとを知るのである。安吾は、プレイの大地に根を下ろすことなしには、どのようなモラルも社会も信用に値しない、そう考えている。

モラルがないこと、突き放すこと、私はこれを文学の否定的な態度だとは思いません。むしろ、文学の建設的なもの、モラルとか社会性というようなものは、この「ふるさと」の上に立たなければならないものだと思うものです。[*21]

安吾はこの「ふるさと」を「宝石の冷めたさのようなもの」であり、「生存それ自体が孕んでいる絶対の孤独」（強調は引用者）であるとも述べる。[*22] 私たちが突き放されてしまうとき、この「私たち」という連帯はほどけ、一個の世界とそこに居合わせる「私」の二つしかなくなってしまう。言葉も行為も失って個であることが、ナイフの切っ先のような鋭さで突き付けられる。それが芥川にも起きた、どのような救いも、モラルも、規則もないまま、プレイに翻弄された実存の孤独である。

そこに身を浸しきったときに私たちは、自らの「ふるさと」に触れるのだと安吾はいう。このふるさとは明らかに一般的に理解されるふるさとではなく、異様なほど「非‐ふるさと的な何か」である。にもかかわらず、この「非‐ふるさと」こそが「ふるさと」であると、安吾は矛盾するレトリックをアクロバティックに用いて主張する。

生存の孤独とか、我々のふるさとというものは、このようにむごたらしく、救いのないものでありましょうか。私は、いかにも、そのように、むごたらしく、救いのないものだと思います。この暗黒の孤独には、どうしても救いがない。我々の現身（うつしみ）は、道に迷えば、救いの家を予期して歩くことができる。けれども、この孤独は、いつも曠野を迷うだけで、救いの家を予期すらもできない。そうして、最後に、むごたらしいこと、救いがないということ、それだけが、唯一(ゆいいつ)の救いなのであります。[*23]

モラルがないことがモラルであり、救いがないことが救いであるとの表現を安吾は何度も用いている。このふるさとは予約をしてから帰るような場所ではありえない。予約文化の枠内にはないものだ。「宿命などというものよりも、もっと重たい感じのする、のっぴきならぬもの」であり、「我々の生きる道にはどうしてもそのようでなければならぬ崖があって、そこでは、モラルがない、ということ自体が、モラル」なのだから。[*24]

安吾は、このようなレトリックを用いながら、私たちに何か深淵なことを伝えようとしている。それがうまく理解できなければ、別の問題が起きてしまうような何かを。しかし、だまされないように気をつける必要もある。救いがないことが救いである、モラルがないことがモラルである、という語りは実際に私たちに何かを伝えることに成功しているといえるのか。それを人間のふるさとだと得心できるものとは、いったい誰なのだろう。

他方で安吾は、こうしたレトリックに誰もが得心することがないことにもちゃんと気づいていた。そこで持ち出されるのが「大人の仕事」という彼の賢しさを示す素振りであり、それは同時に、諦めに似た何かのようでもある。

> アモラルな、この突き放した物語だけが文学だというのではありません。否、私はむしろ、このような物語を、それほど高く評価しません。なぜなら、ふるさとは我々のゆりかごではあるけれども、**大人の仕事は、決してふるさとへ帰ることではないから**。……[*25]（強調は引用者）

ふるさとに戻ること、帰ることは大人がすべき仕事ではない。大切なのは、誰もが目を背けようとする、このふるさとを忘れないこと、ふるさとから目を離さず、ふるさととの紐帯を手放さないことである。ここにあるのは、常人には受け入れがたい残酷な「ふるさと」を「氷を抱きしめたような、切ない悲しさ、美しさ」として回収できてしまう安吾の「強さ」に対置される人間全般の「弱さ」への冷徹な眼差しだ。

私たちの図式を思い出してほしい。人は1）から3）へと堕ちぬくことはできるのだろうか。生と死のプレイが跋扈する3）の世界、そこはかつて人類が、他の動物とともに歩んできた場所であり、ゆりかごだったのかもしれない。しかも同時にそれは、1）の高所から3）を見下ろし、倦怠し、美にとらわれ、憧憬する、人間（主に男性）の残酷だが、どこまでも文学的な「遊び」である可能性も拭いきれないものだ。安吾もその高所にいる、とはいえないだろうか。

とはいえ、安吾は、「堕落論」の最後の段落において、堕ちることを勧めてはいても、人間が堕ちぬくことのできない存在であることも見抜いている。
「戦争に負けたから堕ちるのではないのだ。人間だから堕ちるのであり、生きているから堕ちるだけだ。だが人間は永遠に堕ちぬくことはできないだろう。なぜなら人間の心は苦難に対して鋼鉄の如くでは有り得ない。人間は可憐であり脆弱であり、それ故愚かなものであるが、堕ちぬくためには弱すぎる」[26]のだと。

この安吾の微妙な位置。安吾はこの弱さを否定しない。人間は「ふるさと」へと帰ることも、「ふるさと」に耐えることもできない。そしてこの弱さこそ、1）の人間が3）へと下降することが成就しえない欲望であることの理由である。とすると、ここから問われるべきものは二つである。

バタイユや安吾には具わっているように見える至高な体験に耐える「強さ」が何に由来していたのかと、それに対して堕ちぬくことのできない「弱さ」をかかえた人々がどこに向かうのかである。この二つの問いが指し示しているのはやはり、ゲームがプレイを凌駕していく社会に他ならない。次章で私は、このゲームが圧倒する世界と自らのセクシュアリティである「男性性」の問題に向き合いながら、そこにおけるプレイの可能性をくぐり抜けることにしたい。

2章　註

【2.1】

※［　］内は引用者による補足。

＊1　産経新聞「安倍首相、所信表明演説で「強い日本」を強調」https://www.sankei.com/article/20181024-OSIDVXA35JJFADUPYFEDKBRYU/

＊2　私は以前、こうした体験を「事故の現象学」として展開した。稲垣諭『大丈夫、死ぬには及ばない　今、大学生に何が起きているのか』（学芸みらい社、二〇一五年）終章「「経験の事故」のなかで、「自己」は新生する」参照。

＊3　この逸話は、土方の愛弟子であり、現在も現役の舞踏家である笠井叡によって語られたものである。笠井叡『カラダという書物』（書肆山田、二〇一一年）一八六頁。本書は、日常的な身体を「解体」するためのヒントに溢れている。

＊4　K. Ozaki, C. T. Reinhard, "The future lifespan of Earth's oxygenated atmosphere", *Nature Geoscience*, vol.14, 2021, pp.138-142.

＊5　G・バタイユ『至高性』（湯浅博雄、中地義和、酒井健訳、人文書院、一九九〇年）一二頁。

＊6　R・ダンバー『宗教の起源』（小田哲訳、白揚社、二〇二三年）五七頁。

＊7　F・ベラルディ『大量殺人の〝ダークヒーロー〟―なぜ若者は、銃乱射や自爆テロに走るのか？』（杉村昌昭訳、作品社、二〇一七年）四七頁。

＊8　引用の訳文は、一部、変更している。W・ベンヤミン『複製技術時代の芸術』（佐々木

基一編集解説、晶文社、一九九九年）四九頁（高木久雄、高原宏平訳）。芸術も哲学も安易に政治利用され、それによって大衆は自己破滅的な美的快楽の消費を行うよう誘導される。ベンヤミンはこうした政治の芸術化、政治の耽美主義を諌め、むしろその反対の芸術の政治化を説いていた。「政治の耽美主義のためのあらゆる努力は、必然的にひとつの頂点をめざしている。この頂点とは戦争にほかならない。戦争、ただ戦争のみが、現在の所有関係に触れることなく、大規模な大衆運動に目標をあたえうるのである」。同書、四七頁。他方、バタイユもまたニーチェの反ユダヤ主義的な政治利用に最後まで強く反対していた。G・バタイユ他『無頭人（アセファル）』（兼子正勝、中沢信一、鈴木創士訳、現代思潮社、一九九九年）三一頁。

*9 G・バタイユ『至高性』二二三頁。

*10 同書、九頁。

*11 G・バタイユ『エロティシズムの歴史　呪われた部分―普遍経済論の試み：第二巻』（湯浅博雄、中地義和訳、ちくま学芸文庫、二〇一一年）二六五頁。

*12 稲垣諭『絶滅へようこそ「終わり」からはじめる哲学入門』（晶文社、二〇二二年）二八六頁。

*13 この発言で「後退する」と述べているということは、彼は、再度、前進していける目的地があると考えていそうである。F・フクヤマ『「歴史の終わり」の後で』（マチルデ・ファスティング編、山田文訳、中央公論新社、二〇二二年）六四頁。

*14 稲垣論『絶滅へようこそ』一六三～一六四頁。世界の殺人の発生率が減っていたとしても、地球上の人口は近代化とともに爆発的に増え、軍事テクノロジーも発展しているの

だから、殺害された人々の絶対数が減ることはない、そのことも同時に考慮しなければならない。歴史上の残虐な大量殺戮のランキングを統計的に作成したM・ホワイトによれば、ランキング一位は第二次世界大戦であり、その死者数は六六〇〇万人になる。そして大量殺戮の一〇〇のランキングの五分の四が戦争によるものである。戦争は独裁者よりも人を殺す。M・ホワイト『殺戮の世界史　人類が犯した１００の大罪』（住友進訳、早川書房、二〇一三年）六六四〜六六六頁。

＊15　R・ランガム『善と悪のパラドックス　ヒトの進化と〈自己家畜化〉の歴史』（依田卓巳訳、NTT出版、二〇二〇年）ではproactive aggressionを「能動的攻撃性」と訳しているが、本書では拙著『絶滅へようこそ』でも用いた「計画的攻撃性」という訳語を採用している。

＊16　S・フロイト『幻想の未来／文化への不満』（中山元訳、光文社古典新訳文庫、二〇〇七年）二五九頁。

＊17　稲垣諭『絶滅へようこそ』一七五頁。

＊18　J・ラカン『エクリ　I』（宮本忠雄、竹内迪也、高橋徹、佐々木孝次訳、弘文堂、一九七二年）二八三頁。

＊19　稲垣諭『絶滅へようこそ』二九〇頁。

＊20　Institute for Economics & Peace, *Global Terrorism Index 2022 : Measuring the Impact of Terrorism*, 2022, p.2.

＊21　*ibid.*, p.4.

【2.2】

＊1　稲垣諭『絶滅へようこそ　「終わり」からはじめる哲学入門』（晶文社、二〇二二年）二一一頁。

＊2　E・トッド『アラブ革命はなぜ起きたか　デモグラフィーとデモクラシー』（石崎晴己訳、藤原書店、二〇一一年）三一〜三六頁。より包括的にはE・トッド『世界の多様性　家族構造と近代性』（荻野文隆訳、藤原書店、二〇〇八年）参照。

＊3　令和三年に内閣府によって実施された夫婦の氏に関する調査（https://www.moj.go.jp/content/001373638.pdf 参照）では、一八〜二九歳の女性では、選択的夫婦別姓制度の賛成は四五・七％であり、夫婦同姓制度維持の賛成は一〇・四％にすぎない。が、七〇歳以上の女性になると前者の賛成が一四・五％、後者が四六％となる。男性では、その割合に違いはあるが、世代間の格差は女性と同様である（一八〜二九歳では前者三四％、後者二二％、七〇歳以上では前者一五・八％、後者四九・九％）。同性婚に関する世代間の回答も、これと類似のパターンである。八代尚宏『シルバー民主主義　高齢者優遇をどう克服するか』（中公新書、二〇一六年）六四〜六五頁も参照。

＊4　稲垣諭『絶滅へようこそ』二一〇〜二一二頁。

＊5　トッドは、フクヤマの「歴史の終わり」仮説は、経済的視点が強調され、大衆識字化という教育に関わる人口動態のファクターが捉えられていないことを批判している。さらにその仮説は、一度、リベラルな民主化が達成されればそこで安定する（歴史は停止する）ことを前提にしているが、それも違うと彼は述べる。その理由は本論でも述べるが、初等教育ではなく、「中等・高等教育」の発展にある。E・トッド『帝国以後　ア

メリカ・システムの崩壊』（石崎晴己訳、藤原書店、二〇〇三年）三九頁以下。

＊6　E・トッド『我々はどこから来て、今どこにいるのか？　下　民主主義の野蛮な起源』（堀茂樹訳、文藝春秋、二〇二二年）一四三頁。

＊7　同書、一五三、一五五頁。

＊8　E・トッド『我々はどこから来て、今どこにいるのか？　上　アングロサクソンがなぜ覇権を握ったか』（堀茂樹訳、文藝春秋、二〇二二年）四六頁。

＊9　トッドはこのことを、移民などにより人口構成が変わり、核家族化が起きたとしても、たとえばアメリカでは黒人の混合婚率が変わらないことや、イギリスやドイツ、フランスにおいて、イスラム教徒の移民の娘の混合婚率にそれぞれ差異が出ることなどから導き出している。E・トッド『我々はどこから来て、今どこにいるのか？　下』七九頁、一四三頁以下。

＊10　同書、一一頁。

＊11　同書、二五頁。

＊12　同書、二三頁。アメリカ同様に古い核家族を維持するイギリスでは、F・ゴルトンによって「優生学（eugenics）」という言葉が造られたように、階級への所属に対する不平等意識が根強いこともトッドは指摘している。同書、五四頁以下。

＊13　同書、三二頁。

＊14　同書、二四頁以下。

＊15　E・トッド『家族システムの起源　Ⅰ　ユーラシア　上』（石崎晴己監訳、藤原書店、二〇一六年）序説および、二〇〇頁以下を参照。

＊16 E・トッド『我々はどこから来て、今どこにいるのか？ 上』口絵から。

＊17 E・トッド『我々はどこから来て、今どこにいるのか？ 下』七六頁。

＊18 同書、九一頁

＊19 日本経済新聞「米のコロナ禍「超過死亡」、人種間の差大きく 米調査」二〇二一年一〇月七日 https://www.nikkei.com/article/DGXZQOGN06E070W1A001C2000000/

＊20 八代尚宏『シルバー民主主義』参照。

＊21 清水仁志「シルバー民主主義と若者世代～超高齢社会における1人1票の限界～」（ニッセイ基礎研究所）二〇一八年三月二三日 https://www.nli-research.co.jp/report/detail/id=58222?pno=2&site=nli

＊22 一般社団法人NO YOUTH NO JAPAN、株式会社日本総合研究所「U30世代の投票率向上のための施策案について」二〇二一年一二月一五日 https://www.jri.co.jp/page.jsp?id=104071

＊23 これに関しては、デリダ論でもある以下の拙論を参照していただきたい。稲垣諭「『幾何学の起源』再考―付論①：言語以前の経験とデリダのエクリチュール論」『白山哲学』（東洋大学文学部哲学研究室編、二〇二三年三月）四五～八一頁。

＊24 E・トッド『我々はどこから来て、今どこにいるのか？ 上』一九九頁。

＊25 同書、二〇〇～二〇二頁。

＊26 R. Berlin, *Eine besondere Art der Wortblindheit* (*Dyslexie*), Wiesbaden, Verlag von J. F. Bergmann, 1887.

＊27 ＡＤＨＤの歴史的変遷に関しては、稲垣諭「動きすぎるものたちの現象学 ポスト・モ

ダンの申し子とは誰のことか?」『現代思想』(一一月号、青土社、二〇一八年)七一～八四頁参照。
＊28 E・トッド『我々はどこから来て、今どこにいるのか? 上』二五三頁。
＊29 同書、二〇五頁。
＊30 L. Hunn, B. Teague, P. Fisher, "Literacy and Mental Health Across the Globe: A Systematic Review", *Mental Health and Social Inclusion*, Vol. 27. No4, pp392-406. 2023.
＊31 E・トッド『我々はどこから来て、今どこにいるのか? 下』四〇～四一頁。
＊32 E・トッド『我々はどこから来て、今どこにいるのか? 上』三四頁。
＊33 E・トッド『我々はどこから来て、今どこにいるのか? 下』四三頁。
＊34 同書、四三～四四頁。
＊35 E・トッド『我々はどこから来て、今どこにいるのか? 上』三四頁。
＊36 E・トッド『我々はどこから来て、今どこにいるのか? 下』四六～四七頁。
＊37 吉川徹『学歴と格差・不平等　成熟する日本型学歴社会』(東京大学出版会、二〇〇六年)も参照。
＊38 文部科学省「令和4年度学校基本調査(確定値)について公表します」二〇二二年一二月二一日 https://www.mext.go.jp/content/20221221-mxt_chousa01-000024177_001.pdf
＊39 E・トッド『我々はどこから来て、今どこにいるのか? 下』一八六頁。
＊40 E・トッド『我々はどこから来て、今どこにいるのか? 上』四八頁。
＊41 Survey Center on American Life, "The Growing Political Divide Between Young Men and Women", 2022.5.31., https://www.americansurveycenter.org/featured_data/the-

growing-political-divide-between-young-men-and-women/

*42 J. James, "The College Wage Premium", *Economic Commentary*, No.2012.10

*43 A・ケース、A・ディートン『絶望死のアメリカ　資本主義がめざすべきもの』(松本裕訳、みすず書房、二〇二一年)一六八頁。

*44 E・トッド『我々はどこから来て、今どこにいるのか？　下』一〇七頁の図表参照。

*45 同書、六八〜六九頁。

*46 同書、七三〜七四頁。他者排除の起源をもつ民主主義を支持するアメリカもイギリスも、人間の不平等を暗に認めざるをえない特性がある。M・ヤングの『メリトクラシー』以前にも、イギリスではF・ゴルトンによって「優生学」という新語の創出（一八八三年）が行われ、同じくイギリス人のH・G・ウェルズのSF小説『タイムマシン』（一八九五年）やA・ハクスリー『すばらしい新世界』（一九三二年）でも、生物学的、遺伝学的に社会階層を正当化する社会が描かれてきた。E・トッド『我々はどこから来て、今どこにいるのか？　下』五三頁以下。

*47 A・ケース、A・ディートン『絶望死のアメリカ』六〇頁以下。

*48 E・トッド『我々はどこから来て、今どこにいるのか？　下』一〇三頁。

*49 A・ケース、A・ディートン『絶望死のアメリカ』一五〇、一五八頁。

*50 同書、一六二頁。

*51 E・トッド『我々はどこから来て、今どこにいるのか？　下』六一頁。

*52 同書、一〇八〜一〇九頁。

*53 日本経済新聞「1人当たりGDP、日台・日韓で逆転へ　日経センター予測」二〇二二

年一二月一四日 https://www.nikkei.com/article/DGXZQOGM1021O0Q2A211C2000000/

＊54 橋本健二『新・日本の階級社会』（講談社現代新書、二〇一八年）、吉川徹『日本の分断 切り離される非大卒若者たち』（光文社新書、二〇一八年）参照。

＊55 E・トッド『我々はどこから来て、今どこにいるのか？ 下』二八五頁。

【2.3】

＊1 下記二冊は、いわゆる「今どき論」を考えるきっかけと衝撃を与えてくれた書でもある。後藤和智『おまえが若者を語るな！』（角川oneテーマ21、二〇〇八年）、大倉幸宏『「昔はよかった」と言うけれど 戦前のマナー・モラルから考える』（新評論、二〇一三年）。

＊2 法務省法務総合研究所編『令和4年版 犯罪白書 新型コロナウイルス感染症と刑事政策 犯罪者・非行少年の生活意識と価値観』一〇六頁。

＊3 同書、三頁。

＊4 同書図表、一〇六頁。

＊5 稲垣諭『絶滅へようこそ 「終わり」からはじめる哲学入門』（晶文社、二〇二二年）一六〇頁。

＊6 G・ドゥルーズ、S・ベケット『消尽したもの』（宇野邦一、高橋康也訳、白水社、一九九四年）七頁。

＊7 同書、九頁。

＊8 人工肺で呼吸をしていたドゥルーズ自身が、自らの状況を消尽したものに重ねていた。

とはいえ私たちは、身体の不可逆な老いや治癒困難な疾病において苦しむ実存に対して、非当事者として何ができるのかをさぐる試みを止めることもできない。

*9 M・E・マカロー『親切の人類史　ヒトはいかにして利他の心を獲得したか』（的場知之訳、みすず書房、二〇二二年）一七四頁。

*10 同書、一七五頁。

*11 東京私大教連「私立大学新入生の家計負担調査２０２１年度」一一頁。http://tfpu.or.jp/wp-content/uploads/2022/04/2021kakeifutan20220406.pdf

*12 S・ピンカー『暴力の人類史　上』（幾島幸子、塩原通緒訳、青土社、二〇一五年）、第三章「文明化のプロセス」、および二三一頁以下。

*13 A・トクヴィル『アメリカのデモクラシー　第二巻（上）』（松本礼二訳、岩波文庫、二〇〇八年）二三七〜二三八頁。

*14 J・シュクラー『不正義とは何か』（川上洋平、沼尾恵、松元雅和訳、岩波書店、二〇二三年）第三章「不正義の感覚」参照。

*15 日本経済新聞「コロナ予備費12兆円、使途9割追えず　透明性課題」（電子版、二〇二二年四月二二日）。毎日新聞では、「不透明なコロナ支出　ワクチンや病床確保に16兆円、さらに膨らむ恐れ」（電子版、二〇二二年五月五日）との記事も出ている。

*16 J・シュクラー『不正義とは何か』二〇六頁。「私たちは、［不正を為した］個々人に対しては、もしくは［不正を受けた］個々人のためには怒りを覚えるものだが、広範囲にわたっての、あまりにも多くの人々に影響するような不正に対しては、かえって無関心になる」。

＊17　「寛容のパラドクス」とは、社会が多様な意見に寛容であることは望ましいことであるが、不寛容な意見に対しても社会が寛容であろうとすると、寛容な社会そのものが破壊されてしまうというパラドクスである。寛容な社会が破壊されないために、不寛容な意見や行動に対して社会は不寛容な態度で臨まなければならないが、それはどの程度まで許されるのか、という問題でもある。稲垣諭『絶滅へようこそ』一七八頁以下。

＊18　D・グレーバー『官僚制のユートピア　テクノロジー、構造的愚かさ、リベラリズムの鉄則』（酒井隆史訳、以文社、二〇一七年）二七五頁。

＊19　この訳語の選択に関して、新訳の『哲学探究』では訳者の配慮が行き届いているのが分かる。L・ウィトゲンシュタイン『哲学探究』（鬼界彰夫訳、講談社、二〇二〇年）。

＊20　D・グレーバー『官僚制のユートピア』二七一〜二七二頁。

＊21　この問題に関しては以下の拙論を参照。稲垣諭「道具：〈ポスト・ヒューマン〉以後　オワコン時代の人間と機械」、河本英夫・稲垣諭編著『iHuman　AI時代の有機体－人間－機械』（学芸みらい社、二〇一九年）一〇三〜一二四頁。

＊22　ジャンルに偏りはあるが、大衆的な日本のゲームタイトルの発売年を記しておく。任天堂のファミコンの登場は一九八三年であり、「スーパーマリオブラザーズ」は一九八五年に発売され、北米、欧州、豪州をはじめ世界で四〇〇〇万本以上の売り上げがあったという。また現在でも新作が発表されれば、そのままヒット作となる「ゼルダの伝説」（一九八六年）や「ドラゴンクエスト」（一九八六年）、「ファイナルファンタジー」（一九八七年）もほぼこの時期に発売されている。中川大地『現代ゲーム全史　文明の遊戯史観から』（早川書房、二〇一六年）一八二頁以下参照。

＊23　同書、一一頁。

＊24　同書、一一頁。

＊25　人間社会をチェス盤に見立てて理解しようとすることは、すでに一八世紀にA・スミスが行っていた。H・アレントも『全体主義の起源』（一九五一年）で権力と支配を果てしなく追い求める帝国主義的な動向を「大いなるゲーム」として語っているが、そこで考えられているのはおそらくチェスのようなものである。また人間の経済行動をゲームとして捉える「ゲーム理論」は、J・フォン・ノイマンとO・モルゲンシュテルンによる共著『ゲームの理論と経済行動』として一九四四年の出版によって幕を開ける。ただしゲーム理論が今日のように広く認知され、様々な分野に進出するようになったのは八〇年代以降である。神取道宏「ゲーム理論による経済学の静かな革命」、岩井克人・伊藤元重編『現代の経済理論』（東京大学出版会、一九九四年）四〇〜五二頁、岡田章「ゲーム理論の歴史と現在　人間行動の解明を目指して」『経済学史研究』（四九巻一号、経済学史学会、二〇〇七年）一三七〜一四〇頁。

＊26　D・グレーバー『官僚制のユートピア』二七三頁。

＊27　この官僚制の問題については、拙著において「村上春樹論」として詳細に扱った。稲垣論『絶滅へようこそ』三一六頁以下。

【2.4】

＊1　以前私は、下記の拙著で「自分で自分を遊べるようになる」ことを、苦しい現実の生に余白を見出し、脱出するひとつのメソッドであることを示唆していた。稲垣諭『大丈

夫、死ぬには及ばない　今、大学生に何が起きているのか?』(学芸みらい社、二〇一五年)一九三～一九四頁。

*2　L・ワトソン『ダーク・ネイチャー　悪の博物誌』(旦敬介訳、筑摩書房、二〇〇〇年)九頁。この引用では「ゲーム」という語が用いられているが、ここで行われているのはグレーバーの定義に則っていえば、規則が支配する「ゲーム」ではなく「プレイ」である。

*3　同書、一〇頁。

*4　ほとんどの読者はここで、子どもが食べ物で遊ぶことと、シェフが仕事で見せる遊び心は全くちがうと反論したくなるだろう。私自身それはよく分かっている。にもかかわらず、この二つの遊びを並べたのは、一見異なるように見える二つの遊びに共通する暴力性こそが、現代の動物倫理が向き合う最難関の問いだからである。きれいに肉を切り取られ、調理され、盛り付けられた料理を感謝していただくこと、ほとんどの人はこれを悪いことだとは思わないだろう。肉食文化があまりに当たり前すぎるからである。しかしでは、私たちと同じ動物であるという観点から彼らの世界を理解しようとした場合、子どもに遊ばれることと、丁寧に盛り付けられることの間にどんな違いがあるのか、私たちはその答えを本当に持ち合わせているのだろうか。「人間以外の動物は、感謝すれば食べてもよい」という、私たち人類の永きにわたる慣習に含まれる倫理観と暴力性が顧みられることはこれまでほとんどなかった。日本では今でも家畜たちがどのように食肉処理されているのか、その情報は秘匿され、目にすることも極端に少ない。「動物福祉」という彼らの苦痛に最大限の配慮をするように見える取り組みも、その実、生殺与奪の権利は彼らには絶対に与えないという、人間以外の動物に対する支配と暴力を自明

なこととしている。この誰もが目を背けたくなる現実を、D・J・ワディウェルは、人間は動物たちに戦争を仕掛けつづけているのだと現代哲学の知見を用いながら極めて明晰に分析している。本作は読んでいるだけで苦しくなるものだが、私たちの想像力は今や、この場所にまで到達しつつあるのだ。D・J・ワディウェル『現代思想からの動物論：戦争・主権・生政治』（井上太一訳、人文書院、二〇一九年）。

＊5 J・グドール『野生チンパンジーの世界［新装版］』（杉山幸丸、松沢哲郎監訳、ミネルヴァ書房、二〇一七年）三六〇～三六一頁。

＊6 松沢哲郎『想像するちから　チンパンジーが教えてくれた人間の心』（岩波書店、二〇一一年）一七九～一八二頁。

＊7 同書、一八二頁。

＊8 J・グドール『野生チンパンジーの世界［新装版］』二九〇頁。

＊9 同書、八四頁。

＊10 同書、三五一～三五二頁。

＊11 G・バタイユ『ヒロシマの人々の物語』（酒井健訳、景文館書店、二〇一五年）一九頁。

＊12 坂口安吾『堕落論』（新潮文庫、二〇〇〇年）八四～八五頁。

＊13 同書、八三頁。

＊14 G・バタイユ『無頭人（アセファル）』（兼子正勝、中沢信一、鈴木創士訳、現代思潮社、一九九九年）二三一頁。さらにそれに続く箇所では「私は人間の運動と興奮を思い描くのだが、その可能性はとどまるところを知らない。すなわち、この運動とこの興奮は戦争によってしか鎮めることはできない」と述べられている。また、バタイユと強い影響関係にあっ

た、カイヨワの『戦争論』(一九六三年)も、「戦争そのものの研究ではなく、戦争が人間の心と精神とを如何にひきつけ恍惚とさせるか」を主軸に書かれている。R・カイヨワ『戦争論　われわれの内にひそむ女神ベローナ』(秋枝茂夫訳、法政大学出版局、一九七四年)二頁。

＊15　坂口安吾『堕落論』二七頁。

＊16　安吾がペローの「赤ずきんちゃん」のどの版を入手し、読んだのかは分からない。が、原著(一六九七年)にはしっかりと教訓が書かれており、しかもそれによれば「赤ずきんちゃん」の物語は明らかに性加害を行う男性の危険性を念頭に置いている。それを安吾が無視したのかは分からない。しかしかりにそうだったとすれば、そこにも「男性性の問題」がありそうだ。この教訓は、後に論じる「男性性」の問題にもつながるものなので引用しておく。ペローはいう。「これでおわかりだろう、おさない子どもたち、とりわけ若い娘たち／美しく姿よく心優しい娘たちが／誰にでも耳を貸すのはとんだ間違い、そのあげく狼に食べられたとしても／少しも不思議はない。一口に狼といっても／すべての狼が同じではない。抜け目なくとり入って／もの静かでとげとげしくなく怒ったりせず／うちとけて愛想よくもの柔かで／若いお嬢さまがたの後をつけて／家の中まで、ベッドの脇にまで入り込む。ああ、これこそ一大事。知らない者があろうか／こういう優しげな狼たちこそが／どの狼よりも最も危いということを」。C・ペロー『完訳ペロー童話集』(新倉朗子訳、岩波文庫、一九八二年)一七九〜一八〇頁。

＊17　坂口安吾『堕落論』三五頁。

＊18　同書、二八〜二九頁。

＊19 同書、三〇～三一頁。
＊20 同書、三一～三二頁。
＊21 同書、三二頁。
＊22 同書、三四～三五頁。
＊23 同書、三五頁。
＊24 同書、三〇頁。
＊25 同書、三五～三六頁。
＊26 同書、八五～八六頁。

3章　「男性性」をくぐり抜ける——新しい人間のふるさとへ

3.1 ― ゲームに傷つけられる

男性という事情

二〇二三年四月、日本の現役の首相が襲われた。元首相が凶弾に倒れてから月日はそれほど経っていないのだから、これが異様なことなのはよく分かる。セキュリティ等の問題がほとんど改善されていなかったのでは、という疑問も当然あるが、この政治家への犯行に及んだ二人の人物は、どちらも男性であった。犯行当時ひとりは二四歳、もうひとりは四一歳。本書が「男性性の終わり」という仮説を検証しようとしていたことと、「取り残されていくものたち」の苦しみについて論じてきたこともあり、触れないわけにはいかない。

元首相を襲った男性が宗教関係の問題をかかえていたことはよく知られている。が、宗教関係に問題をかかえている人が、誰でも人を襲うなどということはありえない。現首相を襲った男性のほうは、動機について黙秘しているようだが、政治システムから自分が排除されていること、つまり被選挙権年齢や立候補に要する供託金という制度によって差別されていると感じ、その訴えを起こしていた事実は報告されている。しかしこれも同様に、国の政治システムに不満をいだき、差別されていると感じる人が、誰でも人を襲うようなことはない。

いくつもの問題や不満をかかえながら、ほとんどの人々、もっと正確にいえば圧倒的大多数の人々は、どのような環境にいようが人を襲ったりすることはない。今回の二人が男性であるからといって、男性の大多数が人を襲うということがないのと同様だ。

しかし他方、アメリカでの銃の乱射事件を筆頭に、世界で起きているテロリズム的犯行のほとんどが、男性による犯行であることもまた動かせない事実である。[*1] 女性の犯行がないわけでは当然ないが、アメリカで起きた凄惨な銃乱射事件をデータベース化しているバイオレンス・プロジェクトのデータを元にしたニュースサイトの記事によれば、一九六六年から二〇二〇年二月までの乱射事件一七二件のうち女性の犯行はわずか四件であり、そのうち二件は男性と組んで行われたものだ。[*2] この圧倒的な暴力の差が何に由来しているのか、あるいは、大多数の大人しい男性と、少数の過剰に攻撃的な男性、この隙間になにがあるのか。

日本の犯罪事情を見てみると、二〇二一年の刑法犯の検挙人数は約一七万五〇〇〇人であった。[*3] 同年の日本の人口は約一億二五五〇万人であったことから、単純計算してみても、検挙された人はその約〇・一四％にすぎない。しかし他方、被検挙者の性別による内訳を見てみると、男性が一三万五八〇二人、女性が三万九二三九人となっており、約八割が男性であるのが分かる。この割合は近年ほぼ変わっていない。[*4] 男性は女性の三～四倍である。そしてこの裏面には、女性よりも二倍からそれ以上の高い自殺死亡率となって現れる男性の自殺問題[*5]と、日本に特殊な事情ではあるが、男性の人生の満足度が女性よりも低いという問題[*6]がある。

もし犯罪の少ない幸福な未来を目指すことが私たちの社会にとって必要なことなのであれば、私たちがますます考慮すべきは、ほとんどの男性が犯罪とは無関係に生きていることを念頭に置いたまま、同時に、犯罪を行ってしまう男性、あるいは過剰な攻撃性を発露してしまう男性（さらには、自殺に追い込まれてしまう男性）というセクシュアリティに含まれる問題をくぐり抜けてみることである。ここには、生物学的なセックスと社会構築的なジェンダーの複雑な交差と循環があり、またそこに他者（あるいは自分）に対する攻撃性と加害性の強さの秘密が隠されてもいそうだ。

哲学者のニーチェは、「生」とはそもそも侵害的・圧政的・搾取的・破壊的なものだと確信していたし、精神分析家のフロイトは「人間」の攻撃衝動に制約を与えるのが文化であるが、「攻撃衝動を放棄すると、人は幸福とは感じない」とまでいっていた。[*7] しかし、そのように攻撃性を「生」や「人間」の本性へと一般化した強い断言をする彼らがどちらも男性であったこと、そこを私たちは警戒しなければならない。

　現首相と元首相を襲った二人は、緻密な計画を立て時間をかけながら冷静に犯行に及んでいる。それはあおり運転の犯行（これもほとんど男性によるものであるが）のような瞬間沸騰的な怒りによる「反応的攻撃性」ではなく、明確な「計画的攻撃性」の悪用である。そしてこれは2章の流れからいえば、「プレイ的暴力」というよりも、「ゲーム的暴力」に関わるものだ。男性性とゲーム的暴力の問題である。

　とはいえ、こうした問題を直接的に扱おうとすると、そこには男性というセクシュアリティに関わる固有な困難が立ちはだかる。たとえばこれまで、政治家の不倫などのスキャンダルが、しばしば「女性問題」というレッテルを貼られ、場合によっては矮小化され、冷笑されてきた歴史がある（今もある）。そこには、問題なのは女性のほうで男性が害を被ったかのような含意がこっそりと込められている。

　一九八五年以降の朝日新聞の過去記事に検索をかけてみると、「女性問題」というワードでヒットする記事は四三六六件あり、「男性問題」でヒットする記事は九四件にすぎない。[*8] 同様の期間、毎日新聞の過去記事でも「女性問題」でヒットするのは一四八三件、「男性問題」では二三件である。[*9] この明らかな非対称性が何を意味しているのかが問われているのであり、この非対称性を生み出す仕組みに「男性問題」が深く、そして不可視的な仕方で関与していると考えてみる必要がある。

今こそ社会の「男性問題」、つまり「男性性」というセクシュアリティに含まれる問題点に目を向け、そこにメスを入れ、よりよい社会へ向かうためのアイデアを出し合おう、そうした風潮が生まれてもいいと思うが、そう単純に期待することもできない。その理由は、これまで社会が男性を中心に動かされてきたことから、そのこと自体の問題性が可視化されにくかったのと同時に、その問題を取り上げることが、多くの男性たちの自信を失わせる責めや加害のニュアンスを伴い、自分が傷つけられるかのように感じてしまうことがあるのだと思われる。

たとえば本書を手にしている男性としてのあなた自身が、あるいは、知り合いの男性たちが、「あなたは男性性の問題をかかえていますね」と誰かに指摘されたとき、どう答えるかをイメージしてみてほしい。何をいわれているか分からない人もいるだろうし、怒り出す人もいるのかもしれない。

しかしなかには、イラっとしたときの他者への攻撃性を抑えるのに苦労していたり、集団よりも個になる選択をしがちであったり、悩みは共有せずに自分一人で極力かかえてしまったり、自分のなかのミソジニーやミサンドリー的傾向に苦しんでいる人もいるだろう。これらが本当に男性というセクシュアリティに固有な問題なのか確実なことはいえない。それでも、このように自分の男性性の問題に気づきながら、それに悩み、かつ、なんとか対処しようとしている男性がいるのであれば、そうした人々と連帯できそうな気もする。が、そもそも男性は、悩みや弱さで社会的に連帯するよりも強さで絆を確認し、連帯する傾向があり、これも難しいことが予想される。

とはいえ現代は、どの時代よりも他者に加える危害や暴力、攻撃性の問題への感受性と傷つきやすさが高まっている時代である。ここを一つの希望と積極的に捉えていくことが必要だと私は思っている。たとえ自分自身がそうした攻撃性から距離を取れる場所にいたとしても、男性という性を生きる人々の経験をくぐり抜けることで初めて見えてくる現実があるはずである。

カラクリを恐れる

2章で私は、坂口安吾の「人間のふるさと」に関する論述を介在させることで、救いがなく、モラルもない出来事がこの世界では起きてしまうことを指摘した。残酷さとは、取り返しがつかず、責任を取ることがそもそも不可能な事柄に対して生じる感情である。そこにはモラルも救いもないのだから、そういうものとして、しかと受け止めていくしかない。これが、戦争を体験した安吾の、あるいは、その時代のモラルを超えたモラルだったのだろう。

私自身、この安吾の「人間のふるさと」についての実感は身に染みてよく分かり、腑に落ちる感覚がある。いや、もっと正確にいえば、腑に落ちていた、と過去形にいいなおすべきかもしれない。最近はこれが揺らぎ始めてもいるからだ。むしろこの「人間のふるさと」の論証自体に、男性性というセクシュアリティと孤独の問題が深く浸透しているのではないかと訝しんでいる。

そもそも現代の私たちは、世界が残酷であることを目の当たりにしたとき、あきらめてそのまま受け入れたり、あるいは「ふるさと」という語に変換したりすることで得心することなどできないと思われる。ほとんどの人は悲しくて、苦しくて、助けてほしいと声を上げて泣き叫び、足掻きながらも様々な要因を分析し、そこに不正義がなかったかを見定め、より残酷さの少ない世界へ向けて進もうとするだろう。そしてそこにこそ「ゲーム」の誘因があった。

安吾もそのことは分かっている。人間は「堕ちぬくためには弱すぎる」からだ。その上でなお安吾は、バタイユが下記のように残酷さを味わい尽くす「至高の感性」をもつ人間について述べることには賛意を示すだろう。

至高の感性の人間は、不幸を真正面から見つめているため、もはやこんなふうに即座に言ったりはしない。「この不幸をなんとしてでも撲滅しよう」。まず彼はこう言うのだ。「この不幸を生きよう」。瞬間のなかで、最悪のもののレベルにまで生のあり方を

高めよう。*10（強調は引用者）

人間であるかぎり不幸や残酷さを撲滅する試みを止めることはない。バタイユもそれを十分に理解したまま、即座に反応することを諌めようとしている。あるいは、その即座の挙動の結果にこそ恐ろしい何かを見ているといってもいい。

一九五〇年代という戦後を生きた二人にとって、この即座の反応をする人々は、生と死がプレイする残酷さを見ないふりをして、その悲惨を味わい尽くすことなく予測を働かせ、未来に人々を拘束する世界を作動させることへと逃げ込む。*11バタイユであればそれを「雄々しい理性の原則が支配する活動の世界*12」への逃避だと、男性性を彷彿させる形容を用いて述べるだろう。

他方、安吾であれば、堕ちきれない人間の弱さがたよってしまう「カラクリ」への逃走だというはずだ。下記は、安吾の「堕落論」の続編として書かれた「続堕落論」の文章の末尾に記されているものである。

人は無限に堕ちきれるほど堅牢な精神にめぐまれていない。何物かカラクリにたよって落下をくいとめずにいられなくなるであろう。そのカラクリをつくり、そのカラクリをくずし、そして人間はすすむ。堕落は制度の母胎であり、そのせつない人間の実相を我々は先ず最もきびしく見つめることが必要なだけだ。[*13]

安吾もバタイユも、この「カラクリ」を恐れていた。それは「雄々しい理性」が組み立てるものであり、人間を戦争に駆り立て、人間の悲惨を生み出す。このカラクリは、安吾の思索を理解するキータームの一つであるが、本来それはゼンマイ仕掛けのように道具や機械を動かす仕組みのことだ。2章の文脈につなげてみれば、それは規則によって運用される「ゲーム」のことに他ならないだろう。実際に安吾がこのカラクリとして捉えているものを挙げてみれば、それは「歴史」や「天皇制」、「封建遺制」、「武士道」、「家」である。それらは個人を縛り、自由を台無しにし、偽りの感情を真実に変えてしまう制度や規範からなる文化的仕掛けのことである。[*14]

2章で私は、人々は傷つくことを恐れるためにゲームを愛すると論じていた。そこにおいて人々を傷つけるものとして想定されていたのは、恣意的な「プレイ」の奔放さであり、残酷さであった。

しかしここで私たちに差し向けられる問いはそれとは異なる。つまり、プレイによってではなく、「ゲーム＝カラクリ」によって傷つけられたものたちは、何を愛すればよいのかという問いだ。

ゲームが人を傷つけること、これについて私はまだ語っていない。ゲームにおいて人は、否応なく「プレイヤー／コマ」としてのポジションを与えられるが、それによって心や意志が削られ、消耗することがある。しかも規則からなるゲームは、勝者と敗者を生み出し、規則に従わないものにペナルティを与え、そもそもゲームに参入できるものとできないものとを厳密に境界づけたりもする。そこには当然、排除の力が働く。都市に迷い込み、人間社会のルールを逸脱するイノシシやクマのような野生動物が速やかに駆除され、殺処分されるように。プレイを避けるためのゲームそれじたいが暴力装置となることも自明だ。

　ゲームによって傷つけられた人が採れる選択肢は二つである。みずからを傷つけたゲームを、別のゲームに置き換え、より公正で、残酷さの少ないものに改変していくか、あるいは、ゲームによってではなく、どこまでもプレイによって傷つけられることのほうを望むかである。安吾は後者ではなかったかと、私は予想している。というのも、「人間のふるさと」をきびしく見つめる安吾は、深い悲しみと孤独にとらわれたまま、救われることがなかったし、救われようともしなかったと思えるからである。

　これまで私たちがくぐり抜けようとしていた人間の弱さとは、安吾も指摘するように「カラクリ／ゲーム」にくりかえし頼ってしまう人間の逃走的在り方であった。それに対して、プレイ的な残酷さこそ「人間のふるさと」なのだと突き放したように俯瞰する位置に立つことができる安吾には、魂の強さ、孤独に耐える強さがあったように思える。

しかし本当にそうなのか。むしろそこにこそ、安吾がかかえた男性という性に関わる問題があり、そしてそれが「虚飾された」強さを演出していたとはいえないか。[*15] ただし、そう即断するのも控えたほうがいい。安吾は人間の弱さをどこまでも見つめていたようにも思えるからだ。もう一段階深く、安吾の孤独をくぐり抜けてみる必要がある。

安吾の孤独再訪

安吾が文学や人間の「ふるさと」に委ねる想い、それと同時に「カラクリ」に対して警戒する動物的ともいえる直観は、一般的なものではなく、かなり個人的な生育歴に由来していると思われる。

彼は一三人兄弟のなかの末男であり（その下に一人妹もいるが）、新潟の生家では、父親は長男だけに心を配っていたようである。歴史人口学者のE・トッドがいうように男性の長子だけが優遇される日本の直系家族の典型でもあるが、安吾自身による幼少期の自伝的エッセイ「石の思い」（一九四六）では、彼が幼いころから父と母から、そして家からも取り残されていると感じていたことが記されている。「私は父の愛などは何も知らないのだ[*16]」、「私と母との関係は憎み合うことであった[*17]」、「私は「家」というものが子供の時から怖しかった[*18]」と。

この歪(いびつ)な生育環境の中で安吾は、「人間のふるさと」の論述でも強調されていた「冷めたさ」と「突き放されること」を、父の存在に重ねると同時に、それが自分のなかにもある驚くべき感覚であることを告白している。

> 私は父の気質のうちで最も怖れているのは、父の私に示した徹底的な冷めたさであった。母と私は憎しみによってつながっていたが、私と父とは全くつながる何物もなかった。それは父が冷めたいからで、そして父が、私を突き放していたからで、私も突き放されて当然に受けとっており、全くつながるところがなかった。
>
> 私は私の驚くべき冷めたさに時々気づく。私はあらゆる物を突き放している時がある。その裏側に何があるかというと、そういう時に、実は私はただ専一に世間を怖れているのである。*[19]

幼少期から安吾は、父の冷たさを恐れ、その父と同じ冷たさが自分のなかにあることにも気づいている。*[20] それと同時に、父を頂点とする「家」と、家の集合体からなる「世間」を恐れている。それはまた規範と規律を押しつけ、規則で個人を縛ろうとする「カラクリ」への恐れの芽生えでもある。

安吾にとっての「生家」とは、「迷園の如く陰気でだだっ広く、冷めたさと空虚と未来への絶望と呪咀の如きものが漂って」いて、「住む人間は代々の家の虫で、その家で冠婚葬祭を完了し、死んでなお霊気と化してその家に在るかのように形式づけられて、その家づきの虫の形に次第に育って行く」ところである。[*21] 彼にとっての「ふるさと」が異様であったように、彼にとっての「家」も異様である。

そんな家のなかでも屋根裏にある女中部屋が、安吾の避難場所となっていた。そこはどこまでも陰気な場所であるが、天候の悪いときは「物陰にかくれるようにひそんで」安吾はそこで本を読み耽っている。このときの安吾の心境と孤独が、彼の「ふるさと」の基調を作り出している。

雪国で雪のふりつむ夜というものは一切の音がない。知らない人は吹雪の激しさを思うようだが、ピュウピュウと悲鳴のように空の鳴る吹雪よりも、あらゆる音というものが完全に絶え、音の真空状態というものの底へ落ちた雪のふりつむ夜のむなしさは切ないものだ。ああ、又、深雪だなと思う。そして、そう思う心が、それから何か当てのない先の暗さ、はかなさ、むなしさ、そんなものをふと考えずにいられなくなる。子供の心でも、そうだった。私は「家」そのものが怖しかった。[*22]

どうして安吾が自然のプレイに心酔するのか、その原風景のようでもある。とはいえ、こうした記述だけを見ると、現代の私たちからすれば、安吾の「ふるさと」とは、両親のネグレクトによる子どもの孤絶である。そしてそれを人間の過酷な運命であるかのように投影し、一般化した文学的倒錯とでも呼ぶべきものが、安吾のいう「人間のふるさと」だといえそうだ。

安吾の家は、少子化が進んでいる現代の日本では考えられない一三人もの兄弟を抱えた大家族であったことから、親のサポートに至らぬ点も多々あっただろう。彼に必要なのは、信頼できる他者によるケアだったといいたくなる。とはいえ、それが叶わなかったことが、彼の文学の背景に潜んでいること、それも間違いない。おそらく今後は、子どもを傷つけるこうした惨絶な家族関係は、なくなりはしなくても、減っていくと信じたい。そのような社会を私たちは作ろうとしている。そこでの未来は、どのような文学を生み出すのか、その時代の先端に私たちは立っている。

ともかくこの幼少期のトラウマ的といえるほどの「家＝カラクリ」の冷たさは、安吾の一生を決定づけたようである。傷からの回復はそれほど困難な道のりであり、その傷に向き合うことが彼のライフワークとなる。「私の心の悲しさ、切なさは、あの少年の頃から、今も変りがないのであった」[*23]。この時期の孤独、突き放されている感覚が、安吾の人生を貫いたのである。[*24]

三千代にとってのふるさと

安吾が四一歳から四八歳で脳出血によって亡くなるまでの間、蒲田から伊東、そして桐生へと居を移しながら一緒に暮らしたのが妻の坂口三千代である。彼女は、安吾の死後に彼との生活をエッセイとして綴っており、それが『クラクラ日記』（一九六七）として残されている。そこでも彼女から見た彼の孤独を垣間見ることができる。

彼と生活して、彼の孤独と向きあっていると、その淵の深さに、身ぶるいのすることはある。誰もひとを寄せつけない。彼はいつも、たった独りでいるような心のありさまで、お酒を飲んで、わあわあといっているときでも、その奥に、たった独りの彼が坐っている。私はそれをちゃんと見抜くことが出来る。私はいったい、彼の何だろう、と思うことがある。[*25]

三千代は度々、安吾とともにいながらも心が通い合うことのない、透き通った孤独を感じていた。しかし他方、この安吾と三千代の関係には深い愛情のような、信頼で結びついた愛おしさといたたまれなさとが同居している。それは、三千代が書いた多くのエッセイから伝わってくる何かである。[*26] ただしそうはいっても、今、傍から見ればこの二人は完全に、DVのモラハラ夫とそれにすがる妻という共依存関係であり、三千代に必要なのは早急な隔離であったと説明されてしまうだろう。そして、たしかにその通りなのである。

ぼんやり、バカ、バカヤロー、死んでみろ、と三千代が罵られることは日常茶飯事であり、彼女はそのつど自分の至らなさと欠点を責めつづけている。安吾の女遊びは常態化していて、一度、外出するといつ戻ってくるかは分からない。戻ってきてもいつも泥酔状態で、それなのに三千代がたった一度外泊をしただけで、彼女の不貞を疑い、三千代はその後、安吾の子を身籠ったにもかかわらず、彼が「オレには子種はないはずだ」と意見を絶対に曲げなかったこともあって妊娠中絶を選択している。[*27]

以下は、そんな安吾が三千代に向けて、原稿用紙に書いた言葉である。

三千代よ。今の僕の精神状態は極度に悪化しつつある。次の小さなことを良く注意し、イライラさせないやうに、たのむ。なんでもないことなのだ。

生活環境を、ただいつも同じものにしておいてくれればよいのだ。

たとへば、僕と君の部屋のカーテンの位置を指定のところへ常に垂らしておくこと。常に、昼はラジオのコードを入れておくこと。水差の水をたやさぬこと。僕の必要品、湯入りのタオルとか、食後のクロモジ、胃薬、ライター、タバコ、チリ紙等を常にきまつた場所へおくこと、こういふきまつた小さいことで、俺の神経をじらすな。なんでもないことではないか。又、新聞や郵便物をすぐ届けること。僕のいつたことを直ちに実行すること。それだけのことだ、呉れ呉れもたのむ。叱られた時だけではダメなのさ。いつもさうでなければ困るのだ。毎日訪客のメモをとつておくやうに。（これらのことは、一度は君にいつた筈だが実行していないのだ。）又、便所なども、僕の行く前、見てきて欲しい。ああいふチヨツトのつまづきで、イライラが、もう仕事を出来なくさせてしまう。たのむ。[*28]

どう考えてみても、こんな細かい言いつけが「なんでもないこと」であるはずがない。とにかく安吾の地雷を踏まないように怯える三千代の姿が目に浮かぶ。彼女が、安吾という権威の支配下にあり、かつ、自らそのポジションを維持するよう努めていたのは確かである。

彼女は、安吾の死後も、このような叱言が書かれた紙を「破り捨てる気には」なれず、「私がいかにだらしがなく、くだらないことで彼を苦しめていたかという証明書」であると同時に、「私に対する用件だけのものもあるが、それにしてもフィクションがないからじかで、私にとっては直接、彼のヒフにさわるような思いがする」ものだと愛おしさ交じりに述懐してもいる。[*29] まさにそれが、安吾が生きたことに三千代が触れた紛れもない交流の物証だからである。

三千代と暮らし始めた時期、安吾はすでに売れっ子作家であり、睡眠時間を削って書きつづけていた。そのため彼は、ヒロポンやゼドリンといった覚醒剤を常用し、二、三日は徹夜に耐えられる神経を作り、その後、覚醒した意識を眠らせるためにアドルムという睡眠剤をオーバードーズし、無理やり眠る生活を送っていた。こうした薬剤にはすぐに耐性がつき、効き目もなくなり、安吾の身体をただただ蝕んでいく。

そして安吾は、本当に狂って暴れるようになる。どなり散らし、家で暴れ、物を投げたりするだけでなく、街路に出て裸で走り回ったり、二階の窓から飛び降りるのだといってきかず、実際に飛び降りてもいる。それを三千代と女中で、すかさず止めに走る。全く手がつけられないときには、知り合いに助けを呼ぶこともあった。

彼はいかり狂ってあばれまわり始めると、必ずマッパダカになった。寒中の寒、二月の寒空にけっして寒いとも思わぬらしかった。〔……〕女中さんの手前もあるし、私は褌を持って追いかけて行く。〔……〕折角褌をおってつけさせてもすぐにまた取りさって一糸纏わぬ全裸で仁王さまのように突っ立ち、何かわめきながら階段の上から家財道具をたたきおとす。階段の半分くらい、家財道具でうずまる。[*30]

こうした三千代と安吾の格闘記を読んでいると、安吾という人間の愚直さと、その裏側に張りついている、どうしようもないかわいらしさのようなものさえ感じられるかもしれない。しかしだまされてはいけない。それは、三千代の並々ならぬ彼への思いが詰まったエッセイだからであって、その分は差し引かれねばならない。フィクションの話ではないのだ。実際にそんな人物が近くにいたらたまったものではない、誰もがそう思うはずだ。

しかし三千代は、「団結するスキがなかった[*31]」安吾に対する自分の孤独の感覚が、彼が暴れ狂っているときにだけ和らいでいるとも感じていた。

私なんか邪マっけで、ひとりでいたいのだろうと思う。ひとりとひとり、どこまで行ったって、ひとりで、彼の孤独と向きあっている私は、やっぱり孤独であるのが当然だった。不思議なのは、彼が悪鬼のように猛り狂う時、私のこの孤独感が、ふりおとされることだった。彼が私をののしり、わめいているとき、私はいつだって、動転するが孤独ではなかった。[*32]

共依存関係において暴力の渦中にあるときに安堵やつながりを感じてしまう心性はとても危険である。そのことは重々承知した上で、安吾自身が三千代にとっての「人間のふるさと」になっていることを指摘しなければならない。安吾がプレイの権化としてふるまうことで、三千代を突き放し、彼女のなかに残酷で、氷を抱きしめたような切ない悲しさを植え付けている。「狂人の世話をやく周囲の人間は、完全に感染し、狂人と同様、狂気になるということで、人間の神経なんてものがいかにもろいものかということだ」[*33]。これは三千代の偽らざる実感なのであろう。

しかし安吾は、本当にそんなことを望んでいたのだろうか。父が安吾にとっての冷たいふるさとの原型であったように、安吾自身もそのふるさとを他者に対して反復することを。先に紹介した三千代に対する叱言が書かれた原稿用紙の裏には、以下のようなメモも残されていたという。

「明日は君の誕生日だが、今のイライラでは、おめでとうをいふ平静な気持もないので、悪く思ふな。苦しいのだよ。[*34]」と。

自分のなかに積もり積もったイラつきを、三千代の普段の配慮の足りなさにぶつけて、誕生日さえ祝えない言い訳を述べながら最後にぽろっと「苦しいのだよ」とつぶやく仕草。ほんのちょっとの弱みを見せながら、自分の仕打ちを正当化したい思いが滲む。

この安吾こそが、自分というカラクリ、というよりは男性という性のカラクリに囚われていたとはいえないか。依頼原稿が進まないことのプレッシャー、家計を支える責任、酒と薬によってはっきりとしない意識と身体の気だるさ、そうした幾重もの苦しみの中身を三千代に打ち明け、助けを求めることのできない、社会的にも実存的にも束縛された存在、それが「人間のふるさと」を反復させていた、とはいいすぎだろうか。
『坂口安吾論』を執筆した柄谷行人は、その刊行記念インタヴューで、安吾が作家として属するとみなされる「無頼派」の無頼とは、「頼るべきところのないこと」であり、「それは他人に頼らないこと」だと述べている。ヤクザのように組織や親分に依存し、他人にたかるものは無頼ではないし、太宰治のように組織としての共産党に入党し、転向したりするのも、さらには自殺のときに人に頼るのも、無頼とはいえない。対して安吾はそうではなかった。「言語の本来の意味では、「無頼派」は安吾だけだった」と柄谷は述べている。[*35]
しかし、ここまで安吾と三千代の二人の生を見てきた私たちは、柄谷の発言を鵜呑みにすることもできない。確かに四〇代になって三千代と暮らすことで初めて、安吾のなかで何か変化が起きたのかもしれない。それは確かめようがないにせよ、三千代本人は、安吾の微かな寄る辺となっていたと紛れもなく感じつづけていた。

私のようにたよりにならない女を、彼がたよりにしていたということが私の深い悔恨のもとで、胸のしめつけられるような悲しさがいつまでも残っております。どんなにえらい人でも、戦い疲れ、疲労困憊すれば、一番身近にいて、何という考えもなく、ウカウカしている白痴のような女でも唯一つのたよりにしてしまうということで、私にいったい何が出来たであろうかと、あらためて考えてみないではいられません。[*36]

そう感じつづけた女性が、安吾の死後も、彼というふるさとを抱いて生きなければならなかった事実を、私は無視することはできない。ともに生きた三千代や女中たちとの残酷なまでに賑やかな暮らしがあっても、安吾が誰にも頼ることがなかった、と言い切ることは難しい。「無頼」というのは、安吾の周囲で彼を支えていた女性たちの働きを無視し、切り捨てることによってでしか成立しない。むしろそれをなかったことにできるカラクリこそが、雄々しい理性による「男性問題」のひとつである。

新たなカラクリの創出

安吾は、二人の間に子（綱男）が生まれてから、こまめに電話をかけてくるようになったという。それまで自分から電話で何かを伝えることはなかったのに、子どもの声を聞くためだけに安吾は電話をかけ、何度も「坊や、坊や」と繰り返し、「パパ、パパ」と繰り返す子どもの声を聞いていた（子どものために貯金をしようかとも言い始めていた）[*37]。あるときは、安吾が子どもに「おまえは日本一の幸せものだね」というので三千代がどうしてなのかと思っていると、「両親にこんなに愛されているおまえは日本一の幸せものだ」と安吾はつぶやいたという。両親、とりわけ父の愛を全く知らない安吾は、このとき何を思っていたのだろうか。

安吾と交流のあった作家の石川淳は、三千代の『クラクラ日記』の初版本の序において「生活に於て家といふ観念をぶちこわしにかかつた坂口安吾にしても、この地上に四季の風雨をしのぐ屋根の下には、おのづから家に似た仕掛にぶつかる運命をまぬがれなかつた」[*38]と書いているが、これは真実をついていると私は思う。安吾が恐れていたふるさととしての「父」、そして「家」というカラクリは、三千代と子とともに全く新たな仕掛けとなって別様の作動を開始していた。カラクリ／ゲームに傷つけられた安吾は、プレイの残酷さに囚われ、そこに身をどっぷりと浸しながらも、最後に自分の「家」という最小のカラクリを、しかも自分を守るカラクリを作り出すことに着手していたのではないか、そう思えてならない。[*39]

現代の私たちから見れば、安吾は男性性というみずからのセクシュアリティと距離を取るのがとても難しかった世代なのだと思われる。安吾と三千代のような恋愛関係、あるいはパートナー関係――すなわち男性が働いて金を稼ぎ、どなり、女性がそれを黙認し、無償のケア労働をする――こうした関係性は、「無頼」という一見男らしい概念の裏で、女性たちの働きを搾取し、不可視化することで成り立っていた。[*40] 三千代が自分を「白痴のような女」だと述べていたことからもわかるように、女性は女性でその時代のジェンダー観を強く内面化していた側面もあるだろう（そしてこれは今も根深く残っている）。

安吾は後年、憎みあっていた母への愛情には気づくことができたと述べている。[*41] どうして安吾は、父ではなく、母を愛していたことには気づき、どうして、白痴の女性を自認する三千代を愛しつづけたのか。

私は今でも白痴的な女に妙に惹かれるのだが、これがその現実に於ける首(はじ)まりで、私は恋情とか、胸の火だとか、そういうものは自覚せず、極めて冷静に、一人の少女とやがて結婚してもいいと考え耽っていたのである。[*42]

女性は知能レベルが低いほうがよい(あるいは、少女のほうがよい)というこの性的嗜好がどれだけの「男性問題」を含んでいるのか、私たちは重く考えてみなければならない。しかも、この「白痴的な女」のさらに向こう側に、「人間のふるさと＝至高性」があるという想定(ペローの「赤頭巾」)、それは私たちが「くらげの人文学史」から取り出した三つのレイヤーの図式そのものである。ここでもそれが反復されている。

私は2章で、先進各国で女性の高等教育の修了率が男性を上まわっていることを指摘していたが、リテラシーを身につけた女性たちは、そうした性的嗜好の暴力性および不平等性を明確に意識している。それこそが最も忌避されるべき関係なのだと。これからやってくるのは、そうした方向性をひとつの希望として受け入れていく世界である、と私は信じる。

確かに安吾は、裕福ではなかったし、出版社から何度も原稿料の前借りをし、三千代はいつも金策に走らねばならなかった。貯金もなかった。しかしそれでも安吾は売れっ子の作家であり、女遊びも常習だったことから男性的魅力にもあふれていたのだと思われる。だからこそ三千代という献身的なパートナーを得て、子をもうけ、最小の「家」というカラクリを作ろうとすることもできた。

しかし今後やってくる世界においてカラクリ/ゲームによって傷つけられたものは、その傷から回復するためのカラクリを、誰かをコントロールし、搾取することによってではなく、そのリスクをいつでも警戒しながら、自分で、あるいは他者と対話しつつ粘り強く作り出していく必要がある。その際、私たちがさらに向き合わなければならないのは、そのようなカラクリを作ることができない弱いものたち、あるいは、女性たちの労働やケアを搾取できなくなることを「損失」であるかのように感じてしまう、そうした男性たちの未来についてである。

3.2 ━(再)プレイとゲームの哲学

不確実さとストレス

本書の元にもなっている原稿は、月刊連載の『群像』のなかで執筆されたものである。そもそも月刊連載が私には初めてだったこともあり、始まる前はどんな生活になるのか不安と楽しみが入り交じる複雑な心地でいた。そして実際、連載が始まってみると、どういうことか少しずつ分かり始める。

原稿の締め切りは月初（一〇日前後）、そこから編集担当の方と論点の確認や、流れのすり合わせ、その後、入稿して校閲さんによるチェックが入り（この仕事は本当にすごい）、ゲラとなって上がってくるのは二〇日すぎくらい。急いで二度ほど校正をして月末には校了となる。そこから一息つく間もなく、およそ一週間後には次の原稿の締め切りがやってくる。以下、この繰り返しである。ただしこれは執筆者によって異なるかもしれず、あくまでも私の場合である。

こんなスケジュールであるから、前回のゲラの確認をしながら次の原稿を書いていると いうのが日常となり、食べていても誰かと話していても、トイレでも夢のなかでも内容に ついて考えていることになる（クラゲについて書いているころは、なんでもクラゲに関係 していそうで怖くなった）。連載作家の方たちがこんなふうに仕事をしていたのかと恐れ おののくと同時に、ある意味で、とても規則正しいゲーム的な作業だとも思った。

しかも私は、連載執筆しながら大学で講義もしているので、どうしてもその内容と被る ことを講義で話してしまうことになる。以下は、そんな講義を受けた学生からの優れたリ アクションペーパーである。

今後何が起こるか分からない不確実性、まさに驚きやショック体験が起きるかもし れない状況に対する耐性が年々なくなっているように思う。数年前までは難なくドラ マを観たり小説を読めていたが、展開が見えないものをじっと見続けることにストレ スを感じる。近頃の映画は展開を予想させるため、故意に長いタイトルを付けること も多いそう。

個人的にはお笑いの賞レースの生放送を見るのも緊張するので、優勝者を知ってか ら録画したものを見ている。生放送という特性上、不測の事態が起きるかもしれない点も怖い（出場者がネタを飛ばしたり、実力に見合わない出来のパフォーマンスをしてしまうかもしれない……と考えてしまう）。

倍速視聴やネタバレを事前に見る人の割合の増加の背景に、時間と手間をかけずにそれでいてより多くの情報量を求める傾向も勿論あると思うが、「～になるかもしれない」という不確実性に対し異常に不安を抱いてしまう人が増えている可能性も考えられるのではないか。この過敏さの根源には何があるのか断言こそできないが、傷ついてしまうかもしれない自己に向かう意識の増幅によるものではないかと推察している。心的空間（内省の働きを含意していると解釈している）のすき間から、自身の内面性の自覚が必要以上に促された結果だといえる部分もあるのではないだろうか。[*1]

この講義回では、稲田豊史『映画を早送りで観る人たち』（二〇二二）に刺激を受けて、映画やドラマを倍速で観たり、ネタバレを見てから（つまり、あらすじだけでなく、結末や犯人などを予め知ったうえで）観たりする人が実際どれくらいいるのか、についてアンケート調査をした。八〇名ほどの受講生のうち、倍速視聴に関しては「よくする」と「たまにする」を合わせると四七・四％、ネタバレ視聴に関しては「必要である」と「ときに必要である」を合わせると五〇・九％となった。「全くしない人」と「する人」のグループで受講生がほぼ半分に分かれたのである。

ただしこれは、哲学科の学生の傾向であり、他学部他学科の学生が入り交じった講義（約五〇名）でもやってみると、倍速視聴に関しては八八・六％、ネタバレ視聴に関しては七五％が行う、とかなり異なる結果が出た。そのため所属する学部学科の学生の傾向もあるようなのだが、それでも半数からそれ以上の大学生がそうしていることには疑いがなさそうだ。

稲田はBusiness Insider Japanに配信された記事をまとめながら「ミレニアル世代が〝未体験〟に価値を求めるとすると、〝追体験〟に価値を求めるのがZ世代。彼らは先のわからないことや想定外の出来事が起きて気持ちがアップダウンすることを、〝ストレス〟と捉える傾向が強い」[*2]と同記事を引用している。たしかにな、と思う反面、このように世代で分けるのはどうなのかとも思う。というのも、ミレニアル世代よりも前の世代に属する私であっても、上記の学生の感覚が分かるところが少なからずあるし、実際に倍速で動画を見たりもしているからだ。

むしろこれまでの本書の展開からいえば、一九八〇年代におけるデジタルゲームの世界的な隆盛以降、世界全体の「ゲーム化」はとどまることを知らないのだから、結果として、幼少期からゲームの影響をもろに受ける若者にそうした傾向が強く出るのは当然なはずだ。そして彼らは暴力を嫌い、傷つけられることを嫌いながら犯罪から遠ざかってもいたのである。しかも、そのような世界を選択してきたのは彼らではない、私たち大人である。

3.1で明らかになったのは、私たちはプレイの暴力を恐れてゲームに逃げるが、そのゲームが暴力装置となり、私たちを傷つけることもあるということだ。そしてゲームによって傷つけられたものたちは、ゲームを壊そうとするプレイの残酷さ（人間のふるさと）を反復する。

人間はプレイし、ゲームする

このように言葉で語ると、私たちには逃げ道はないように思える。バタイユも、安吾も、戦争という人間の悲惨を、プレイにではなく、ゲーム的暴力に見ていた。だから安吾は、人間の自然に含まれる暴力的なふるさとを見つめろといい、バタイユは、未来を搾取する有用性のゲームから降りる方途のひとつとして至高な経験を称揚していたのである。

しかし、安吾が同時に見抜いていたように、人間はそもそもプレイの残酷さを見つめつづけられない、そんな弱さを抱えている。不確実さもストレスと感じてしまう。だから人間は「カラクリ／ゲーム」に頼って生きる。そしてまたゲームに傷つけられ、ゲームから降りる道を模索しつつ、再度、ゲームに戻っていく。この点において私は、人間の弱さを認める、坂口安吾の政治観、あるいは、この人間社会への立ち向かい方に完全に同意している。しかもそれは、彼のセクシュアリティと彼の生活に隠された暴力性への批判的まなざしを維持したまま同意できると思っている。安吾は政治と社会制度について以下のように述べていた。

政治はただ現実の欠陥を修繕訂正する実際の施策で足りる。政治は無限の訂正だ。
［…］政治が正義であるために必要欠くべからざる根柢の一事は、ただ、各人の自由の確立ということだけだ。*3

政治というものは、常に現実をより良くしよう、然し、急速に、無理をして良くするのではなく、誰にも被害の少い方法を選んで、少しずつ、少しずつ、良くしようとすることで、こう変えれば、かなり理想的な社会になる、ということが分っていても、いきなりそれを実現すると、多数の人々に甚大な迷惑がかかる、急いでは、ムリだ、と判断された時には、理想を抑えて、そこに近づく小さな変化、改良で満足すべきものである。*4

安吾のこうした実務的、現実的な政治観こそ、人間が「カラクリ／ゲーム」とともにしか生きられないことに彼が気づいていた証である。それはバグを修正し、マイナーチェンジし、改悪にならないようユーザーに配慮しながらバージョンアップしていくデジタルゲームの世界と似ている。そしてそこには戦争を嫌い、革命や武力の手段も嫌った安吾がいた。彼はゲームとともにしか生きていけない人間の悲しみを深く理解しながらも、自分の生活に含まれるカラクリの暴力性や残酷さを女性に押しつけていることを自覚し、制御することはできなかった。そしてそこに彼の男性性とプレイの困難があったのである。私たちがいま立っている現在地はここである。

　だからといって、今後、完全にゲームしかない世界がただちに訪れるわけでもない。本節の冒頭で私は、連載執筆がゲーム的なものであると述べた。が、そこにはプレイ的なものもまちがいなく含まれている。今ここでこうして書いていることも、あらかじめ決まっていた訳ではない。毎回、自分は何を書いてしまうんだろうとハラハラしながら、しかも結果として、こんな内容になってしまった……、と自分で書いた文章に驚くことがしばしばある。予測は立たず、規則もない。しかしそうであるからこそ、創作することのプレイ的な要素に強く惹かれつづけている。一度くらい締め切りに間に合わず、原稿を落とすようなこともしてみたいと思うし、執筆ゲームの盤面を壊すようなプレイは可能なのだろうかとも夢想する。でも編集者の方に迷惑かけるしな……、と自分の真っ当さに向き合わざるをえなくもなる。

　このように、この世界はゲームか、プレイかの二者択一でできているのではない。もっといえば、生まれて間もなくして iPad のような電子機器にすぐに触れてしまうデジタル・ネイティヴが育っているように、私たちにとって純粋なプレイなどもはや不可能である（だからこそ至高な体験といわれていた）。むしろゲームという人間の不自然を通して、プレイの自然が虚構され、純粋なものとして渇望されているとさえいえる。その意味でも私たちにはゲームもプレイもどちらもが必要であり、それぞれに応じたメリット・デメリットがあるのだから、その配分こそが重要になる。その上で、現代社会が進んでいくのは、明らかにゲームが優位となる社会である、と私は見込んでいるということだ。

プレイとゲームの差異を提示した人類学者のD・グレーバーは、これにまつわる興味深い例を出している。私たちの日常言語には、それまでにはなかった新しい単語や新しい言葉づかいが、日々生まれている。江戸時代の言語と今の言語はすでに相当異なるし、言い間違いや言い淀み、噛んでしまうこともある。その意味では日常言語にはいつも偶発的な「プレイ」が溢れている。

それに対して、学校教育で学ぶ日本語の文法とは、その日常言語のなかから事後的に規則を抽出した言語の抜け殻のようなものである。にもかかわらず、文法書がその言語のルールブックとなり、そこに権威と正当性が付与されるとき、そこから外れたものは間違ったもの、逸脱した異常となる。だから私たちはこのルールに適う言葉づかいをするよう躾けられる。

しかしそもそも子どもたちは、文法書を通して言語を学ぶわけではない。むしろ他者と遊びながらコミュニケートすることが、副産物的に言語習得になっていたにすぎない。それなのにリテラシーの向上とともに私たちは文法書こそが正しい言語・規範であるとみなすようになってしまう。

ここにこそ、プレイとゲームの関係性がよく表れている。正当で丁寧な言葉づかいをしていれば、人を傷つけたり、悪い印象を与えたりすることが減るのは確かであろう。しかし他方で、言葉がもつ流動性や新奇性にいつでも心動かされ、魅かれてしまうのが人間である。グレーバーは、ゲームとプレイのはざまにある人間を以下のように特徴づけていた。

ひとはどこにあっても二つの完全に矛盾し合う傾向をもつようだ。かたや、ただひたすら自己を目的としてプレイフルに創造的である傾向をもつ。かたや、そのようにふるまってはならないと命じる者に同調する傾向をもつ。[*5]

ただ戯れるだけのプレイはすぐに飽きがくる。「こんなことやっていてもな」とやめてしまう。むしろそこで必要になるのがルールであり、勝敗という目標の設定や、その決定方法であったりする。そうして初めてプレイは、ゲームプレイとなり、規則に従って競争して勝つことの快楽や、規則をあえて外れたりする新しいプレイが生まれる。おそらくこの辺りに人間の固有性がある。みずからを規則で縛りながら、その規則に則ったり、あえて逸脱したりすることに喜びを感じる存在だからだ。これは人間以外の動物にはおそらく難しい。

吉本隆明は『共同幻想論』（一九六八）において、「人間はしばしばじぶんの存在を圧殺するために、圧殺されることをしりながら、どうすることもできない必然にうながされてさまざまな負担をつくりだすことができる存在である」[*6]と述べていた。まさにこの負担が、吉本にとっての共同幻想であるが、安吾にとっては「カラクリ」であり、本書にとっての「ゲーム」だ。ゲームこそ人類の共同幻想として、私たちの弱さが外化した負担だといってもいいだろう。

最近出版された、バタイユに関する日本人研究者による論集『はじまりのバタイユ』（二〇二三）には中沢新一と岩野卓司による対談が収録されている。その中で中沢は、

　今は労働の価値が基本になっている世界です。たしかに遊びはゲームのなかでは生き残っていますけど、昔の人間がやっていた遊びに比べるとはるかに矮小な遊びです。人間っていうのはもっとラジカルに遊ぶ存在です。バタイユはそのことに気づいていたのだと思います。[*7]

と述べている。気になるのは、この文章の中沢の含意である。今の人間が行っている遊び

に関して、昔と比べて「矮小」と形容し、本来の人間は「もっとラジカルに遊ぶ存在」なのだと、現状を憂いているように思える(「昔はよかった幻想」にも見える)。バタイユを論じる人たちは基本的に、この変質してしまった世界を一変させる起爆剤としての力を、彼のなかに見ようとする傾向が強い。現代の私たちは本来の人間性を、本来のプレイを失っているのだと諭そうとする。確かに一九五〇年代の戦後においてバタイユも、安吾も、そのようにプレイを称揚していた。

しかし今はもう二〇二〇年代である。この七〇年間において私たちは、プレイの残酷さに極めて自覚的になり、自分が傷つけられることも誰かを傷つけることも極力避けるような社会のあり様を選択してきた。その結果、生活水準とリテラシーは格段に高まり、暴力犯罪も減少した。そうした人間の選択の結果を「矮小」といえてしまう感性とはいったい何なのか。むしろ私は、このかすかにうごめく攻撃性にも「男性性の問題」が隠されているのではないかと怪しんでいる。

プレイの異なるモード

ここで再度、私が「くらげの人文学史」を通して浮き彫りにした図式に向き合ってみたい。この図式の1)と2)は人間の世界であり、そこはゲームが優位になって支配する世界である。それに対して３）は自然の世界であり、プレイが支配する世界となる。

１）のリテラシーを獲得した人間（主に男性）はみずからの倦怠を逃れて、あるいは「矮小な遊び」を逃れて３）の本来の遊びが生じる場所に復帰しようとする。その運動への欲望が中沢にも見て取れることになる。

１）自然から分化した人間（主に男性）	リテラシー（高等教育）・コミュニケーションの欠如・倦怠
２）自然により近い人間（主に女性）	美・水死体・アート（第二の自然）・踊り子・売春婦
３）自然と一体に生きる動物（クラゲ）	直接性・驚きを誘発・没入・至高性（＝死・性愛・遊び）

しかし、私たちは2章で、中沢が「ラジカル」だと述べるような自然／野生におけるプレイの残酷さをいやというほど見てきた。それを図式に対応させていえば、３）から１）２）へと向かうプレイ、すなわち「下からのプレイ」と名づけられるだろう。それはたとえば、人間社会の外部で規則も規範もないまま生じている自然のプレイであることにとどまらず、地震や台風といった自然災害や、人間社会に突如迷い込むクマやイノシシのように社会の平穏を根底から揺さぶる「強い体験」としてのプレイである。

それに対して3.1で扱ったのは、「下からのプレイ」ではなく、カラクリというゲームによって傷つけられたものたちの経験であった。実はここにも、ゲ、ー、ム、そ、の、も、の、が孕むプ、レ、イ、的、な、恐、ろ、し、さ、がある。それは安吾を傷つけた当のものであり、安吾にとっての父、もしくはこの人間社会の規則や規範を制定するもの、つまりゲームの創作者、制定者（主に男性）のプレイという問題である。これを便宜上「上からのプレイ」と呼んでおく。

バタイユにとっての「至高性（souveraineté）」とは、その原語が示唆していたように「主権」に関係していた。今ではこの語は、国家主権や国民主権の意味で理解されてしまうが、もともとは絶対君主のような至高者が、法や規則そのものを恣意的・暴力的に生み出すことのできる権力を意味していた。

グレーバーはバタイユと同様に、プレイをこの主権の問題に関係づけている。彼はそれが「ヨーロッパ特有の論争に由来」すると断りながらも、「王国の至高の統治者は、そもそも、王国の法に拘束されるのか？」という問いとして提起されつづけてきたと述べる。[*8] 最高権力者には規則に縛られず規則を制定できる「余地（プレイ）」がある。ユダヤ人思想家のW・ベンヤミンであれば「法措定的暴力」と呼ぶだろう。私たちは、ゲームを愛し、自ら進んで参入するが、他方でそのゲームの制作者がもつこの恣意性、つまり「上からのプレイ」に対しても敏感になりつつある。

最近でいえば、アメリカと日本が多くのユーザー数を占めるTwitter（現X）社を買収したイーロン・マスクのプレイを思い浮かべてみてほしい。資金力をバックにした彼の鶴の一声や思いつきで、Twitterの仕様が突然、変えられたかと思えば、またもとに戻ったり、急にアカウントが凍結されたりするような事態が起きている。あるいは、Twitter社の社員が突然の方針転換によって大幅に解雇されたりもした。

このように、国家やワンマン的な経営者の独断によって社会制度やプラットフォームのシステムの仕様が変えられたとき、そのゲームから強制的に排除されてしまう人々が生みだされる。出入国管理法の改正もまさにそうである。さまざまな理由から日本に辿り着いた人々に対して、その新しい規則がどれほどの暴力的な結果をもたらすのかが顧みられることのないまま採決されること。あるいは、それとは逆に、政府によるマイナンバーカード制度の導入のゴタゴタからは、そのゲームに強制的に組み込まれてしまう感覚をもつ人も少なくはないだろう。

それは安吾が政治観として述べていたような「小さな変化」の積み重ねを行うことなく、どれだけの人に害を及ぼすのかの考量もなおざりのまま、どこか恣意的で、かつ強引にゲームを改変し、人々をゲームへと強制的に参入させよう、あるいはそこから排除しようとするプレイフルな結果である。

次々と改革を行ったり、新奇なことを打ち出したりするにはワンマン経営が必要だという意見もあるし、それも分からなくはない。しかしそのようなワンマンさに含まれる恣意性と暴力性を帯びた「上からのプレイ」の恐ろしさを、今の社会が受け入れる準備はどれほどあるだろうか。民主的な、あるいは、明確な規則に則った合意を取りつける仕組みのない組織における権力者のプレイを私たちはもう許容はできないし、許容すべきではないと私は思う。

実際、イーロン・マスクだけではなく国家機関であっても、ゲームを操るプレイの恣意性が一度明るみに出ると、そのことによって傷つけられたものたちの声が無数に上がり、彼らでさえそれを無視することはできず、後手後手の対応をせざるをえない場面も増えてきた。

ここまで述べた「下からのプレイ」と「上からのプレイ」に加えて、さらにゲーム内部に取り込まれている人々のプレイ（「ゲーム内プレイ」）の問題も指摘できる。それはいま述べた「声」の問題である。たとえば最近、多くの人々の共感を呼んでいる「タワマン文学」は、ステイタス競争や承認のゲームに傷つき、ねじれた痛みをもつものたちの声を代弁するものだと思われるが、この「声」を悪用することで行われるプレイがある。

それは、SNSのデジタル空間で典型的なように、みずからの欲望を満たそうとデマを流し、ゲームの仕組みを活用しながら多くのインプレッションを獲得しようと煽りを画策する人々のプレイだ。その結果、誹謗中傷や電凸（電話突撃）といった迷惑行為が頻発し、特定の人が追い詰められたり、組織で働く人々等に健康被害まで生じさせることになる。

この「ゲーム内プレイ」は、正義を装いながら駆動するところが恐ろしく、その騒動をただ見守っている人々に対してもそれが真実であるかのような印象を植えつけていく。そこでは「道徳的正当化が暴力や残虐性の主要な原因である」[*9]という見方さえ成立する。正義や道徳の過剰ほど危険なものもなく、安吾が「堕ちろ」と叫んでいたのも「健全なる道義[*10]」という皮相な正義からであった。

またこのことは、かつて死刑制度が大衆の一種の娯楽であり、今でいうスポーツ観戦やコンサートに近いものであったことも想起させる。そこでは実際に高値がつく座席や、処刑される人の事件について記されたパンフレットが売られ、食べ物や飲み物も提供されていたという[*11]。

少し話はズレるが、この死刑制度に関して、稲垣吾郎が主演する舞台『サンソン　ルイ16世の首を刎ねた男』が公演されていた。フランス革命期に発明された「ギロチン」は、残酷な装置として期待されて生み出されたわけではない。死刑執行人の家系で育ったシャルル＝アンリ・サンソン（四代当主）がこのギロチンの開発に積極的に関わったのは、むしろその完全に逆を期待していたからである。

死刑執行人は、国家による任命を受けているにもかかわらず、ひどい職業差別とそのストレスに悩まされつづけてもいた。人に死を直接もたらす実行者であるからだけではない。大衆娯楽のひとつだった公開処刑において、もし執行人がほんのささいな不手際によって斬首し損ねた場合、それを見ていた大衆は、苦しみのたうち回る死刑囚に共感し、その憤怒を執行人に向けることになる。そうしたプレッシャーのなかで刑を実行する人のストレスは並大抵のものではなかっただろう（日本には今も、死刑を執行している刑務官がいる)。サンソン本人は、平等主義者であり、かつ死刑反対論者でもあった。

だからギロチンは、執行人の手違いや力加減、ミスによって死刑囚が楽に死ぬことができず苦しむことをなくし、かつ、死刑執行人の心的ストレスの軽減にもなると同時に、貴族と一般市民の間に存在していた処刑手法の格差、たとえば同じ罪でも前者は斬首刑で、後者は絞首刑といった身分による不平等をなくすという何重もの「人道的配慮」の末に開発されたのである。この一八世紀末には犯罪者への残酷な仕打ちである拷問も次々と廃止されていた。[*12]

にもかかわらず、ギロチンという新しいテクノロジーの出現と国家によるその制度の承認によって、その後、一層効率的にかつ容易に多くの囚人の首をはねることが可能になる。その結果、サンソンはギロチンなしの人力ではとうてい不可能だったほど多くの首(約二七〇〇名といわれる)を短期間ではねることになってしまう。

先の話のつづきに戻れば、SNSという新たなデジタル・テクノロジーの出現が誹謗中傷やデマを簡単に増幅できてしまうのと同様、ギロチンの実例が如実に示しているのは、技術をともなった新しいゲームの出現がどんな残酷なプレイを孕んでいるのか、事前に予測するのは困難であるということだ。

このようにして私たちは、「下からのプレイ」と「上からのプレイ」の板挟みになりながら、さらには「ゲーム内プレイ」の残酷さにも目を配りつつ、下からのプレイへと逃げるのではなく（人間は弱いために無理である）、ゲームのなかでもがきながら未来を一歩一歩作っていかざるをえない。これが先に「逃げ道はない」と述べていた理由でもある。

私たちはもはや無邪気にプレイを称揚できる地点にはいない。「強い体験」でもあるプレイは、社会的なコストが高く、とりわけ経済が弱っているときほど人々によって忌避されるものだ。本節冒頭の学生のリアクションペーパーのように、そのことを最も肌で体感しているのが、今の若い人たちなのかもしれない。

だから私たちは、プレイを手放しで称賛している人々も警戒しなければならない。彼らのセクシュアリティが主に男性ではないか、リテラシーが高くはないか、ということを含め、彼らが実はゲームに守られ、ゲームの恩恵に存分に与りながら、しかもそのことを隠してプレイに乗じようとしていないかどうかを。安吾はいみじくも述べていた、「大人の仕事は、決してふるさとへ帰ることではない」のだと。

1）自然から分化した人間（主に男性）	ゲームを制定する人間／組織（上からのプレイ）
2）自然により近い人間（主に女性）	ゲームに取り込まれる人間（ゲーム内プレイ）
3）自然と一体に生きる動物（クラゲ）	プレイが支配する世界（下からのプレイ）

ゲームの盤面は変わる

とはいえ、上記で述べてきた世界の局面は明らかに変化しつつある。どうしてそういえるか。その理由のひとつは、私が仮定していた前頁の図の三つのレイヤーの階層内容が変わりつつあるからである。この三つのレイヤーは、下から上へとリテラシーの高度化を示す階層性として考えることもできる。そう仮定した場合、私たちの目の前にある未来は右下の図のようにその配分と配置が変わり始めている。

1）自然から分化した人間 （大学進学者：女性が多数派）
2）自然により近い人間 （非大学進学者：男性が多数派）
3）自然と一体に生きる動物 （クラゲ）

二〇世紀に入るまで、リテラシーを身につけていた人類の多数派は男性であった。しかし2章で述べたように、戦後、世界各国で生じた中等教育および高等教育の普及は、これまで2）としてリテラシーを身につける機会が不当に与えられてこなかった人々（主に女性）に、多くの学習機会を与えることに成功した。さらに先進各国で今まさに進行しているのが、高等教育へと進学する女性の数が男性を上回っているという事態である。これは人類史上、初めての出来事でもあった。

二〇一六年のOECDの調査によれば、二〇一四年時点でのOECD加盟国における大学進学者に占める女性の割合は平均で五四％であり、高等教育において女性が男性を上回っているトレンドは変化していない。[*13] 二〇二〇年時点についての同調査においても同様である。[*14]

1）として多数派を占めていた男性の数を、女性が上回る世界がますます進んでいくという予測を信じる場合、たとえそれがどこかで頭打ちになるにしても、あるいは圧倒的に男性が多かった時代ほどの差がつくことはないにしても、それでも明らかに以前の1）の内訳とは異なる盤面へとゲームは変化していくだろう。

注意すべきは、だからといって世界におけるさまざまな問題がすぐ解消されるわけでは当然ないことだ。日本における大学（短期大学含む）への進学率は五八・九％（令和三年）であり、高校を卒業した若者の四割は大学に行っていない。[*15] OECD加盟国の調査では大学院博士課程への進学者のうち女性の占める割合も平均で五〇％には達しておらず、[*16] 大学卒業後の企業組織における役職もいまだに男性が圧倒的に多い。男女における給与格差も残っているし、とりわけ日本における高齢女性の貧困率も高いままである。また、世界における初等教育のリテラシーを身につける機会を与えられない人々（七億七三〇〇万人）の三分の二が女性であったことも思い起こされる。

さらに、高等教育に進んだ多くの女性は、教育や健康、福祉、ビジネス、行政、法律といった学問分野に進む傾向があるのに対して、男性の多くは工学、製造、建築、情報通信技術といった分野に進みやすいことも分かっている。[*17] OECDの調査でもSTEM分野における女性の少なさが懸念されているが、これは「ジェンダー平等のパラドクス」と呼ばれている。つまり、多くの女性が高等教育へと進み、男女の不平等が小さくなったかのように見えて、経済資源を多くもつ国ほど男女の性役割的な分担が強化されてしまう現象のことである。女性は文系的な学問へ、男性は理系的な学問へというステレオタイプが、再度固定されていくのである。

職業選択においても、女性の多くが人とコミュニケートしたり、数字データではなくアイデアを扱ったりすることを好むのに対して、男性の多くは人よりも物を取り扱うことを好むのも分かっている。*18 これをさらに裏づけるように、OECD諸国では、初等教育における女性教員の割合の平均が極めて高い一方で、教育レベルが高度化するのに応じて女性教員の数が減少していく現象も見られる。*19

コミュニケーションを通して人(あるいは子ども)との関係性構築を含んだ広い意味でのケア労働を担うのが女性であり、軍隊やインフラの建造と管理、住宅の建築といった物理的な危険と向き合わざるをえない労働を担うのが男性というステレオタイプは、そう簡単に揺らいではくれない。私は、性役割についての単純な本質主義を断固拒否したいと思ってはいるが、こうした現実があることもしっかりと見つめておかねばならない。

男性性が浮き彫りになる時代

このようにゲームの盤面が変化しつつある現在地において、私がくぐり抜けたいと思っているのが「男性性の終わり」という仮説であった。
前述したとおり、安吾のように弱音を吐かず、強い体験を求める男性というセクシュアリティは、今後どうなっていくのか。ロシアが仕掛けたウクライナにおける戦争だけではない。パレスチナにおけるイスラエルの戦争行為でも指揮する男性たちの雄々しく、勇ましい言動が飛び交っている。こうした報道に触れていると「男性性が終わる」とはとても信じられない気もする。しかし私たちは、そんな世界に絶望して諦観する手前で、挫けそうになりながらも「くぐり抜け」を継続していくしかない。
二〇一四年に亡くなった俳優の高倉健は、無口で不器用であることがそのまま男性の矜持であることを、それこそ多くを語らずに伝える名優だった。コミュニケーションはうまく取れないが、いざというときは矢面に立つ芯の強さをもつこと、そうした男性像が昭和を代表するアイコンとして支持されてきた。[20]
それに対して現代の社会では、コミュニケーション能力の高さと、自分の情動や感情に向き合い、それを制御できる能力の高さが要求される。それは、「コミュ力」、「コミュ障」

や「陰キャ」という言葉が他者を呼称するだけでなく自嘲的にも用いられることや、攻撃衝動を抑えるアンガー・マネジメントが喧伝されていることにもよく表れている。

明確な因果関係は特定できなくても、私はこうした能力の社会的な重視と、先に述べた高等教育への女性の躍進とは間違いなくリンクしていると考えている。実際に女性は、男性に比べて、自分のなかでどんな感情が起こっているのかを自律神経や呼吸、顔の筋肉といった身体情報と一致させて報告できる、つまり主観と客観を一致させて感情を言語的に表現することに優れていることが指摘されている。[*21]

あるいは、他者への想像力に関して「心の理論」ともいわれるその能力を決定づける因子が、政治的信念、たとえばリベラルであることとは関係がなく、「女性であること」と「教育を受けていること」だというのがイギリス四二〇二人の調査から明らかにされてもいる。[*22]「今の政治に足りないのは他者への想像力だ」、とはしばしばいわれるが、それを決定づけているのが政治の世界での男女比の格差問題である可能性も否定できないのである。

社会は今、上記の能力に高い価値を与え、重宝するゲームとして駆動しているということに疑う余地はないだろう。確かにコミュニケーションがうまく取れないよりも取れたほうがいいし、自分の感情に向き合い衝動的な攻撃性を抑えられたほうがいい。しかしだからといって、コミュニケーションスキルが高くなくとも、あるいは衝動的な行動をとってしまうことがあったとしても、そうした人々が差別されたり、貶められたりすることがあってもならない。社会はこうしたジレンマに直面してもいる。

本書の1章では、「くらげの人文学史」の一環として川端康成の作品をくぐり抜けようとした。私はそこで、女性の身体とふるまいの不可解さに驚くが、それを口にすることのない男性主人公のコミュニケーションの欠如を指摘しながら、現代において重要なのは他者の「コントロール」ではなく「コミュニケーション」であると結論づけていた。そしてこの主題は、ヴァレリーの大クラゲにおいても、坂口安吾の三千代との生活においても通底する男性の課題であった。

問われねばならないのは、どうして男性たちはコミュニケーションを積極的に取らなくても支障がなかったのか、ということである。理由は単純である。経済的、権威的、暴力的な他者（主に女性）の簒奪と抑圧がそこに存在していたからである。つまり明確に口に出さずとも、男性たちの意向を読み取り、先回りしておくことが、とりわけ女性に要求されてきたからである。さらにいえば、もしそれができなければ衝動的にふるわれる暴力の可能性をちらつかされてきたからでもあろう。

その意味でも衝動を制御しながらコミュニケーションを大切にする社会の到来は掛け値なしに歓迎されるべきものだ。これは残酷さを少しでも減らしたい人類の願いでもある。他者に対する攻撃的なふるまいの手前で、相互の問題を言語化し、対話を通じて共有し、解消し、解決し、妥協していく。言葉にすればたったそれだけのことだが、このゲームを作動させることがとてつもなく難しい営みであることも私たちは知っている。なかでもそれが難しいのが男性であり、男性性というセクシュアリティなのである。

社会学者のA・ギデンズは、一八世紀以降の婚姻や恋愛の変遷を論じた『親密性の変容』（一九九二）のなかで、「少なくとも欧米の文化では」と限定してではあるが、「現代は、男性が、自分たちが男性《であること》に、つまり、自分たち男性が問題の多い「男性性」をかかえている存在であることに気がついた初めての時代なのである[23]」と述べている。あるいはもっと直接的に、「男性による女性の性的支配が崩壊し始めるにつれて、男性のセクシュアリティが衝動強迫的なものであることを、われわれはより明白なかたちで知るようになる[24]」ともいわれている。

民主的なコミュニケーションの重視と衝動性の自覚、これらが社会的に高い価値づけをもつものとして認知されるようになった今、ようやく「男性問題」が浮き彫りになってきたということである。

社会というゲームのトレンドや規範は時代に応じて変化していく。そしてその変化のなかで、それと相対してポジションを失い、落ちていくものたちが可視化され始める。しかし、2章で論じたように、躍進する側からは、それはとても見えづらいものでもある。一九九〇年代以降におけるアメリカの白人男性の絶望死という問題では、高等教育を受けた大卒者と非大卒者の分断、前者の躍進と後者の凋落が問題になっていた。そして今起こりつつあるのは、その高等教育内部での男女のポジション交代である。このインパクトがどのような仕方で表れてくるのか、予想がつかないことは多い。

河野真太郎は『新しい声を聞くぼくたち』（二〇二二）においてこうした時代を、新自由主義的、ポストフォーディズム的な「コミュ力時代」と特徴づけ、そこにおいて男性性の複雑な声を、もっといえば彼らが負っていると信じる「傷」を拾い上げようとしている。[*25]この傷の場所をしっかりと見つめておかなければ、それがいつ社会や女性を中心とするその他のセクシュアリティの人々に対する攻撃性に転化するか分からないからでもある。

ギデンズは、先の引用につづく文章でこうも付け加えていた。「だから、こうした男性の支配力の衰退は、男性が女性にたいして暴力をふるう風潮を増大させている。今日、男性と女性の間には底知れぬ感情の溝が大きく口を開けており、その溝をどの程度埋めることができるのかについて、誰も確信をもって言い当てることはできない」[*26]と。

この「暴力をふるう風潮を増大させている」という表現が、どこまで事実に基づいたものなのか、ギデンズは客観的な証拠を挙げておらず、鵜呑みにはできない。とはいえ、本作が出版された一九九二年の段階ですでに彼がそう肌で感じていたのも確かなのであろう。そして、私たちが向き合わなければならないのも「男性性と攻撃性」の問題であった。

例を挙げればきりがないが、国家間の覇権ゲームとして、たとえばアメリカと中国における外交闘争や、戦火の最中にあるウクライナとロシア、こうした政治の場面で駆け引きを行う男性たちがいる。そして実際の戦闘において軍に使役され、犠牲になる男性たち。あるいは、元首相襲撃事件や京都アニメーション放火事件、長野猟銃立てこもり事件など、他者を巻き込むことでテロリズム的な犯罪を行う男性たち。SNSで標的を決めて口撃し、炎上させる執拗な攻撃性をもつ男性たち。痴漢や盗撮、のぞきといった私たちの想像をはるかに超えた仕方で女性に対する性加害を行う男性たち。あおり運転などでカッとなり自分の怒りを抑えられない男性たち。3.1で指摘していたように「大多数の大人しい男性と、少数の過剰に攻撃的な男性」の問題がここにある。

社会にはいまだにこうした「攻撃性」が溢れている。それぞれは異なるモードのものかもしれないが、そのどれもが減少することが何よりも望ましいはずである。そしてこのことは、ニーチェやフロイトといった歴代の思想家たちが主張してきた、「生命」や「人間」はその本性からして攻撃的であり、それがないと幸福にはなれないという想定に真っ向から立ち向かおうとする人間（いや、男性自身）の挑戦でもある。

こうしたことを議論しようとすると、女性や他のセクシュアリティの人の中にも攻撃性があるといった反論がしばしば提起される。私はそのことを否定はしない（実際、攻撃的な性質をもった女性やマイノリティも存在するだろう）。それはそれで顧慮されるべきことであり、どのような攻撃性も抑えられるのであればそれに越したことはない。しかし今問題にしたいのは、そのことではない、私自身の問題でもある「男性性」のくぐり抜けなのである。

3.3 — 共感できないものに近づく

裸を見せたくない気持ち

毎年、健康診断を受けている。大学が健診専門の大型のクリニックと提携していて、そこには多種多様な人たちが朝から大勢やってくる。受付をしたのち自分の番号票が手渡され、その番号が呼ばれたら次は着替えの部屋に誘導される。スーパー銭湯にある館内着のような、やわらかでうす青い生地の検査着に着替えると、種々の検査項目のブースが並んだ大部屋に集められる。

そこに佇む男性たちは、スーツやネクタイ、靴を脱ぐことで社会的記号をはぎとられ、待合室で朝のワイドショー番組を何をするでもなく眺めている。会話はほとんどない。ただ「八番のかたー、次はレントゲン検査ですから一一番の受付に行ってください」といったアナウンスが行き交い、ブースからブースへと検査着をまとった身体がぞろぞろと移動していく音で静かではない。

私はいつものように「ああ、個性がはぎとられているなあ」とか、「健診を気にしすぎると寿命が縮む論文があったな」とか、「こう明確に男女の基準を押しつけられる健康診断はすごく暴力的だよな」とか思い巡らしながら、手にした小説を斜め読みして順番を待つ。四〇代も終わりに近づくと体型を維持するのがどんどん難しくなる。それとともに人前で裸になることへの抵抗も強くなってきた。健康診断なのでそうもいっていられない。心電図のブースに入ると女性の検査技師さんが、「上半身、胸までだして仰向けに寝てください」といつもの調子でいう。見知らぬ人に身体をさらけ出すことの恥ずかしさは、医療行為を受けるなかで誰もが経験することなのかもしれない。しかし男性の場合、そうしたちょっとした違和感について話しあったり、それが共有されることはほとんどない気がする。

私の大学のトイレの清掃は、自分の研究室がある階だけかもしれないが、女性の清掃員の方が担当してくれていて、私が小便器で用を足しているときにも「失礼しまーす」と入ってくる。温泉などの公衆浴場もそうである。女性の清掃員の方がしばしば裸の男性の傍で働いている（少し減ったような気もする）。こうした風景は、男性というセクシュアリティを生きているものにとってありふれたものである。

これに関連する興味深い調査をＮＨＫが取り上げている。日本にある一一八の浴場施設のうち四四％の施設では、女性清掃員が、いつもではないにせよ男性浴室で働いているという。また男性利用者一三四八人への調査では、清掃員の「男女気にしたことがない」や「男女どちらでもいい」が合わせて七〇％であり、「できれば男性従業員で」、「必ず男性従業員で」と、少しでも気になる人の割合は三〇％にとどまる。ただし二〇代、三〇代の客からは徐々にそうした声も上がっているようで、さらに外国から日本に来る男性もびっくりすることが多いため施設によっては対策を講じ始めている。[*1]

男性用の施設を清掃する側である女性にとっても、異性の空間を清掃することが大きなストレス（場合によってはハラスメントのリスクすらある）になっていて、それなのに人員確保の点や慣習によって我慢させられてきた可能性も大いにあるだろう（東京新聞の記事では、企業で働く女性社員に男性用のトイレ掃除を強制している職場が今も残っていることが報告されている）。[*2]

この状況を性別を反転させて考えてみてほしい。するとそこには、性加害／被害のセクシュアリティ間の厳然たる非対称性があることはいうまでもない。しかもそれだけではなく、「男性というセクシュアリティは、裸（とりわけ上半身）を見られるくらいなんの問題もない」という共通了解、社会通念がある。さらに女性は、男性の身体を、男性が女性の身体を見るような性的意味合いを込めて見ることはない、つまり性的客体化は男性から女性に向けて起こるというステレオタイプもありそうだ（ヌード写真集などの性比による出版状況も調べてみたいところである）。知り合いの異性愛的なシス女性何人かに「もし好みの男性がシャワーを浴びていて、そこで働いていたら見たくなったりしない?」と聞いてみると、「え、見る」と普通に答えていた。そうだろうなとも思う。

ドイツのベルリンにある市民プールでは、トップレスのまま泳ごうとした女性が強制的に退去させられた事態を受け、その女性がこれを男女平等に反する性差別だと訴えたところ、市民プール側は彼女の意向を受け入れ、全利用者のトップレスを認める決定をした。*3

こうした訴えを日本人が聞くと強い違和を感じるかもしれない。が、胸をだすことも、ださないことも自分の身体を自由にするその人の権利であり、それを規制することに対する繊細で敏感な人権意識がそこにはある。

最近、夏場の海やプールでは、日焼け対策も含めて全身ラッシュガードをまとう人々が増えていて、その傾向は私も大歓迎である。見せたくない人は見せなくていいし、見せたい人は見せればよい。

とはいえ、男性が身体を露出することの恥ずかしさは、あまり共感されない問題である気がする。哲学者のJ・デリダは飼っているネコに自分の裸を見られて恥ずかしがっていたし、最近ではロボット犬のaiboに見られて恥ずかしがる人もいる。それでも男性として生きていると「気にしすぎだよ」とか、「もういい歳なんだからそれくらい」とかいわれることは多々あって、そこには「男らしくない」とうっすらと感じられる規範意識が根づいている。いやなものは、いやなのだが。

非共感的くぐり抜け

本書『「くぐり抜け」の哲学』は、生物のクラゲの問題から始まった。美しいところだけが切り取られ、毒も、匂いも、彼らによる環境や生態系の破壊もほとんど取り上げられないまま、夏の清涼感あふれる展示品として好まれる、そんなクラゲの生態についてである。それを私は「くらげの現象学」と称して、「共感（または感情移入）」と訳されるドイツ語のEinfühlungを「くぐり抜け」と訳出しながら、クラゲの生と体験に近づこうと試みたのである。

クラゲについて集中的に書いているときには、知り合いから「連載は何について書いているの？」と聞かれることが何度かあって、「クラゲについてだよ」と答えると大抵は「え、そうなんだ……、なんでまた？」と一様の反応（無関心？）があって面白かった。

クラゲに対する共感が低いように、胸をだしたくない私の思いに対する共感もおそらく低い。クラゲは水族館で美しく展示されていればそれでよいのであって、それ以外のクラゲの生態などどうでもよいのだ。

私の身体への恥じらいも、なんて小さなことなのだろう、と正直思う。そんなことを恥ずかしがるなんて、と自分にさえ共感できない部分もある。ただ、もう少し以前の記憶を遡ってみても、小学校とかのプール学習もなんだか嫌だった。みんなが更衣室で着替えるあの時間。身体を晒すことの恥じらいだけではなく、集団よりは孤立を好む（これもまた男性的傾向かもしれない）ことの居心地の悪さも確実にあった。小さいことだとしても、今に始まったことではない。

しかし、こんな悩みでも希望がないとはいえない。なぜなら本書のテーマのひとつが「弱さ」であることが示しているように、現代において、ほんの小さな、どうでもいいと考えられがちな恥ずかしさや苦しみを取り上げ、表明してもいい状況にまで私たちはどうにか辿り着いたのだともいえるからだ。少しでもそうした弱さに基づく苦しみがあるならば、声を上げることは大切なことであり、むしろそうした苦しみが抑圧されたまま蓄積されていく社会のほうが怖い。

他方で懸念も残る。共感されないものは憎まれるよりも、むしろ単に無視され、なかったこととされる。ここでいう共感とは、「情動的共感（emotional empathy）」と呼ばれるもののことだ。「共感」や「エンパシー」といった言葉がタイトルに含まれる本がこれまでも、そしておそらくこれからも数多く出版されるのは、人々が共感という言葉に共感するからである。1章において指摘していたように、共感の厄介な点とは、私たちは共感できるものにしか共感しないということに尽きる。

私が共感をとても恐ろしいと思っているのは、共感するものたちの強い連帯は、「同」

の力となり、圧倒することで、それに共感できない「他」を排除する力をいつも持ち合わせているからだ。たとえば誰もがとあるヒット作品を誉めそやしているなかで、そう思えない自分に気づいたときのあの居心地の悪さ、といえば分かるだろうか。同調圧力には共感というレイヤーが地層の深みを走っている。

さらにいえば、共感に値するものは、それがたとえレッサーパンダであっても、どこか特別な人間であるかのように扱われるが、共感されないものは、人間に値しないものとして「非人間化される」傾向もある。自分の共感がどのように働いていて、それが何を見えなくさせてしまっているのか、いつも考えておく必要があるのはそのためだ(だから苦しい)。

本書で私は、とにかく共感を阻むもの、あるいは、共感から取り残されているものに向かって、できるかぎりの想像力を働かせながら、そこにある経験を「くぐり抜け」ようとしてきた。そしてそのために、いくつもの統計的データを用いざるをえなかった。

実は、こうした統計的なデータにも人々は共感しない。数字を見ただけで頭が痛くなって世界が遠のくという人もいる。共感は特定の個人や物事に向かうのであって、実体のない数字には向かいづらい。

しかし物事の平等さや公平さ、中立さを見定め、それを深く理解するには、どうしても数字に頼らなければならない局面がある。個人的な共感の範囲だけでは見えないことがあまりにも多すぎるからだ。大学進学状況も、経済状況も、犯罪状況もそうである。そうした非共感的な物事の多面的な理解を通して初めて、私たちが生きる「世界」という現象は浮かび上がってくる。そして今、最後に、向き合おうとしているのが、自分でさえうまく共感できないもの、すなわち男性という存在とそのセクシュアリティであった。

余剰男性と消えた女性

出生時に割り当てられる子どもの性別の自然な比率は、女児一〇〇人に対して男児一〇五人だといわれている。どうして男児が少し多くなるのか。女性のほうが寿命が長く、男性は短命で自殺率も高いため、高齢になるとやがて女性の数が男性を勝るようになる、そのように自然がバランスを取っているのではないかと考えられてもいるが、実際のところは不明な点が多い。そうではあるが、ともかく出生性比は上記のように落ち着く。

にもかかわらず、アジアの多くの国や地域、たとえばインドや中国、ベトナムでは、この出生性比が明らかにおかしい。[*4] インドの二〇一一年の国勢調査ではジャッジャール地区で男児一二八∶女児一〇〇という異常値が出ている。[*5] とある中国の町では、男児一五二∶女児一〇〇（睢寧県、二〇〇七年）、男児一六三∶女児一〇〇（連雲港市、年不明）といった報告もある。[*6] つまり男性の数が明らかに大幅に超過している現象がアジア各国で起きているのである。どうしてこんなことが、と思うかもしれない。そこには父系制の強い文化や家族類型において男児が好まれるため、出生前診断のテクノロジーを介して、子どもが女児だとわかると中絶手術が選択されてきた歴史がある。

女児殺しは狩猟採集社会でも数多く見られるものだが、ノーベル経済学賞をとったアマルティア・センがアジアにおけるこの異変を指摘し、それ以降「消えた女性（Missing Woman）」問題と呼ばれている。[*7] この問題を追究したジャーナリストのヴィステンドールによれば、ある推定に基づくとこの数十年間にアジアだけで一億六〇〇〇万人の女性が生まれる前に消えてしまったと考えられるという。[*8]

私はこれも「フェミサイド」のひとつではないかと考えているが、この一億六〇〇〇万という数字に対して、私たちはどれほどの共感を抱くことができるだろうか。ヴィステンドールは、この数字は、アメリカの全女性人口よりも多いことから、アメリカで暮らしているとして、自分の身の回りのショッピングモールやスーパーマーケット、地下鉄や車、自分の横にいる女性の全てが消え、あるいは、あなた自身さえ消えたところを想像してみれば、少しは実感が湧くかもしれないと述べている。[*9]

こうした驚くべきデータは、無数の小さな社会や共同体、家庭のなかで、そこまで違和感もなく行われてきた個々の人々の選択の結果である。[*10] しかしそのミクロな行動が集積し、数十年もの間積み重なることで、世界や社会全体にどんなインパクトをもたらすのか、私たちはまだ何も知らないのだ。

日本経済新聞は二〇一七年に「Too many men アジア、男余り1億人」というビジュアルデータを作成している。[*11] 一億人以上もの女性が消えたということは、その逆に一億人以上の男性がアジアで超過しているということだ。男性の数が多すぎて、パートナーを見つけることができず、独身として生きていく男性たちが増えること、その影響は二〇三〇年前後に露わになるとも囁かれている。暴力が溢れるのではないかとの予測もあり、その対策を国家レベル、世界レベルで考える必要があるように思えるが、この「余剰男性」問題も共感されにくいからか、ほとんど取り上げられることはない。

デジタルゲームに取り込まれる男性

スタンフォード大学の有名な監獄実験を実施し、自身も参加していた心理学者のP・ジンバルドーは、そのアシスタント、N・クーロンとともに『男子劣化社会　ネットに繋がりっぱなしで繋がれない』(二〇一五)という本を著している。衝撃的なタイトルではあるが、原題は *"Man (Dis) connected How technology has sabotage what it means to be male"* である。

本作の主題は、副題にあるようにテクノロジーが男性として生きることをどのように妨害してきたのか、であり、とりわけアメリカの若い男性が社会から取り残されていることに警鐘を鳴らすものだ。二〇二一年には、アメリカ全土で高等教育に進学する男性の数が記録的な水準で女性に後れをとっているというウォールストリートジャーナルの記事が出ている。「二〇二〇～二一年度の学期終了時に大学生に占める女性の割合は過去最高の五九・五%であり、男性は四〇・五%にとどまっている。アメリカのカレッジとユニバーシティでは五年前に比べて一五〇万人も学生が減少したが、そのうちの七一%が男性だった」[*12]。ジンバルドーらによれば、その主な要因は複数あるが、中でも重要なのが「デジタルゲーム」と「ポルノ」である。

単純にいってしまえば、男性は女性よりもデジタルゲームを長時間プレイし、ポルノを視聴する時間も長いため、それによって学習時間が短くなり（あるいは寝不足になり）、対面におけるコミュニケーション・スキルを身につける機会も減少し、社会的接触が困難になるという指摘である。いくつか彼らの主張を紹介しよう。

社会における男性の役割のアップデートが切実に求められているが、かつての女性運動のようなまとまりのある男性運動は起きていない。代わりに、記録的な数の男性が学業で落ちこぼれ、女性との付き合いをいっさいやめるか、または女性との性関係でしくじっている。[*13]

この変化し続ける不確かな世の中で新種の困難に直面した多くの若い男たちが、安全な場所にひきこもることを選んでいる。それは、自分で結末をコントロールでき、拒絶される恐れもない、自分の能力を称賛される場所だ。彼らにとってゲームとポルノはそんな安全地帯だ。[*14]

ポルノとゲームどちらか片方でも過剰使用すると実生活に問題を引き起こしかねないが、両方の組み合わせは致命的で、通常の活動からのさらなる撤退、社会的孤立、他人それも特に異性と付き合う能力の喪失が生じかねない。[*15]

ジンバルドーとクーロンは、こうした主張を統計的で科学的な証拠を用いながら根拠づけようとしている。本書はこれまで、「プレイ」と「ゲーム」という二つの原理を用いながら社会と人間の在り方について論じてきた。そしてなぜ人々がゲームを愛してしまうのか、その理由も浮き彫りにしてきた。

しかしここでは、そうした象徴的な意味でのプレイとゲームではなく、文字通りのゲーム、つまり「デジタルゲーム」を（同様にポルノも）愛し、そこに取り込まれてしまうものの多くが男性であることが問題視されている。

デジタルゲーム依存は世界的に問題になっているが、多くの研究でも女性より男性のほうが依存率が高いことが示されている。[16] ジンバルドーらは若い女性もゲームをすることに疑いはないと述べているが、それでも「若い女性がゲームに没頭する時間は若い男性とは比べものにならないくらい短い。男性の週平均一三時間に対し、たったの五時間である。しかも多くの若い男性が、〔……〕常習的に日に一三時間もゲームをしている」[17] と指摘する。二〇一四年時点での日本の高校生におけるゲーム依存に関する統計調査でも同様の傾向が見られる。[18]

現代では多くの女性もゲームにのめり込み、今後ますます増加すると予想されるが、それでも好むゲームのジャンルやゲーム機の種類には今のところ違いがありそうだ。ゲーム依存の人であれば男女ともにＰＣゲームなどの本格的なゲームプレイにハマっていくが、多くの女性はスマホゲームで遊ぶ傾向があるのに対し、男性は据え置き型のゲーム機を使う割合が依然として高い。[19]

技術革新とコミュ障

さらにこのことは、ゲームをプレイする側だけではなく、ゲームやアプリを開発する側に男性が多いこととも関係してくる。ゲーム開発だけではない、巨大テックといわれるGoogle、Apple、Facebook（現Meta）、Amazon、Twitterを創業したのがどんな人であったのかを考えてみればよい。イーロン・マスクもそうだ。哲学者のロブ・ライヒは、元Googleのエンジニアのメラン・サハミと、政治学者のジェレミー・M・ワインスタインと共同執筆した『システム・エラー社会「最適化」至上主義の罠』（二〇二一）で、ベンチャー・キャピタリストのジョン・ドーアが二〇〇八年に全米ベンチャーキャピタル協会において物議を醸した発言内容を紹介している。

男性とコンピュータオタクというふたつの条件は、「これまでに出会った世界最高の起業家たちのなかで、他のどの要因よりも成功との関連性が強い。［アマゾンの創業者のジェフ・］ベゾス、［ネットスケープの創業者のマーク・］アンドリーセン、［ヤフーの共同創業者の］デイヴィッド・フィロ、グーグルの共同創業者たちを見ればよい。全員が白人男性で、ハーバードやスタンフォードを中退したオタクで、社会生活を営めない[*20]」

こうした発言がどこまで真実をついているのか不確かなところは残る。が、彼らの著書が浮き彫りにするのは、ゲームが内在化させている「最適化（optimization）」傾向と「コミュニケーション」の問題である。どういうことか。

最適化とは、ある目的を実現するための適切な方法を求めて計画し、設計し、効率的に実行することだ。たとえば、人々の賛意や不賛意にかかわる雑多な意見や多様な感情を「いいね」というシンプルなボタンひとつで視覚化し、集計しようとする工学的な工夫もそのひとつである。

このことがなぜ、コミュニケーションの問題につながるのかといえば、ユーザーの増加数やクリック数、ＰＶ数などの代表的指標から人々の動態や内面性を把握することができると単純に過信する工学的な発想自体が、日常生活においてうまくコミュニケーションを実行できない男性たちの欲望をテクノロジーに反映させている可能性があるからだ。

高い「コミュ力」をもち、交友関係が充実していて孤独を感じていなければ、コミュニケーション・ツールを技術的に作る必要性に迫られることは少ないだろう。むしろ日常のコミュニケーションに困ることが多い人のほうが技術的に物事を解決したくなるものである。

自分の身の回りで問題が起きた場合、私たちは初めに何を考えるだろうか。まず周囲に助けてくれる人がいるかどうかを、つまりその問題を社会的に解決できるかどうかを考えるはずだ。たとえば、仕事で自宅を数週間空けてしまうことになり、育てている植物に水をやれない状況が生じるとき、あなたはどうするだろうか。人は大抵、友人や家族、知り合いにその間だけでも世話をしてくれないかと頼もうとする。そうはせずに、一日単位で適正な量の水が供給される自動水やりマシーンを自作し、その問題を技術的に解決しようとする人は、いたとしても少数だろう（ただし私が医大に勤めていたとき、そうしようとした男子学生に出会ったことがある）。人類は基本的に目の前の問題を社会的に解決することを好む。

これは、進化心理学者W・v・ヒッペルが提案する「あまり社会的ではない人々が技術的なイノベーションを生みだす可能性が高い」という仮定を組み込んだ「社会革新仮説（social leap hypothesis）」と呼ばれる考え方である。[*21] コミュニケーションに問題を抱える人々ほど周囲に頼れる人が少なく、誰かの手を借りて自分の問題を解決することが困難となるため、技術的に問題を解決しようとする傾向が強くなるというものだ。

この仮説の興味深いところは、技術革新を行う能力があるかどうかは、セクシュアリティには関係がない点にある。男性であれ、女性であれ、どのようなセクシュアリティの人々であっても、そうした能力が備わっている可能性はある。しかし技術革新の能力が高い人は、同時に社会的に問題を解決する能力も高いことがしばしばある。その場合、その人は技術的に問題を解決するよりも、コストがかからず、時間も節約できる社会的な解決手段を選択してしまう。

どうして男性のほうが、これまで技術革新を行うことができたのか、そのヒントがここにある。つまり、比較的コミュニケーション能力が高いとされている女性の場合は、たとえ技術革新の能力を備えていても、社会的に物事を解決する傾向が強い一方、コミュニケーションを取ることが苦手な傾向にある男性は、問題の解決を社会的にではなく、技術的に行うよう迫られる場面が増えるということだ。

一度こうした流れが作られると、あたかも「女性は技術革新をする能力が低い」というステレオタイプが生まれ、その呪いが社会的に蔓延するだけでなく、女性がそうした理系職につきにくい男性中心的な環境が整えられることで、技術革新を行う可能性はますます女性から奪われていくだろう。

そもそもどうして女性のほうが、男性よりもコミュニケーション能力が高いのか、その理由に関しては不明な点が多く、さらなる調査が必要である。とはいえ、女性が人類の歴史上、コミュニケーション能力（育児や介護などケアラーとしての役割、配慮や調整役）を社会的に強く求められる抑圧された「性」であったことは当然影響しているだろう。さらに人間以外の霊長類で見ても、たとえばボノボでは、メスがオスの暴力を回避するためにコミュニケートし連帯するように、そもそも暴力に対する向き合い方が異なる可能性も残る。

ヒッペルはまた、イノベーションの聖地であるシリコンバレーに自閉スペクトラム症の人々が並外れて多く集まっていることも指摘している。[*22] 自閉スペクトラム症の人はコミュニケーションにおいて苦労する場面が多く、さまざまな社会的な配慮が必要なことはいうまでもない。

本書で私は、男性のコミュニケーションの不在もしくは過小の問題を「男性性の問題」として何度も取り上げてきた。デジタルゲームにしろ、アプリにしろ、仮にそれが社会的にヒットし、事業が成功すれば、たとえコミュニケーションに問題を抱えていようとも資産形成することができ、生活に困ることもない。

しかし、コミュニケーションに問題を抱えている人の誰もが技術革新を行い、かつ、成功するわけではない。ほとんどの人は残念ながら、ただデジタルゲームに取り込まれ、そのデジタル空間内だけでコミュニケーションを完結させ、最適化できる快適なユートピアにいつづけたいと考えるだろう。ジンバルドーたちの『男子劣化社会』が指摘していたのがこの問題であった。

あまり詳細には触れられないが、「ポルノ」に関しても同様の懸念が強い。「AV（アダルトビデオ）」という語をGoogle検索してみればわかるが、〇・二七秒で九八億八〇〇〇万件のサイトがヒットする（毎回変化するが）。これだけ多くのサイトをどれだけの男性が、あるいは女性が、あるいは多様なセクシュアリティの人々が視聴しているのだろうか。Pornhubという世界最大ともいわれるアダルトサイトで発表されている日本人の訪問者データでは男性が七一%で、女性が二九%となっている。[*23] また、世界各国五万人以上を対象としたポルノ視聴に関するメタアナリシスでは、ポルノ視聴が多い人ほど、性的満足度および恋愛関係満足度が低いことも分かっている。しかもこの低い満足度に該当するのはどうやら男性だけである。[*24] 適切なポルノの視聴時間があるのかどうか、現在多くの研究がなされてもいるが、いまだ結論はでない。

他者との安全なコミュニケーションの場が確保された上で、はじめて私たちは信用できるパートナーを見つけたり、その人と性愛関係も含んだ相互により親密なコミュニケーションを発展させる可能性が出てくる。こうした他者との適切なかかわりの仕方は、ゲームやポルノの世界だけでは今はまだ十分だとはいえない。日本における適切な性教育の不在も指摘されて久しい。

ジンバルドーらが懸念する「デジタルゲーム」と「ポルノ」に取り込まれていく男性たち。この仮説を共感できる、できないにかかわらず、どこまで深刻な問題として私たちはくぐり抜けるべきなのだろうか。

3.4 — マイクロ・カインドネスを信じる

無差別犯罪者の声

みんなが、ぼくを醜男(ぶおとこ)だと言って、ぼくが弱虫でいじけていると言って、笑い物にする。クソッタレめが、今に見ていろ、こっちからやりかえしてやる。[*1]

自分の唯一の居場所がなくなって自分の存在が殺されたと感じ、「みんな死んでしまえ」と思うようになった。[*2]

医者になれないなら自殺しよう、人を殺して罪悪感を背負って切腹しようと考えた。[*3]

自分のことをぼっち（独りぼっち）とバカにしていると思った。[*4]

僕だけ不幸だなと。僕だけ割食っている。自分だけ貧乏くじを引いた。それが歪んで世の中への憎しみに変わっていったと思う。[*5]

周りは大人になって、どんどん自分のことを決めていっている。成功すると思っていた人たちは、みんな大卒で家族もできて、働いて幸せそう。僕以外はみんな幸せそうだし、僕だけが大失敗した。自分の中に『頼むから世界が終わってくれないだろうか』、心のどこかで『もう終わってほしいな』と。[*6]

これらは、無差別に不特定の他者を巻き込む犯行に及んだ男性たちの思考ならびに発言である。無差別とはいっても、このような事件は女性や子どもといった明らかに自分より弱いものを狙った犯行であることが多い。彼らが行ったことは、絶対的に社会が許容できるものではなく、その責任を負うべき犯罪行為である。被害者となり、亡くなった人々は戻ってくることは決してなく、遺された人々、社会に消えることのない傷を負わせたことは贖いようもない。

そのことをはっきりと認めたうえで、こうした犯行が今後起きない社会を願い、予防の思考や対策を行っていくにはどうすればよいのか。彼らに共感しなくてもいい、それでも彼らがどのような生を生きていたのか「くぐり抜ける」ことはできるはずである。彼らの攻撃性に向き合うためにも、彼らの発言の奥にある経験に触れる手を作ってみる必要がある。

私は1章の冒頭で「克服されるべきものとは異なる「弱さの経験」とはどのようなものなのか」、「弱さの肯定について、どこまでそれをくぐり抜け、それと向き合い、受け入れる準備ができているのか」と問うていた。本節冒頭に挙げた男性たちは弱かったといえるのだろうか。弱すぎたと非難できるものなのだろうか。絶望の果てで、攻撃性へと転化せざるをえない強さを希求してしまうこと、そこに「弱さ」という経験の核心があるように私には思える。

社会からの拒絶や孤立を感じて、どうしようもなくいたたまれない気持ちをもつことは誰にでも起こりうる。しかし、こうした感情を鬱積させたとしても、ほとんどの人は犯行には至らない。

しかも強い恨みを抱いた特定の人ではなく、無関係な他者を巻き込みたいという思考や行動は男性の犯行に極めて多い。コロナ感染した男性がウイルスをばら撒いてやるといって飲食店を訪れていた事件も、駅構内で女性にぶつかって歩く男も問題視されていた。どこまで追い詰められれば、あるいは、その人の過去にどんなことが起きれば、そうした思考や行動に至るのか。

彼らは害を被る他者に対する「共感性が乏しい」ともいわれる。[*7] しかしこれは、私は違うのではないかと感じている。そもそも他者に対する共感が乏しければ、個として自活し、なるべく他者にかかわらず、迷惑をかけられないよう生きていく道を探すこともできたはずである。

しかしそうしなかったのは、むしろ彼らは逆に、他者と社会が発する情報にあまりに同調しすぎていたからではないか。社会にとっての理想や規範に強く共感してしまうからこそ、社会的身分が安定しない、友人がいない、パートナーがいない、そうしたことへの社会的圧力を真に受けてしまう。きちんとした企業に勤め、多くの友人に囲まれながら家族を支えていく理想の男性像が呪いのように取り憑いている。そして、そうなれない自分が逆照射され、絶望する。彼らほど共感的な人間はいないとさえ、私には思えるのだ。ただしその共感があまりにもエゴイスティックなだけである（共感はそもそもエゴイスティックなものだ）。

この社会には、まちがいなく数々の競争（ゲーム）が仕掛けられている。大学受験に失敗することも、希望していた企業に就職できないことも、意中の人から好意を向けられないことも、少なくない人々に起こることだ。あるいは、生まれ育つ家庭の経済状況において「親ガチャ」と呼ばれてもおかしくない不平等も確実に存在している。このような場面で、身近な人が落胆し、「弱さ」を経験しているとき、私たちはどんな声をかけるのがよいのだろうか。あるいは、自分がそのような状況におかれたとき、どうやってこの「弱さ」に向き合うことができるだろうか。これは実はとても難しい問題である。ゲームのように規則があるわけでもない。むしろ、マニュアル的な対応ほど人を傷つけてしまうこともある。

身近な人が自分の弱さに苛まれ、絶望しているとき、「大丈夫だよ」、「次がまたあるから」、「失敗は糧にできる」等々の声かけをすることもあれば、何も話さずただそばにいつづけることもあるだろう。どれが正解であるのかは決定できないにせよ、いずれも明らかに間違っているわけではない。それに対して、その苦しみの渦中にある人の想いを逆撫でするような「からかい」だけは絶対にやるべきではない、と私は思う。本節冒頭の男性たちの言葉には「からかい」による傷つきが多分に感じ取れるものがある。

からかいとプレイ

からかい、冷笑、嘲笑というのは、それをされた側に強い禍根を残す。子どものころにからかわれた経験を今でも覚えている人は多いのではないだろうか。それが本人の意志ではどうにもならない身体的特徴や属性に関するものであれば、なおさらひどいものになる。私も目が細いだとか、髪が天然パーマだとかからかわれたことを、彼らの表情と一緒に今でも思い出せる。

この「からかい」の問題に関しては、フェミニストの江原由美子による論考「からかいの政治学」が詳しく、かつ、男性・マジョリティ研究をしている西井開も江原の議論を援用しながら「非モテ」という男性のセクシュアリティにとっての「からかい」がもつ問題の深刻さを指摘している。[*8]

誰が、いつ、どのようなことでからかわれるのかに明確なルールはない。その場のノリや空気の中で責任主体を明示することなく発生する。本書のこれまでの関連でいえば、からかいは「遊び／プレイ」の文脈にあり、それが「ゲーム化（ルーティン化）」していくとより深刻になる。

からかいはまちがいなくマイクロ・アグレッションのひとつである。しかもそれはその攻撃性を巧妙に隠すことを積極的に意図してなされるため始末が悪い。[*9] からかいに抗議しようとしても「何ムキになってるんだよ、冗談だよ」で片付けられてしまう怖さがいつもある。「ムキになるってことは図星だからでしょ」という完全に誤った論理も頻繁に持ち出される。ノリを理解できないことは、からかいを助長させ、からかわれる側を疲弊させ、どんどん萎縮させていく。からかわれる側は、発散できない怒りや苦しみをただただ蓄積させていくだろう。

西井は男性同士のホモソーシャルな空間における「からかい」の問題を以下のように指摘する。「からかわれる側にならないために、自身のアイデンティティを脅かされないために、つまり自身の優位性、しいては男性性を担保するためにからかう側に回る……。男性たちは絶え間ない競争と排除の世界を生きている」と。[*10]

からかわれても、それに耐え、かつ、自虐できるほどのタフさをもつことが男性コミュニティで生き残る術のひとつであるとすれば、こんな不健全なことはない。今すぐそんなコミュニティからは離脱し、解放されたほうがいい、そう思うかもしれない。が、養育において、小中高の教育現場において、大学において、サークルにおいて、職場において、SNSにおいて、男性コミュニティがそうした構図をいつも全面的に繰り広げているとすれば、逃げる場所などない。あるいは逃げた先とは、敗者の烙印が押され、追い詰められた場所でしかないだろう。

中村文則の小説『列』(二〇二三)は、非常勤講師として野生の猿を観察する研究者であるが、一五年間何の成果も出せない男、草間を主人公としている。彼は頭のなかで全ての人間を人間以下の猿だと見下しながら、自分が成功した暁の妄想に浸るか、相手をからかいたい欲望を必死に抑えて生きている。[*11]

とはいえ、自分の思いを素直に口に出さないのは、草間自身が、人間社会における「列=序列」からいつ排除されるかわからない不安と、失敗したときに人々から浴びる嘲笑を何よりも恐れているからであろう。この草間の思考と行動をさらにもう一歩極限へと突き詰めていけば、本節冒頭の無差別犯罪者たちの声と重なってくる、とさえ思えてくる。

中村の小説は、短い作品でありながら、本書の内容と重なる部分が多く、共感を拒む「取り残されていくもの」の人物像とその世界観を「列」という抽象的な事象（ゲーム）に焦点化することで見事に造形している。

私はネット上での「www」や「草」という表現がとても苦手である。文章の最後に、「(笑)」をつけることとは異なる、からかいのニュアンスがそこに乗せられていることが多分にあるからだ。それらは自分を安全な場所に確保しながら相手を見下し、優越感に浸る行為でもある。

狩猟採集社会においても「からかい」はよく用いられるが、しかしそれは、ある人が傲慢さを示したり、独り占めや威信、権力を求めたりすることに対する戒めとして共同体を防衛する戦略であり、弱者へのからかいとは明らかに異なるものだ。ただしそうはいっても、人間の幼児はすでに四歳ごろには他人の失敗を見て笑うことも分かっていて、[12]からかいは、人間と人間社会にかなり根深く染みついている傾向性でもある。

笑いを誘発する「ユーモア」は、人が生きていくためのとても重要な要素だと私は思っている。絶望的に苦しいときであっても、ほんのすこしでも、くすっと笑える余裕があれば、その絶望に息のできる隙間をあけて、次の一歩を踏み出す力を注ぎ込むことができる。ユーモアとしての笑いから、人を追い詰めるからかいだけを排除することはどこまで可能なのだろうか。

至高性の哲学者のバタイユは、下記のニーチェの笑いに関する文章断片を深く理解し愛していた。

悲劇的な人物たちが没していくのを見て、深い理解、感情、同情を覚えるのにもかかわらず、彼らを笑うことができるということ、これは神的なことだ。[*13]

この一文はどのように解釈できるだろう。あなたは神的に笑えるだろうか。ここでの笑いが、彼らを貶め、絶望させるからかいや嘲りであるはずはない（それでは神的とはとてもいえない）。だからといって、腫れ物のように距離を取ればいいわけでもない。そうではなく、悲劇的な人物たちを笑うことが彼ら自身の生を救い出すことになる、そんな笑いであるはずだ。それこそ至高な経験なのかもしれないが、私は可能だと信じている。そのためにも私たちは、自分のいる身近なコミュニティにおいて、とても小さな「からかい」から始まる「プレイ↓ゲーム」の残酷さを深く認識すべきときにきている。

マイクロ・カインドネスという願い

「からかい」の残酷さに私たちはどう向き合えばいいのだろう。養育や教育におけるリテラシーの向上は大切であり、SNSプラットフォーム等における制限といった技術的整備も必要である。しかしもっと身近なこととして、「マイクロ・カインドネス（micro-kindness）」という考えから始めてみるのはどうだろうか。これは「マイクロ・アグレッション」に対して私が作った造語であるが、[*14] この非常に「小さな善意」を、私たちは日ごろあまりに過小評価している。

たとえば偶然、目の前を歩く人が何かを落としたとき、さっと駆け寄って「落ちましたよ」と声をかけたり、同僚に「そこの書類を取って」といわれて「はいっ」と手渡したり、迷っていそうな人に道を教えたり、車線変更したい車を列に入れてあげたり、こうしたほんの些細なことで困っている人に手を差し伸べる行為がマイクロ・カインドネスである。

実はこうした行為は、やらなくても特に問題がない。義務でもなければ、ルールがあるわけでもない。しかし私たちは、咄嗟にそうしたことをしてしまう。落とし物をして気づかないままでいれば、その人はやがて困るかもしれない。そう想像することもできるが、そんな想像を働かせる手前で身体がぱっと動き、声をかける。

その瞬間の何気ない動作や身体の所作は、相手を助けたいとか、見返りが欲しいとか、自分の利益になるとかの思考とは関係がない。それこそ今目の前にいる人と、その現在を共有したことで起こる純粋な偶然のプレイであるし、意識や思考、さらには共感にも先立って、私たちが他者とつながろうとしてしまう瞬間である。言語的なコミュニケーションのもっと手前で、身体同士が呼応してしまう刹那的なコミュニケーションがある。

世界のどの文化においても、人は平均して約二分に一回の割合で、他人に物を取ってもらうなどの小さな助けを求めていることが調査によって分かっている。しかもこの小さな要求に人々が応える頻度は断るよりも七倍高く、無視するよりも六倍高い。[*15] また、一歳七ヵ月の子どもでさえ困っている人を見ると、自分のお腹が空いていても食べ物を差し出してしまう。これはチンパンジーには見られない人間固有の利他行動である。[*16] からかいの傾向が私たちに根づいているのと同様、マイクロ・カインドネスの傾向も私たち人類に深く根づいている。

物を取ってあげたりしたとき、私たちは自分の善行に少し気分がよくなるはずだが、そのとき相手がどう感じているかについてはあまり深く考えない。相手も突然の親切に驚いたりしていて、そこまで丁寧な謝意が伝えられるわけでもない。そのようにして私たちはマイクロ・カインドネスのインパクトを日々、見過ごしてしまう。

しかしどうやら、このほんのささいな親切行為は、見知らぬ相手の幸福度を持続的に高めることが分かっている。それだけではない。その後、親切を享受した人がより寛大になるよう促してもいるのだ。[*17] その場かぎりで偶然起こる、直接の見返りのない善行が、めぐりめぐって世界のやさしさの総量を増大させている。そのことを私たちは強く信じていい。

想像力の転換

この場面で、私たちには劇的なまでの想像力の転換が必要になる。私たちの共感は、たいてい身近な人や親族、友人、馴染みのある物事に対して強く働く。だからそれは、そうではない人や物事への想像力を奪う力としても働いてしまう。しかしマイクロ・カインドネスは、見知らぬ場所で、もしかすると二度と会うことがないような人に対しても発揮されるものだ。どうして私たちは、そんなことをしてしまうのか。

私の仮説はこうだ。そうしたマイクロ・カインドネスが起こるとき、私たちは不確定な出会いというプレイが内包する自由の感覚を享受している。それに対して、そうした刹那の関係を長期化させ、維持していくことのほうが、私たちにはよっぽど苦手なのだ。だからそのためにゲームが必要になるし、そこに暴力的な関係も入り込みやすい。

これと同様に、私たちは見知らぬ人とは深く有意義な会話はできず、相手も望んでいないと考えがちである。しかしこれも相互誤解であり、むしろ見知らぬ相手だからこそ深い話ができたりするものだ。[*18] たとえば自分が泣いたときのことや失敗談などは、近すぎる人よりも、知らない人のほうが告白できたり、それによって気持ちが楽になったりする。家族や仲間という内集団になるほど共有できない問題や話せない苦悩をたくさん抱えてしまうのは、幾重にも張り巡らされたゲームの規則と履歴に抵触することは表に出さないように抑制がかかるからであり、むしろ何の接点もない、つまりゲームを仕掛ける必要のない人との対話のほうが話せる、聞けるという関係性が生じやすい。そこにおいて私たちは、純度の高い「対等な経験」を手にすることもできる。

とはいえ私たちは、社会に張り巡らされたゲームにのめり込むあまり、こうした経験をますます信じることができなくなっている。大学生に聞いてみても、「自分のような知らない人が誰かを助けるなんて」とか、「相手に逆に迷惑になってしまう」とか、「余計に恥ずかしい思いをさせてしまうのではないか」や、「自分でなんとかしたいはずだ」といった回答が返ってくる。

確かに、電車やバスで席を譲っても断られてしまうことがある。でもそのときとは、あなた自身が席を譲ろうと現実に行為した紛れもない瞬間なのであり、そのプレイという行為があなたのなかで起きてしまった、その現在の価値は誰にも否定されるものでもない。そのことは、絶対に忘れないでいてほしい。たとえ断られたとしても、その相手の幸福度が高まっている可能性もあるし、その人にはそれなりの事情があったのだと割り切り、次にまた席を譲る機会があるときに譲ればいい。そこに遠慮もいらないし、後悔もいらない。そこで起きたプレイを純粋に享受すればいいだけである。

先日、大学に向かう途中の駅の改札で、学生らしき男性が「このペットボトルちがいますか？」と、私が電車のなかに置き忘れたものを手渡してくれた。そのときの彼のまなざしは、今でもよく覚えているし、ほんのささいな出会いであるにもかかわらず、私の大学までの歩みは、少し高まる鼓動とともに軽やかに変化した。

　想像力をこうした出来事にもっととどかせてみること。それは、自分の周囲数メートルで起こるプレイの価値にいつでも思いを巡らせられる想像力の涵養である。ゲームが全面化しつつある現代社会において、プレイを称揚できるのは、こうしたマイクロ・カインドネスの力によってではないかと、私は本気で思っている。

　それはあまりに小さく、弱い経験である。至高な瞬間とはとてもいえず、政治／社会的なインパクトなどなにもない。しかも何らかの対価を求めようとしたり、他人による評判や評価を意図した瞬間から、その行為はゲーム化され、消失してしまう。歪んだ悪意も生まれてくるだろう。その意味でもマイクロ・カインドネスは、からかいというプレイを含んだゲームが仕掛けてくる有用性や生産性、効率性といった呪縛から自由になることのできる奇跡的な「スペース（余地）」であり、決してつながることはなかったかもしれない他者との「コンタクト（接触）」を可能にする。そこにはいまだ偽善も、自己愛も存在しない。そんな「手」を私たちは改めて作り上げていく場所にいるのではないか。

　たしかにたったひとつの行為で、世界は何も変わらないだろう。しかしこの小さな手助けの相互性が、世界の根底で人間のつながりを保証していると夢想することができる。しかもあなたのその行為、声かけ、挨拶が、その場におけるただひとつの個別的な善意として、他者を介して世界の無数の場所に伝染し、繰り広げられていくとすれば、こんなに素晴らしいこともないだろう。それは、とても時間のかかる社会変革の足がかりに過ぎないのかもしれない。しかしそれでも、私たちの社会が抱えている傷を癒すのは、そして「弱さ」を抱えた私たちを支えてくれるのは、ほんのささいなマイクロ・カインドネスではないだろうか。人間が人間を信じられる場所を、私たちは小さなプレイの瞬間に創り出しているのだ。

3章　註

【3.1】

＊1　F・ベラルディ『大量殺人の〝ダークヒーロー〟—なぜ若者は、銃乱射や自爆テロに走るのか?』（杉村昌昭訳、作品社、二〇一七年）八頁。大治朋子『歪んだ正義　「普通の人」がなぜ過激化するのか』（毎日新聞出版、二〇二〇年）も参照。

＊2　Voice of America, "HISTORY OF MASS SHOOTERS", 2021.6.1., https://projects.voanews.com/mass-shootings/
そこにはアメリカ司法省による一九八〇年から二〇〇八年までの殺人事件に関する調査についても記されている。それによれば女性はテロ的な大量殺人をめったに行わず、殺人を犯した女性のほとんどは知り合いを殺害しており、その五八%が大切な人や肉親であった。それに対して男性が大切な人や肉親を殺害した割合は一八%にすぎない。また複数の被害者を出した殺人事件の全体のうち女性による犯行は六%である。

＊3　法務省法務総合研究所編『令和4年版　犯罪白書　新型コロナウイルス感染症と刑事政策　犯罪者・非行少年の生活意識と価値観』二頁。

＊4　法務省法務総合研究所編『令和2年　犯罪白書　薬物犯罪』一七九頁。

＊5　二〇二一年の男性の自殺者数は一万三九三九人、女性は七〇六八人である。男性の自殺問題は日本だけではなく、世界的な問題でもある。厚生労働省自殺対策推進室、警察庁生活安全局生活安全企画課「令和3年中における自殺の状況」二頁。https://www.npa.go.jp/safetylife/seianki/jisatsu/R04/R3jisatsunojoukyou.pdf

*6 M・C・ブリントン『縛られる日本人』（池村千秋訳、中公新書、二〇二二年）一〇頁以下。

*7 F・ニーチェ『道徳の系譜』（木場深定訳、岩波文庫、一九六四年改版）八七頁、S・フロイト『幻想の未来／文化への不満』（中山元訳、光文社古典新訳文庫、二〇〇七年）二二八頁。

*8 朝日新聞クロスサーチ（https://xsearch.asahi.com/）を利用（二〇二三年五月六日時点）。

*9 毎策（https://mainichi.jp/contents/edu/maisaku/index.html）を利用（二〇二三年五月六日時点）。

*10 G・バタイユ『ヒロシマの人々の物語』（酒井健訳、景文館書店、二〇一五年）三〇頁。

*11 「しかしそれでも、撲滅できるものを撲滅するということを誰も断念しはしない。〔……〕私は、不幸の部分を減少させることしかできない努力を、逃避に基づくものとして、描き出してみた」。同書、三〇頁。

*12 同書、二一頁。

*13 坂口安吾『堕落論』（新潮文庫、二〇〇〇年）一〇一頁。

*14 早川芳枝は、この安吾のカラクリには、「制度やシステム、あるいは思想という意味」と「そのカラクリに依存することによって自らの本心に向き合うこと（すなわち堕落すること）を回避して、責任を回避してしまう」という意味の二つがあると指摘している。早川芳枝「坂口安吾の天皇制批判と古代東アジア史論 「カラクリ」に対抗する「カラクリ」」『「エコ・フィロソフィ」研究』（一三号、二〇一九年）七五頁。

＊15　男性というセクシュアリティの問題に特化しているわけではないが、この点を極めて正確に指摘している見事な安吾論として、佐々木中『戦争と一人の作家　坂口安吾論』（河出書房新社、二〇一六年）がある。佐々木はそのなかで安吾がなぜファルスを書くことに失敗したのか、その原因を以下のように述べる。「彼は常に「誰が誰を」突き放しているのか混乱している。誰が、誰を、「突き放し」「モラルのない」「救いのない」状況に置くのか、いつでも安吾は曖昧なままなのだ。これが安吾の巨大な錯誤を生み出すことを、われわれは見ることになるだろう」（六二頁）。「遂にここで明らかになる。安吾がみずからの定義になるファルスを書き得なかった理由が。それは、彼がみずからの作品のなかで自分自身を「突き放し」「笑う」ことができなかったからだ」（二〇〇頁）。

＊16　坂口安吾『風と光と二十の私と』（講談社文芸文庫、一九八八年）一六四頁。

＊17　同書、一六七頁。

＊18　同書、一八一頁。

＊19　同書、一七三頁。

＊20　坂口安吾の病跡学的研究では、安吾は父と同一化しながら、かつ「安吾は「父」を殺すべく一切の秩序、規矩、常識の桎梏に反抗した」とも指摘されている。米倉育男「嗜癖者の病跡学的研究（その３）坂口安吾について」『日本病跡学雑誌』（一四号、一九七七年）四八頁。

＊21　坂口安吾『風と光と二十の私と』一八一頁。

＊22　同書、一八二頁。

＊23　同書、一八四頁。
＊24　幼少期における生の仄暗さと父から受けた衝撃は、境遇は全く異なるが、バタイユにも共通している。バタイユの父は、彼が生まれたときには梅毒のために視力が失われており、その三年後には脊髄癆(せきずいろう)に全身が冒され四肢の自由も奪われてしまう。「父が狂人だった」というバタイユのこの考えの真偽と詳細には不明な点が残り、それが兄弟間の不和の火種にもなったが、幼少期の彼の心を捉え、生涯にわたって戦慄させつづけた。それがバタイユにとっての「人間のふるさと」だったのである。M・シュリヤ『G・バタイユ伝　㊤　1897〜1936』（西谷修、中沢信一、川竹英克訳、河出書房新社、一九九一年）二三頁以下。
＊25　坂口三千代『クラクラ日記』（ちくま文庫、一九八九年）一八五頁。
＊26　『クラクラ日記』、『ひとりという幸福』（メタローグ、一九九九年）などを参照。
＊27　坂口三千代『クラクラ日記』一七九頁以下。安吾のほうが先にことの顚末を「我が人生観（一）生れなかった子供」という小文に記しているが、安吾の死後に書かれた三千代のエッセイは、安吾が隠して語らなかった実情を詳らかにしている。
＊28　同書、八二〜八三頁。
＊29　同書、八〇頁。
＊30　同書、九三頁。
＊31　同書、一四九頁。
＊32　同書、一八五頁。
＊33　同書、八三頁。

＊34　同書、八三頁。

＊35　「柄谷行人氏ロングインタビュー　すべては坂口安吾から学んだ」『週刊読書人』第三二一一号、二〇一七年一〇月二〇日。

＊36　坂口三千代『ひとりという幸福』一六八頁。

＊37　同書、三二三頁以下。安吾自身も「人の子の親となりて」というエッセイを書いている。そこには父となることの喜びが描かれているのだが、飼っている犬と比較している辺りに安吾の戸惑いと恥じらいが読み取れもする。坂口安吾『坂口安吾全集　14』（筑摩書房、一九九九年）。

＊38　坂口三千代『クラクラ日記』三三八頁。

＊39　安吾が亡くなる数年前に手がけていた作品に「安吾の新日本地理」、そして絶筆となった「安吾新日本風土記」がある。これらは日本に蔓延る（はびこる）「万世一系神話」という歴史的なカラクリに対して、新しい古代史というカラクリを創出して相対化することを試みたものである。早川芳枝「坂口安吾の天皇制批判と古代東アジア史論　「カラクリ」に対抗する「カラクリ」」八一頁。

＊40　K・マルサル『アダム・スミスの夕食を作ったのは誰か？　これからの経済と女性の話』（高橋璃子訳、河出書房新社、二〇二一年）。私は下記の論考で、進化論のダーウィンについても同様のことが当てはまると論じていた。稲垣諭「性というパフォーマンス（２）　性の語り、共同幻想、同意の現象学」『白山哲学』（五五号、二〇二一年）四一頁以下。

＊41　坂口安吾『風と光と二十の私と』一六八頁。

＊42　同書、二〇六頁。

【3.2】

＊1　これは講義の履修者のひとり金屋杏佳さんのものである。ご協力ありがとうございます。
＊2　稲田豊史『映画を早送りで観る人たち　ファスト映画・ネタバレ　コンテンツ消費の現在形』（光文社新書、二〇二二年）一六六頁。
＊3　坂口安吾『風と光と二十の私と』（講談社文芸文庫、一九八八年）三一五頁。
＊4　坂口安吾『堕落論』（新潮文庫、二〇〇〇年）一四八頁。
＊5　D・グレーバー『官僚制のユートピア　テクノロジー、構造的愚かさ、リベラリズムの鉄則』（酒井隆史訳、以文社、二〇一七年）二八六頁。
＊6　吉本隆明『共同幻想論　改訂新版』（角川文庫、一九八二年）三七頁。
＊7　澤田直・岩野卓司編『はじまりのバタイユ　贈与・共同体・アナキズム』（法政大学出版局、二〇二三年）三二頁。
＊8　D・グレーバー『官僚制のユートピア』二七五頁。
＊9　P・ブルーム『反共感論』（高橋洋訳、白揚社、二〇一八年）二二四頁。
＊10　坂口安吾『堕落論』九六頁。
＊11　安達正勝『死刑執行人サンソン　国王ルイ十六世の首を刎ねた男』（集英社新書、二〇〇三年）一〇二頁以下。
＊12　L・ハント『人権を創造する』（松浦義弘訳、岩波書店、二〇一一年）六七頁以下。
＊13　OECD, *Education at a Glance 2016 OECD INDICATORS*, p.29, 326.

＊14 OECD, *Education at a Glance 2022 OECD INDICATORS*, p.186, 194.

＊15 文部科学省「令和3年度学校基本調査（確定値）の公表について」五頁。

＊16 OECD, *Education at a Glance 2022 OECD INDICATORS*, p.190.

＊17 *ibid.*, p.170, 186.

＊18 C. Tao, A. Glosenberg, T. J. G. Tracey, D. L. Blustein & L. L. Foster, "Are Gender Differences in Vocational Interests Universal?: Moderating Effects of Cultural Dimensions", *Sex Roles*, 87, 2022, pp.327-349.

＊19 OECD, *Education at a Glance 2022 OECD INDICATORS*, p.153.

＊20 稲垣諭「終焉の存在論　終わることの困難と魅惑」『現代思想』（四七巻四号、青土社、二〇一九年）一九七頁。

＊21 J. A. Rattel, I. B. Mauss, M. Liedlgruber, F. H. Wilhelm, "Sex differences in emotional concordance", *Biological Psychology*, vol.151, 2020, 107845.

＊22 R. A. Clutterbuck, M. J. Callan, P. Shah, "Socio-demographic and political predictors of Theory of Mind in adulthood", *PLoS ONE*, 18 (5): e0284960, 2023.

＊23 A・ギデンズ『親密性の変容　近代社会におけるセクシュアリティ、愛情、エロティシズム』（松尾精文、松川昭子訳、而立書房、一九九五年）九一頁。

＊24 同書、一三頁。

＊25 河野真太郎『新しい声を聞くぼくたち』（講談社、二〇二二年）、とりわけ第五章以下。

＊26 A・ギデンズ『親密性の変容』一三頁。

【3.3】

*1 NHK NEWS WEB特集「〝本当はイヤなのに 男湯・男性トイレに女性清掃員 なぜOK?〟」二〇二二年七月一日
https://www3.nhk.or.jp/news/html/20220701/k10013696731000.html

*2 東京新聞TOKYO Web「〈ねぇねぇちょっと 特別編〉女性社員だけトイレ掃除ハラスメントの可能性」二〇二〇年七月三〇日
https://www.tokyo-np.co.jp/article/45802

*3 WELT, Berliner Schwimmbäder erlauben „oben ohne“, 2023.10.3., https://www.welt.de/vermischtes/article244189707/Berlin-Schwimmbaeder-erlauben-oben-ohne-fuer-alle.html

*4 アジアだけではなく、同様の問題は、東南ヨーロッパ、中東、アフリカにも及んでいる。J・D・シュバ「【男児選好】人口統計が示す世界的な「産み分け技術のダークサイド」」DIAMOND online、栗木さつき訳、二〇二二年一二月五日 https://diamond.jp/articles/-/313859

*5 日本経済新聞「Too many men アジア、男余り1億人」二〇一七年四月二五日
https://vdata.nikkei.com/newsgraphics/ft-gender-imbalance/

*6 M・ヴィステンドール『女性のいない世界 性比不均衡がもたらす恐怖のシナリオ』（大田直子訳、講談社、二〇一二年）四二、四八頁。

*7 A. Sen, “More Than 100 Million Women Are Missing”, *The New York Review of Books*, 37(20), 1990, pp.61-66.

＊8　M・ヴィステンドール『女性のいない世界』二六頁。
＊9　同書、二七頁。
＊10　正確にはこれは正しくない言い方である。ヴィステンドールの取材が明らかにしたのは、たとえばインドでは一八世紀以降のイギリスの植民地主義による課税システムの強制的導入や欧米発のテクノロジーが、現地の人々の女児殺しの選択に強い影響を与えている可能性が高いということだ。その具体的かつおぞましい内容は、彼女の『女性のいない世界』を読んでいただきたい。一言つけたせば、この日本語書名もいささかミスリーディングである。原題をそのまま訳せば「非自然的選択　女児ではなく男児を選択すること、そして男性に溢れた世界の行末」であり、余剰男性問題が焦点なのであるが、女性問題であるかのような共感しやすい邦題がつけられていると、私には思われる。
＊11　日本経済新聞「Too many men アジア、男余り1億人」
＊12　D. Belkin, "A Generation of American Men Give Up on College: 'I Just Feel Lost'", *The Wall Street Journal*, 2021.9.6.
＊13　P・ジンバルドー、N・クーロン『男子劣化社会　ネットに繋がりっぱなしで繋がれない』（高月園子訳、晶文社、二〇一七年）九頁。
＊14　同書、一二～一三頁。
＊15　同書、一七頁。
＊16　須田一哉「日本の高校生を対象としたゲーム依存とプレイ行動の実態」『シミュレーション&ゲーミング』（二四巻一号、二〇一六年）八頁。
＊17　P・ジンバルドー、N・クーロン『男子劣化社会』四三頁。

*18 須田一哉「日本の高校生を対象としたゲーム依存とプレイ行動の実態」『シミュレーション&ゲーミング』一〜一〇頁。

*19 同書、七頁。

*20 R・ライヒ、M・サハミ、J・M・ワインスタイン『システム・エラー社会 「最適化」至上主義の罠』(小坂恵理訳、NHK出版、二〇二二年)九六〜九七頁。

*21 W・v・ヒッペル『進化心理学で読み解く、人類の驚くべき戦略 われわれはなぜ嘘つきで自信過剰でお人好しなのか』(濱野大道訳、ハーパーコリンズ・ジャパン、二〇一九年)二一二頁。

*22 同書、二一五〜二一六頁。

*23 Pornhub INSIGHTS, "2021 Year in Review" 2021. 12. 14., https://www.pornhub.com/insights/yir-2021

*24 P. J. Wright, R. S. Tokunaga, A. Kraus, E. Klann, "Pornography Consumption and Satisfaction: A Meta-Analysis", *Human Communication Research*, 43 (3), 2017, pp.315-343.

【3.4】

*1 F・ベラルディ『大量殺人の〝ダークヒーロー〟 なぜ若者は、銃乱射や自爆テロに走るのか?』(杉村昌昭訳、作品社、二〇一七年)六九頁。

*2 毎日新聞デジタル「事件がわかる 秋葉原通り魔事件」二〇二二年五月一九日 https://mainichi.jp/articles/20220517/osg/00m/040/001000d#04

＊3　朝日新聞デジタル「逮捕の高2「東大に入りたかったが」　前日に行方不明届　東大前刺傷」二〇二二年一月一五日　https://www.asahi.com/articles/ASQ1H5725Q1HUTIL023.html

＊4　読売新聞オンライン「「ぼっちとバカにしている」女性2人襲撃の理由…説得の母親に「絞首刑で死ぬのは嫌だ」」二〇二三年五月二八日
https://www.yomiuri.co.jp/national/20230528-OYT1T50097/

＊5　デイリー新潮「小田急線刺傷事件裁判　対馬被告が語った「パン工場夜勤」「コンビニバイト」の困苦「周りは何不自由なく暮らしているのに僕だけが不幸」」二〇二三年六月三〇日　https://www.dailyshincho.jp/article/2023/06301023/?all=1

＊6　ＮＨＫスペシャルまとめ記事「なぜ一線を越えるのか　無差別巻き込み事件の深層」二〇二二年六月二一日
https://www.nhk.jp/p/special/ts/2NY2QQLPM3/blog/bl/pneAjJR3gn/bp/ppxPVZogMp/

＊7　同記事

＊8　江原由美子『増補　女性解放という思想』（ちくま学芸文庫、二〇二一年）二三八～二六三頁、西井開『「非モテ」からはじめる男性学』（集英社新書、二〇二一年）六八～七三頁。

＊9　江原由美子『増補　女性解放という思想』二四九～二五〇頁。

＊10　西井開『「非モテ」からはじめる男性学』九二頁。

＊11　中村文則『列』（講談社、二〇二三年）。

＊12 K. Schulz, A. Rudolph, N. Tscharaktschiew, U. Rudolph, "Daniel has fallen into a muddy puddle-Schadenfreude or sympathy?", *British Journal of Developmental Psychology*, 31 (4), 2013, pp.363-378.

＊13 G・バタイユ『ヒロシマの人々の物語』（酒井健訳、景文館書店、二〇一五年）五〇頁の訳者あとがきより。あるいは、G・バタイユ『ニーチェについて』（酒井健訳、現代思潮社、一九九二年）三二八頁。

＊14 正確に記すと、この語自体は英語教育研究を行っているJ. Laughterが、二〇一四年に多文化教育に関する論文で導入しており、実証的な成果が当時まだないなか、マイクロ・カインドネスの理論構築が試みられている。ただしそこでの意味合いは、多様な文化が出会う教育場面においてマイクロ・アグレッションを抑制するために、学生たちの潜在的な意識傾向をクリティカルに認識することに力点が置かれ、注意すべき行動や発言等の実践的な手引きのリストとして提示されている。J. Laughter, "Toward a Theory of Micro-kindness: Developing Positive Actions in Multicultural Education", *International Journal of Multicultural Education*, 16 (2), 2014, pp.2-14.

＊15 G. Rossi, M. Dingemanse, S. Floyd, J. Baranova, et al., "Shared cross-cultural principles underlie human prosocial behavior at the smallest scale", *Scientific Reports*, 13, Article number: 6057, 2023.

＊16 R. C. Barragan, R. Brooks, A. N. Meltzoff, "Altruistic food sharing behavior by human infants after a hunger manipulation", *Scientific Reports*, 10, Article number: 1785, 2020.

＊17 M. Kardas, A. Kumar, N. Epley, "Overly shallow?: Miscalibrated expectations create a barrier to deeper conversation", *Journal of Personality and Social Psychology*, 122 (3), 2022, p.367–398.

＊18 A. Kumar, N. Epley, "A Little Good Goes an Unexpectedly Long Way: Underestimating the Positive Impact of Kindness on Recipients", *Journal of Experimental Psychology: General*, 152 (1), 2023, pp.236-252.

おわりに　くぐり抜けたその先へ

ようやく、ひとつの「くぐり抜け」に区切りをつけることができる場所にまで辿り着いた。いや、おそらくここも、かりそめの休憩地にすぎない。とくに自分にとっての「男性性」ということの実質は、納得いくほど明らかにできた実感はすくない。ここが現段階での私の自分に対する向き合い方の、つまり「くぐり抜け」の限界なのかもしれない。しかし、それほど他者だけではなく、自分の経験や、現代社会をもくぐり抜けようとする試みは、果てしなく長く、遠い、苦しい旅でもある。それでも一度、区切りをつけてみることで、自分の足跡が見えてくることはあるだろう。

本書は「くらげ」をめぐる思考から始まった。そもそも、この「くらげ/クラゲ(jelly-fish)」には「弱虫」や「へたれ」、「優柔不断」という意味が込められていた。3章とのつながりでいえば、まさに「くらげ」こそ、共感から取り残され、からかいのなかにとらわれていた他者だったともいえる。私たちは、からかうことなく、紛れもない他者としての「くらげ」とかかわることはできるのだろうか。

この「くらげ」を本書の初めの対象に選んだということに、私自身のセクシュアリティが、どこまで浸透しているのか、それもいまだによく分からない。とはいえ、その若干の罪悪感めいた感慨をもちながら、私たちは、くらげの現象学から始めて、くらげを女性に重ねて、その存在に驚いてみせる男性たちがもつコントロールしたい欲望と、コミュニケーションの不足とをくぐり抜けてきた。そこから他者を傷つけると同時に傷ついてしまう「取り残されていく人々」の経験を、現代社会の諸相から浮き彫りにした。しかもそこは、男性というセクシュアリティに顕著な強さの理想や体面の裏側にぴったりと張りついた「弱さの経験」がうごめく場所であった。ゲームを愛しながらも、プレイフルで残酷な「人間のふるさと」にも惹かれつづけてしまう人間、なかでも男性の弱さがそこには隠されていたのである。今後私たちの社会が、安吾が指摘したこの弱さと向き合い、それを受け入れられるかどうかが、本書全体の主題であった「男性性の終わり」と「至高性のない世界」という私の仮説の未来を占うことになる。

苦しいときに自分よりも弱いものを見定め、蔑み、からかうことができれば、その場かぎりでは自分の強さに酔いしれることができるかもしれない。しかしその弱さが呼び寄せた見せかけの強さは、めぐりめぐって他者を巻き込み、残酷な苦しみを蓄積させるからかいのプレイを増殖させるだけである。その鬱積は、社会に対する攻撃性として発露の機会を窺う暗い感情にしかつながらないだろう。

それに対して、弱さの経験を強さで塗りつぶすことなく、苦しいのだと声をあげ、声をあげた人に手を差し伸べる。そうしたマイクロ・カインドネスが満ちた世界、私たちはそれこそを「人間のふるさと」として理解すべきではないだろうか。

モラルも、救いもないのが「人間のふるさと」だと安吾は述べていた。しかしふるさとを、そうした残酷な暴力性に染まった場所にするのではなく、モラルや救いといった仰々しい言葉や思考のはるか手前で、私たちが不意に他者とつながろうとしてしまう、そんな小さなプレイの奇跡を言祝ぐことから始めてみるのが、壊れそうな弱さを抱えた私たちには必要とされていると、私には思えてならないのだ。

あとがき

本書『「くぐり抜け」の哲学』は、私の六冊目の著作になります。元となる原稿は二〇二二年九月から始まった『群像』での連載であり、その十三回の原稿に加筆したり、冗長な議論やくりかえしの表現を削ったり、章や節を再編してできあがったものです。

この連載は「「弱さ」の哲学」という特集から生まれたものでした。最初は何を書いたらいいのか、どんな文章の硬さがいいか、スタイルはどうか、迷いの連続でした。前著『絶滅へようこそ「終わり」からはじめる哲学入門』（晶文社、二〇二二）が、「僕」という人称代名詞を使いながら、やわらかめで一般向きを強く意識していたので、もう少し硬くてもいいのかな、と考えていたのをよく覚えています。その分、前作よりは難し目かもしれません。

本書の内容は、私たち人類が、なかでも自分を含んだアカデミックな世界に身を置く男性が、どのように「他者」を作り出してきたのか、あるいは「自然」を幻想的に理想化して捉えてきたのかのメタ認知的な反省論でもあります。

また、くらげという他者に弱さの経験を重ねながら、私自身のセクシュアリティに迫ることも本書の課題にしていました。そのため、なるべく気をつけてはいたのですが、それでも私の男性的とも思える側面が原稿に現れていることが多々あり、何度も自分のアンコンシャス・バイアスに直面し、それを自覚化していく苦しい作業にもなりました。『群像』連載時の担当だった編集者の大西咲希さんからいただいたコメントやアイデアによって気づかされることも多く、それによって原稿の内容が全く異なるものになったこともしばしばありました。大西さんの力に助けられ、一緒に「くぐり抜け」たという実感がひしと残っています。

また、単行本の編集を担当していただいた中谷洋基さんは、連載用に書かれていた原稿にしっかり目を通し、分かりづらいところの指摘や単行本用にぴったりな章立ての提案をしてくれました。これまで以上に本書は、ひとりで作った感じのしない、つまり私の経験を他者にくぐり抜けられたような本になっています。私自身の研究計画にはもともとなかった想定外の方向へと、プレイフルに進んだのが本書でもありますが、それでもこの迂回が今後の研究全体に影響をあたえそうな予感もあります。

ともかく、本書の試みが明らかにしたのは、他者の生と他者が生きる世界を理解することがどれほど難しく苦しい(だから面白い！)旅路になるか、ということに他なりません。

今回の「くぐり抜け」の旅に付き合ってくれた人が、これからも自分の、あるいは他者の経験をくぐり抜けるよう試みてくれることを心から願っています。わずかでも希望が見える世界に向かって。

二〇二四年一月

稲垣　諭

装幀　川名　潤
装画　田渕正敏

初出
「群像」連載　二〇二二年一〇月号～二〇二三年一〇月号
書籍化にあたり、加筆修正いたしました。

稲垣　諭（いながき・さとし）

北海道生まれ。東洋大学大学院文学研究科哲学専攻博士後期課程修了。文学博士。自治医科大学総合教育部門（哲学）教授を経て、現在、東洋大学文学部哲学科教授。専門は現象学、環境哲学、リハビリテーションの科学哲学。著書に『大丈夫、死ぬには及ばない　今、大学生に何が起きているのか』『壊れながら立ち上がり続ける――個の変容の哲学』『絶滅へようこそ　「終わり」からはじめる哲学入門』など。